kaprys historii

Mojej córce Julii

MARCIN
WOLSKI

kaprys historii

ZYSK I S-KA
WYDAWNICTWO

Redakcja
Jan Grzegorczyk
Tadeusz Zysk

Projekt graficzny okładki
Agnieszka Herman

Opracowanie graficzne i techniczne
Barbara i Przemysław Kida

Wydanie I

ISBN 978-83-7506-355-4

Zysk i S-ka Wydawnictwo
ul. Wielka 10, 61-774 Poznań
tel. (061) 853 27 51, 853 27 67, fax 852 63 26
Dział handlowy, tel./fax (061) 855 06 90
sklep@zysk.com.pl
www.zysk.com.pl

POCZĄTEK KOŃCA

Koroner, który oglądał zwłoki Matta Robertsa, nie zauważył niczego szczególnego, oczywiście jeśli za normalną uznamy sytuację, gdy zdrowy, 39-letni mężczyzna rasy białej, mający 187 centymetrów wzrostu, postanawia ni z tego, ni z owego popełnić samobójstwo, a na miejsce zejścia z tego świata wybiera obskurny pokój w tanim Sleep Inn na przedmieściu Baltimore. Cóż, miejsce dobre jak każde inne. Podobnie jak środek użyty do tego celu — sztucer myśliwski naładowany grubym śrutem. Samobójca podszedł do swego zadania dość fachowo — lufę umieścił dokładnie pod brodą, zaś bosym paluchem prawej nogi nacisnął język spustowy. Prosta robota, chociaż niezbyt estetyczna. Recepcjonista, Latynos o imieniu — jak na kubańskiego uchodźcę przystało — Fidel, którego o 5.15 zbudził pojedynczy strzał, nie musiał wyłamywać drzwi. Lokator pokoju nr 113 nie uznał za celowe ich zamknięcia, w efekcie Fidel na widok zwłok i mózgu rozpryśniętego na suficie zwymiotował, ale szybko się pozbierał i zadzwonił na policję.

Denat nie pozostawił żadnego listu, ale jego tożsamość nie wzbudziła wątpliwości. Dokumenty znalezione w portfelu, odciski palców wskazywały, iż bez dwóch zdań był to Matt Roberts. Absolwent School of Technology w Nowym Jorku, przez parę lat ekspert pracujący dla Chryslera. Potem, przez ostatnie siedem lat, właściciel samochodowego warsztatu naprawczego. Samotny. Rozwiedziony. Charakterystyczne znamiona potwierdzone przez byłą żonę rozwiały jakiekolwiek wątpliwości co do osoby samobójcy. Co spowodowało ten rozpaczliwy krok? Tu nie było jasności. Wręcz przeciwnie — kompletna ciemność. Wprawdzie Roberts był poważnie zadłużony, ale posiadał nieruchomości, które zawsze mógł sprzedać. A może powodem targnięcia się na własne życie był pożar, który tej samej nocy doszczętnie zniszczył jego dom i przyległy spory warsztat, w którym spędzał większość czasu?

Ogień wybuchł około godziny 10 wieczorem. Z dużym prawdopodobieństwem można było założyć, że doszło do zwarcia instalacji elektrycznej. Materiałów łatwopalnych w warsztacie nie brakowało. Kiedy sąsiedzi zauważyli płomienie, hajcowało się już na dobre. Nie można było porozumieć się z Robertsem ani jego pomocnikiem Nedem. Miejsce pożaru od motelu dzieliła niecała godzina szybkiej jazdy samochodem. Matt Roberts zameldował się tam na krótko przed północą. Na recepcjoniście zrobił wrażenie człowieka podnieconego. „Tak jakby miał randkę z kobitką z rozkładówki" — twierdził Fidel. Komórka denata pozostawała cały czas wyłączona. Tymczasem dokładne przeszukanie zgliszczy warsztatu o świcie ujawniło jeszcze jedną ofiarę — Neda Glenna. Ciało technika było zbyt zwęglone, aby dało się ustalić przyczynę zgonu. Śledczy nie wykluczał, że doszło do jakiejś sprzeczki, w trakcie której Roberts zabił wspólnika, że podpalił warsztat, następnie zabrał z domu strzelbę (była zarejestrowana na jego nazwisko), pojechał do Sleep Inn i tam się zastrzelił.

W każdym razie nie znaleziono poszlak wskazujących na działanie osób trzecich. Ani motywów. Matt był odludkiem, majsterkowiczem. Żona opuściła go przed rokiem. Dzieci nie mieli.

Koroner zdecydował o zamknięciu śledztwa. Aby podejrzewać zabójstwo, musiałyby pojawić się dwa elementy — motyw i zabójca. W wypadku Robertsa brakowało jednego i drugiego. Przynajmniej na pierwszy rzut oka.

***

Dla Marcella Umbertiego było to takie samo zlecenie jak każde inne. Gdyby miał roztrząsać wszystkie sprawy, które mu zlecono, zostałby filozofem, a nie zawodowym zabójcą. Już wcześniej wykonywał różne zlecenia dla Phila Abbota, szczupłego mężczyzny o wyglądzie typowego nowojorskiego biznesmena. Spotykali się zwykle w pubie, rzut beretem od Wall Street. Abbot płacił dobrze i cenił sobie profesjonalizm. Dla kogo pracował, Umbertiego nie interesowało. Phil płacił dobrze i terminowo. W przypadku Robertsa dostarczył kilka zdjęć „celu" oraz informacje wskazujące, że mechanik był obserwowany przez ludzi Abbota już od dłuższego czasu.

Zlecenie obejmowało kilka osób. Po usunięciu Robertsa i Glenna oraz puszczeniu z dymem ich warsztatu, Umberti miał zająć się niejakim Ablem Harrimanem, grubą rybą przemysłu motoryzacyjnego z Detroit, pozostającym w ścisłym kontakcie z Robertsem, a także Joséphem Gajewskym, od którego inżynier dzierżawił warsztat. Na deser Abbot do listy „kandydatów, którym powinny przydarzyć się nieszczęśliwe wypadki", dopisał jeszcze Susy Roberts. Wprawdzie była z Mattem w separacji, ale widywali się i kto wie, co mogła wiedzieć o działalności swego męża. Tyle że jej eliminacja nie wymagała aż tak wielkiego pośpiechu. I Umberti zostawił ją na deser.

Marcello nie lubił fazy długotrwałych obserwacji przyszłej ofiary. Jak każdy miłośnik opery włoskiej nie cierpiał zabijać ludzi, których poznał zbyt dobrze, nawet jeśli była to znajomość wybitnie jednostronna. W tym wypadku wystarczyły mu dwa dni na obwąchanie celu i 10 września był gotów. Roberts należał do odludków, których aktywność życiowa ograniczała się do domu, warsztatu, czasem knajpy i przygodnej dziwki. Z jakiegoś powodu Abbotowi zależało na czasie. Może chodziło o to, aby uniemożliwić spotkanie Matta z Harrimanem?

Ale Phil płacił, więc mógł wymagać. Marcello zastosował się dokładnie do jego poleceń. Pojechał do motelu, w którym Roberts miał spotkać się z drugim kontrahentem, oprócz Harrimana prowadził negocjacje z kimś kontrolowanym przez Abbota.

Roberts nie podejrzewał zamachu i ufnie otworzył drzwi zabójcy, choć, jak się okazało, miał ze sobą broń myśliwską.

To akurat znakomicie ułatwiało sprawę. Umberti zabił go gołymi rękami, a potem, umieściwszy dubeltówkę tak, aby paluch nogi Robertsa znalazł się na języku spustowym, odstrzelił mu połowę twarzy jego własną strzelbą, po czym oddalił się, zabierając laptopa inżyniera i pojedynczą dyskietkę przygotowaną dla kontrahenta.

Zabicie Glenna, podpalenie domu Robertsa oraz warsztatu należały do zawodowej łatwizny.

Podobnie jak przekazanie trofeów Abbotowi. Ich samochody spotkały się koło trzeciej nad ranem pod starym wiaduktem nieczynnego mostu kolejowego. Phil, nie wychodząc z wozu, odpalił sprzęt, podczas gdy jego wspólniczka weszła do wozu Marcella i zrobiła mu to, co mężczyźni, niezależnie od wykonywanego zawodu, lubią najbardziej.

Po kwadransie Abbot zwrócił laptopa i dyskietkę, którą, jak sam oznajmił, poddał delikatnej obróbce.

— Proponuję nie otwierać dysku przed przekazaniem go Harrimanowi — rzekł z uśmiechem. — Dane, które podczas pierwszego oglądu będą prezentować się doskonale, wyparują w ciągu kilku sekund dzięki wirusowi, który oczyści CD, nie pozostawiając śladu... Co do laptopa, daję ci duplikat, na którym nie ma żadnych istotnych danych. Zresztą żaden laik nie zrozumiałby, co się tam znajduje — dodał.

Jego słowa zabrzmiały dziwnie, trochę tak, jakby Abbot nie do końca mu ufał. Powinno to zdziwić Marcella. Od kilkunastu lat przyjmował rozmaite zlecenia od Phila i odwalił dla niego sporo naprawdę brudnej roboty. Ale nie miał czasu się zdziwić, bo o wiele bardziej smutne było to, że nie dostał od patrona reszty obiecanego szmalu.

— Płacę jak zwykle po zakończeniu operacji — stwierdził Abbot. — Kiedy zrobisz swoje, spotkamy się w Nowym Jorku. Jeśli sobie życzysz, znów wezmę ze sobą Gladys. A teraz do roboty.

Umberti odjechał pierwszy, Phil odprowadził go wzrokiem, mrucząc do siebie:

— Niestety będziemy musieli się rozstać, Marcello. Skończysz z Harrimanem, z panią Roberts i niestety... W tym fachu nie ma miejsca na sentymenty. A stawka jest zbyt wysoka, żebyśmy mogli narażać się na czyjąś niedyskrecję... — tu ciężko westchnął, bo w dzisiejszych czasach naprawdę trudno o w pełni profesjonalnych fachowców.

Polowanie na Harrimana wymagało od Marcella większej finezji niż dotychczasowe działania. Abel służył w wojsku, życie nauczyło go czujności, toteż na spotkanie przyszedł uzbrojony. Na punkt kontaktowy wybrał całodobowy bar przy zjeździe z autostrady w Jersey City koło ósmej. Pełno tu było kamer i załatwienie go w samochodzie nie wchodziło w grę. W lokalu tym bardziej. Była ósma rano i wiadomość o pożarze warsztatu w Baltimore podały poranne serwisy. Marcello miał nadzieję, że Harriman nie był aż tak rannym ptaszkiem, żeby je oglądać, poza tym nawet gdyby je oglądał, nie powinien skojarzyć tego zdarzenia ze swym kontrahentem, jako że w żadnym z doniesień wspominających o pożarze warsztatu nie padło nazwisko Robertsa.

Umberti twarz Abla znał doskonale z fotografii, ale kiedy

z laptopem pod pachą wszedł do lokalu, udał gościa, który mocno rozkojarzony szuka partnera umówionego na spotkanie. W rozciągniętej bluzie, jasnej rozczochranej peruce i rogowych okularach niesłychanie wiarygodnie udawał pomocnika Matta Robertsa.

— Pan Harriman? — zaczepił mężczyznę posilającego się hamburgerem w doskonale widocznym punkcie lokalu, ściana za plecami zapewniała mu przynajmniej pozory bezpieczeństwa. — Jestem Ned. Ned Glenn. Matt wolał, żeby nikt nie widział, jak spotyka się z panem osobiście — powiedział.

— Chwalebna ostrożność — zgodził się kupiec, wyciągając rękę.

Fałszywy Glenn wyciągnął swoją tak nadgorliwie, że potrącił stolik, rozlewając parującą kawę.

— Strasznie przepraszam! Zaraz przyniosę nową! — zawołał i nim Harriman zdołał zareagować, podbiegł do kontuaru. Jedna z jego niezawodnych metod polegała na niepostrzeżonym wpuszczeniu do napoju, za pomocą kabelka ukrytego w mankiecie, pewnego bezsmakowego specyfiku, trudno rozpoznawalnego przy pobieżnej sekcji zwłok. Wrócił z kawą. Wręczył Harrimanowi nagraną przez Robertsa dyskietkę, proponując weryfikację jej zawartości na przyniesionym laptopie.

— Jeśli pozwolisz, Glenn, sprawdzę na swoim sprzęcie — zdecydował Abel. Wyciągnął spod stołu notebooka Della, płaskiego jak Keira Knightley, i wsunął dyskietkę. Marcello miał ogromną ochotę wstać i ponad ramieniem sprawdzić, co się wyświetli na ekranie, ale musiał poskromić ciekawość. Tymczasem twarz Harrimana pojaśniała.

— Niesamowite — wyszeptał. — Naprawdę niesamowite. Powiedz Mattowi, że jestem pod wrażeniem. Dokonaliście odkrycia, które zmieni oblicze tego świata. Tu są pieniądze — wyciągnął spod stołu czarną walizkę. Na początek 100 tysięcy dolarów. Zaliczka jest skromna — tłumaczył nabywca. — Ale, jak obiecaliśmy, gdy uruchomimy produkcję, to 5 procent zysków trafi do was...

„Jeśli 100 tysięcy to skromna suma, jaka musi być wartość całego kontraktu?" — przemknęło Umbertiemu przez myśl. Ale wolał się nad tym nie zastanawiać. Jego własne honorarium miało być zadowalające.

Dlatego nie tknął pieniędzy Harrimana, ich ciężar był kuszący, ale niestety mogły być znaczone. W drodze powrotnej do Baltimore zjechał na moment z trasy i z bólem serca spalił teczkę wraz z jej całą zawartością.

W tym czasie Harriman już nie żył, gwałtowny atak serca sprawił, że stracił kontrolę nad kierownicą i rąbnął w bariery na skręcie do Holland Tunelu.

Marcello, obserwujący wypadek z pewnej odległości, wyjął jednorazową komórkę i zadzwonił do Abbota.

— Punkt trzeci wykonany — zameldował.

— OK — padła odpowiedź. Zamierzał się rozłączyć, kiedy usłyszał najpierw coś, co zabrzmiało jak skrzek, potem ryk silników, wreszcie huk i połączenie się urwało. Próbował połączyć się jeszcze raz. Telefon Phila nie odpowiadał. Wszystko wyjaśniło się, gdy włączył radio. Przez moment z niedowierzaniem słuchał podnieconego głosu prezentera wiadomości.

— *O fuck!*

Mógł jedynie, znając położenie biura Phila Abbota, wyobrazić sobie, co w ostatniej chwili swego plugawego istnienia zobaczył Zleceniodawca. Przeraźliwie bliską kabinę pilotów boeinga 737, mierzącą prosto w jego nasłonecznione okno na 68. piętrze World Trade Center.

Marcello nigdy nie zobaczył całości swego honorarium. Nie znał mocodawców Abbota i, prawdę powiedziawszy, wolał się nie domyślać, kim są. Jednak w miarę upływu lat tajemnicza sprawa powracała w jego pamięci. Cóż takiego odkrył Matt Roberts, że musiał zginąć? Komplet danych istniał jedynie w laptopie Phila Abbota, w jego biurze na 68. piętrze, i zdematerializował się razem z nim.

Atoli Umberti nie był kretynem. Wiedział z grubsza, czym się zajmowała jego ofiara, zapamiętał wygląd warsztatu przed podpaleniem, skojarzył sprawy, którymi zajmował się Harriman, i te, które leżały w sferze zainteresowań prawdopodobnych szefów Phila, i wniosek zrodził się oczywisty, tyle że absolutnie nieprzydatny. I niebezpieczny. Zabójca nie chciał skrócić swego życia jeszcze skuteczniej, niż czynił to za pomocą papierosów, toteż posiadaną wiedzą nie podzielił się z nikim. Aż do śmierci.

OSIEM, DZIEWIĘĆ, A MOŻE NAWET DZIESIĘĆ LAT PÓŹNIEJ

— Pacjent nie życzył sobie księdza, zresztą jest nieprzytomny, w agonii — powiedziała czarnoskóra pielęgniarka na widok Tima Sharffera.

— Nie szkodzi, pomodlę się z boczku za jego grzeszną duszę, siostro— rzekł, poprawiając sobie koloratkę.

— Jak ksiądz sobie życzy — wzruszyła energicznie ramionami, aż zakolebały się jej wielkie piersi wraz z wizytówką „Agnes".

Zbliżając się do łóżka, zauważył, że oddech Marcella zrobił się chrapliwy, płytki. Zapewne w najgorszych snach Umberti nie przypuszczał, że on, zawodowiec, egzekutor, można powiedzieć: kolega po fachu Pani Śmierci, zginie, ponieważ jakiś szczeniak postanowi przejechać się po pijanemu truckiem ojca i straciwszy kontrolę nad kierownicą, skosi paru przechodniów, w tym starszego, dystyngowanego pana idącego chodnikiem z gazetą i kubkiem parującej kawy.

Tim uwielbiał takie okazje, nazywał je „pocałunkami losu" i dobrze płacił kilkunastu ludziom z pogotowia ratunkowego tylko za to, by informowali go o podobnych przypadkach. Często bywały to wyrzucone pieniądze. Choć nie zawsze.

Chwycił się oburącz za głowę i mocno ścisnął palcami skronie. Od umierającego zabójcy nie dzieliło go więcej niż półtora metra — powinno wystarczyć.

Tim Sharffer, dziś czasowo w sutannie, należał do specjalistów rzadkiego rodzaju. Oficjalnie zresztą takich ludzi nie ma. Wystarczy zapytać o to jakiegokolwiek pr :ownikowa NSA, DEA, FBI czy CIA albo któregoś z współpracujących ze wspomnianymi agendami psychiatry. A jednak istnienie Sharffera było faktem. Z niejasnych powodów genetycznych, wzmocnionych pewną liczbą zabiegów, jakim go poddano w latach osiemdziesiątych, miał wyjątkowy dar sprowadzający się do umiejętności czytania w cudzych myślach. Oczywiście jego działania obarczone były znacznym stopniem niedoskonałości, większość ludzi mimowolnie kontroluje własne myśli, inni są w tym celu szkoleni. Jednak utrata przytomności, a jeszcze bardziej stan agonalny należą do momentów, w którym pęka większość barier, opadają najstaranniej ustawione zasłony. Człowiek staje się wobec podsłuchującego bezbronny, wręcz nagi.

W dzisiejszych czasach wiedza to kapitał — informacje, które mógł podsłuchać u osobników w rodzaju Marcella Umbertiego miały niewielką, zgoła żadną wartość procesową, choćby dlatego, że zostały pozyskane w sposób urągający konstytucji i prawom człowieka. Wszelako każda uzyskana tą drogą wskazówka sprzedana federalnym, ludziom z DEA czy NSA miała wymierną cenę i mogła skierować ich śledztwa na właściwe, często dotąd zupełnie przegapione tropy.

Tim nachylił się jeszcze bardziej.

W głowie Umbertiego myśli obracały się jak szmaty w pralce, rzeczy drobne i wielkie zbrodnie, egzekucje, twarze ludzi, których zabił, a także tych nielicznych, których kochał. I kryła się tajemnica — tajemnica, która budziła w nim strach nawet na progu wieczności. Trochę tego strachu udzieliło się także podsłuchującemu. Tim zapamiętywał obrazy, skojarzenia, słowa. Kiedy siądzie w domu i zacznie wszystko analizować, sporo tego bełkotu ułoży się w całkiem przydatne informacje. Chociaż, co z nimi zrobi...?

Marcello zmarł na kwadrans przed północą. Nie odzyskał przytomności, nie żałował za swoje grzechy. Sharffer opuścił stanowisko, pobłogosławił lekarzy i pielęgniarki, po czym wsiadł do minivana zaparkowanego na przyszpitalnym parkingu. Odjechał szybko, ale niedaleko. Nie do końca ufał pamięci. Zaparkował na wielkim placu przed centrum handlowym Mallem i nie ruszając się z miejsca aż do białego rana, najpierw utrwalał swe wrażenia na dyktafonie, potem wyciągnął laptopa, wszedł w Internet, śledził nazwiska, lokalizował zdarzenia... Nie jadł, nie pił, czasem telefonował. Sprawdził interesy i powiązania Phila Abbota, wysondował, czym zajmował się Abel Harriman, zgromadził w miarę kompletne CV Matta Robertsa.

— Nie do wiary, nie do wiary — powtarzał co jakiś czas — byli tak blisko. A przez tyle lat nikt na to nie wpadł. Niestety, nawet w agonii Marcello nie mógł przekazać, na czym konkretnie polegał wynalazek, ponieważ Abbot zabrał tę wiedzę do grobu. Można było co najwyżej domniemywać, że kiedyś ktoś powtórzy odkrycie...

Jeśli Tim liczył na cud, mogący prowadzić do rozszyfrowania zagadki, to nie zawiódł się. Rutynowo przeglądając pod różnymi kątami wyszukiwarkę, do której wrzucił nazwisko Robertsa, trafił na pozornie nieistotne wiadomości procesowe. Niejaka Claudia Bonitez, z zawodu barmanka, z wyglądu ordynarna i mocno przechodzona dziwka, domagała się pieniędzy od Susan Roberts. Utrzymywała, że była ostatnią „przyjaciółką" Matta. Pani Roberts odpowiadała, że nie zamierza spłacać wszystkich kurew, z którymi zadawał się jej były mąż.

— Zostawił mnie z dzieckiem — upierała się panna Bonitez. — Kiedy zmarł, byłam z nim w ciąży.

Mały Anthony urodził się siedem miesięcy po śmierci Roberta. Susan uważała domaganie się przez panią Bonitez jakichkolwiek pieniędzy za czysty absurd. Testy DNA dowiodły jednak, że bezsprzecznie był synem zamordowanego inżyniera.

— Jesteś szalony, wiążąc z tym jakieś nadzieje! — mruczał do siebie Tim. Mimo to zdecydował się na daleką podróż, by poobserwować chuderlawego chłopca bawiącego się na przyszkolnym boisku. Niższy o głowę od rówieśników, nosił druciane okulary upodabniające go do Harry'ego Pottera.

Przed zmierzchem odebrała go matka. Zauważył pełną czujność w jej ruchach i szósty zmysł macierzyński, który kazał jej przyjrzeć się pick-upowi Tima. Sharffer pochylił głowę, udając, że czegoś szuka pod siedzeniem. Odjechali.

— I co ja mam z tym zrobić? — zastanawiał się Sharffer. Naturalnie przekazał większość informacji wyciągniętych z głowy najemnego zabójcy Frankowi Lestertonowi z FBI. Jednak wszystko, co dotyczyło Matta Robertsa, zachował dla siebie. Po pierwsze, firma Lestertona nie zapłaciłaby w życiu takich pieniędzy, jakie spodziewał się uzyskać, gdyby się udało dotrzeć do istoty tajemnicy. Po drugie, chciał jeszcze trochę pożyć, a informacja, której ułamek zdobył w sposób tak niekonwencjonalny, była dla niego jako posiadacza niebezpieczna niczym rozwścieczona kobra wrzucona do dziecinnego pokoju.

Wiedział, co mógł odkryć Matt Roberts, ale bez szczegółów technologicznych i wzorów chemicznych wiedza ta była nieprzydatna. Istniała niewielka szansa na jej odzyskanie. Przypadkowo znał pewnego niezwykłego człowieka, do którego mógł się z tym zwrócić. Chociaż wcale nie był przekonany, czy ten zgodzi się mu pomóc. A już na pewno nie za pieniądze. Mimo tej niepewności zamienił sutannę na jasny, letni garnitur i ruszył na południe.

I

GŁUPIA DZIEWCZYNKA JEDZIE NA WAKACJE

Nigdy nie przyszłoby mi do głowy, że przypadnie mi rola kronikarza. Jeśli nie liczyć maili i SMS-ów, w których wystukiwaniu osiągnęłam znaczną biegłość, posługiwanie się mową pisaną nie należało do moich najmocniejszych stron. Nie układałam wierszy, nie prowadziłam pamiętnika, a wypracowania miałam krótkie i treściwe jak wysuszona ryba. Gdyby poinformować „Bździągwę", naszą polonistkę, że pozazdrościłam kariery doktorowi Watsonowi albo staremu subiektowi Rzeckiemu, spadłaby z krzesła, a jej 120 kilo żywej wagi zatrzęsłoby podstawami naszego niepublicznego liceum. Hak jej w smak i wszystkim tym „życzliwym" osobom, które przyszyły mi łatkę życiowego nieudacznika, czy mówiąc bez ogródek — „małej głupiej dziewczynki". Zaczęło się w podstawówce, gdzie cieszyłam się opinią dziecka chorowitego i opóźnionego w rozwoju. Z czasem do diagnozy dorzucono dysleksję, dysgrafię i chroniczne lenistwo. Widocznie ktoś musi zostać taką rodzinną czarną owcą. Dla równowagi! Jeden z moich dziadków był geniuszem, który otrzymałby pewnie kilka Nobli z dowolnej dziedziny, gdyby nie fakt, że był emigrantem z Polski, o niepoprawnych politycznie poglądach i czysto słowiańskim genomie. Drugi dziadek reprezentował inne talenty — perfekcyjny konformista, który po wiernej służbie komunie na starość zdążył jeszcze zostać w III RP rzutkim biznesmenem, a na pogrzebie mieć trzech biskupów i z dziesięciu byłych członków KC PZPR, z pewnością zasługiwał na dyplom prymusa w szkole przetrwania. Miałam i trzeciego niby-dziadka, po którym noszę nazwisko Podlaska (niestety, nic nie wskazuje, żebym prędko miała je zmienić), który wprawdzie nie wpuścił żadnych chromosomów do naszej polsko-rusko-jewrejskiej dynastii (babcia Róża była pół-Żydówką, praprababka Natasza Kamieniecka de domo Starosłucka — Rusinką), ale całe dziesięciolecia uchodził za ojca mego taty — pogrobowca.

Uchodził również za bohatera komunistycznej konspiracji, miał swoje ulice, pieśni itp. A potem sprawa się rypła i „Chudy Gienek" stracił wszystko, nad czym sam raczej nie boleje, bo zginął w pierwszym dniu powstania warszawskiego, walcząc za niesłuszną sprawę. Jeśli do piekła, gdzie niewątpliwie przebywa, dochodzą jakiekolwiek gazety, to najwyżej „Trybuna" i „NIE". Te zaś z pewnością nie pisały o poprawkach do jego życiorysu. (No, może ostatnio do VIP-ów zmarłych w stanie permanentnego grzechu dociera „Gazeta Wyborcza" wydawana specjalnie na niepalnym azbeście. Jednak ta demaskowaniem bohaterów Gwardii i Armii Ludowej raczej się nie zajmuje).

Tak czy owak, nie odnajduję w sobie talentów owych znakomitych przodków, jeśli nawet gdzieś są, to muszą być głęboko ukryte. A co do urody... Chciałabym być wysoką blondynką z biustem Dody Elektrody i ustami Angeliny Jolie, ale jestem niedużą brunetką, o przetłuszczających się włosach, ze skłonnością do nadwagi. Wystarczy, że przystanę przed ciastkarnią Bliklego i natychmiast trzy kilogramy w górę, a przecież nigdy nie zjadam więcej niż dwa pączki!

Grażyna (pani kanclerz nie znosi, kiedy nazywam ją

mamą) całą swoją miłość ulokowała w Adamie. Trudno zresztą się jej dziwić. Mój młodszy o pięć lat brat urodził się latem pierwszego roku stanu wojennego, jako kolejny pogrobowiec w rodzinie i choćby dlatego wymagał większej porcji czułości. No i wyrósł na niezłego szajbusa. Jego obsesyjne twierdzenia, że tata, zaginiony w nocy z 12 na 13 grudnia 1981 roku, nadal żyje i jest przetrzymywany przez tajną agendę Federalnej Służby Bezpieczeństwa gdzieś w przepastnych trzewiach rosyjskiego państwa, od lat traktowałam na równi z opowieściami rolników spod Ciechanowa o kręgach w zbożu czy z możliwością zajścia w ciążę poprzez siadanie na fotelu wygrzanym przez jakiś autorytet moralny. W odróżnieniu od mężczyzn z naszej rodziny nie dysponuję zdolnościami do telepatii, porozumiewania się we śnie czy prekognicji. Nie potrafię giąć wzrokiem łyżeczek i, jak twierdzą moi partnerzy, nawet symulowanie orgazmu wychodzi mi kiepsko. Może dlatego nie dostałam się do szkoły teatralnej. I nie wyszłam za mąż.

Na szczęście mam również słabą pamięć i każda moja życiowa porażka jest przeze mnie opłakiwana krótko. Po jakimś czasie zawsze zadaję sobie pytanie, dlaczego płaczę? I nie bardzo wiem, co odpowiedzieć. Trudno! Adam pamięta praktycznie wszystkich sławnych ludzi z historii — recytuje bezbłędnie dynastie babilońskie, zna na pamięć *Pieśń o Rolandzie* czy *Pogrzeb Wołodyjowskiego*. Ja nawet tatę słabo pamiętam — w czasie „karnawału Solidarności" rzadko bywał w domu, walcząc o sprawę i bzykając w garsonierze na Grochowie jakąś licealistkę. Trudno więc się dziwić, że Grażyna wspomina go niechętnie i wścieka się na Adama, który mówi o ojcu, tak jakby był Zeusem olimpijskim, spadającym na swoją połowicę pod postacią złotego deszczu. Moim zdaniem Maciej Podlaski z Zeusem miał tyle wspólnego, że żadnej dupencji nie przepuścił. Czy mi go brakowało? Czasami. W mojej szkole nikogo to nie dziwiło — połowa dzieciaków pochodziła z rodzin rozbitych lub niepełnych, a i tak to lepsze niż sytuacja obecna, kiedy można mieć dwóch ojców gejów lub dwie mamusie lesby. Albo całą czwórkę naraz.

Opowiadam o tych wszystkich moich kalectwach, nie żeby kogokolwiek wzruszać lub prosić o wsparcie, ale tylko dlatego, że inaczej nie da się wytłumaczyć, jakim sposobem owego lata znalazłam się na pokładzie jachtu „Różyczka" (zbieżność z *Obywatelem Kane* Orsona Wellesa całkowicie przypadkowa), tnącym swym olśniewająco białym dziobem ciepłe jak bulion fale Morza Karaibskiego. Nie — nie wygrałam w „Milionerach", bo na to jestem za głupia, nie poznałam księcia z bajki ani rodzimego gangstera z wygolonym łbem i w rozciągniętych gaciach, w których krok wypada między kolanami. Z moich dotychczasowych „narzeczonych" żaden nie zabrał mnie dalej niż do Włoch (pod Warszawą), a parę podróży z Sebastianem musiałam sfinansować sama. Na Karaiby dałam się zaprosić dziadkowi razem z bratem, jego przyjacielem i mentorem profesorem Leśniewskim oraz Dorotką, przemądrzałą pindą z podkrakowskiej wsi, jego młodą małżonką. No i mamusią. Świeżą emerytką. Cudowne towarzystwo, prawda? Na rodzinne wakacje ostatni raz dałam się namówić przed maturą.

Było uroczo. Przerzygałam wtedy całą drogę z Cieszyna do Wenecji, bo oprócz alergii na wielogodzinne wykłady Adama i afektowane wrzutki mej rodzicielki cierpię na chorobę lokomocyjną. Chyba że sama prowadzę. Potem było jeszcze ciekawiej. Z katedry w Pizie wyrzucono mnie za zbyt kusy tiszert bez stanika, w Weronie się zgubiłam, a w parku Villa Borghese omal nie dałam się uprowadzić jakiemuś zabójczo przystojnemu makaroniarzowi. Gdyby nie włączył się Adam, który się rozbeczał, pewnie dziś wegetowałabym w jakimś podrzędnym burdelu. Po tych doświadczeniach starałam się już trzymać od wspólnych wojaży z daleka.

Kiedy Grażyna przeniosła się do willi po dziadku komuchu w Konstancinie, zostawiła mi swój trzypokojowy apartament (mocne słowo apartament — trzy tworzące go pokoiki były zgodne z typowo PRL-owskim normatywem, czyli dla krasnoludków prawdopodobnie były za duże, ale dla Królewny Śnieżki zdecydowanie za małe). Okoliczność dobra i niedobra zarazem.

Rozmaici faceci wykorzystujący moją łatwowierność, z jaką przyjmowałam do wiadomości, że główną atrakcją lokalu na Saskiej Kępie jestem ja, a nie wanna z hydromasażem, zagnieżdżali się tam chętnie i pozbycie się ich przypominało wyciskanie wągra u słonia. Ale tu wzywana na pomoc Grażyna działała bezbłędnie. I bezwzględnie. Potem przekonałam się, że wystarczy zażądać od takiego „współspacza" ustalenia terminu ślubu, aby zniknął z mego życia jak krwista plama z obrusa posypanego nie-zwykłym proszkiem. (Oczywiście w reklamie!).

Inna sprawa, że z Sebastianem dałam się nabrać. Naprawdę, byłam przekonana, że to jest właśnie to, a może nawet ciut więcej! Zapewne dlatego, że czas na uregulowania cywilnoprawne wydawał się najwyższy — stuknęła mi trzydziestka, koleżanki równolatki miały na koncie gdzieś po dwa małżeństwa i półtora dzieciaka, a ja nic. Tylko ten segment w szeregowcu na Saskiej Kępie. I to niecały. Wynajęłam pokój od ogrodu mieszanemu małżeństwu; ona Polka spod Zamościa, on Ukrainiec (ale, jakby powiedziała Grażyna, „przyzwoity człowiek"), i czekałam na dzień, w którym Sebastian wreszcie mi się oświadczy.

Finał okazał się gorszy, niż mogłam przypuszczać. Dotąd mężczyzn mego życia (określenie piękne, konkrety dużo gorsze) mogłam dzielić na durniów i łajdaków. Łajdakiem był osiłek Konrad, z klasy maturalnej, który po roku podrywania mnie odebrał mi dziewiczy wianek podczas ostrej prywatki w Otwocku („starych nie ma, chata wolna"), będąc zresztą tak naćpany, że chyba wziął mnie za Julię Roberts. Nie wytrzymałam z nim długo, zresztą kiedy pokapowałam, że ma jeszcze dwie laseczki na boku, wyryczałam swoją hańbę w poduszkę i znalazłam sobie Grześka — dla odmiany durnia.

Grzeczny chłopczyk, dobry uczeń, przystojniaczek, któremu żaden włosek nie odstaje, koszulka zawsze pachnąca, spodenki własnoręcznie wyprasowane. Zazdrościła mi go cała klasa, z wyjątkiem paru lepiej zorientowanych kolegów. Grześ miał wszystko, co trzeba — maniery, samochód, rozległe zainteresowania kulturalno-oświatowe — dzięki niemu zresztą pokochałam teatr i kino, a nawet powróciłam do dziecięcych marzeń o karierze gwiazdy. Grzegorz w kontaktach bilateralnych nie był nachalny. Powiedziałabym, że wręcz przeciwnie. W pieszczotach zachowywał dziwną bierność... Na czym polegał jego problem, zrozumiałam, kiedy zobaczyłam go z wykolczykowanym „przyjacielem" wśród bywalców klubu „Le Madame". Potem przejściowo w moim życiu zagościł korepetytor śpiewu (kiedy przygotowywałam się do egzaminu do szkoły teatralnej na Miodowej) — łajdak, żonaty i dzieciaty, o czym dowiedziałam się trochę za późno, następnie profesor tejże szkoły, który obiecał pomoc na egzaminie, a skończyło się na: „Ofelio, idź do klasztoru!". W następnych latach na liście moich moralnych upadków dominowali dranie, którzy teraz, z odleglejszej perspektywy, zlewają mi się w jedną wielką pomyłkę. Mieli parę cech wspólnych, uwielbiali sikać do zlewu, woleli piwo od wina, charakteryzował ich szybki „ciąg na bramkę" w moich stringach i fascynująca zdolność błyskawicznego zapadania w sen, kiedy było po wszystkim. I dopiero Sebastian... Moja druga połówka pomarańczy! No, mandarynki!

Ale po kolei. Nie skończyłam żadnych elitarnych studiów. Do PWST mnie nie przyjęli, mimo że wpływowy profesor ponoć usilnie lobbował. Skreślili mnie po trzech semestrach kulturoznawstwa. Dwa lata spędzone w pewnej podrzędnej uczelni na wschodnim wybrzeżu USA okazały się stracone, jeśli nie liczyć umiejętności konwersowania po angielsku, palenia trawki i nakładania facetom prezerwatywy. W tej sytuacji można uznać, że licencjat osiągnęłam cudem. Z drugiej strony, jak miałam go nie zrobić na uczelni mojej mamusi. Kto wie, może zostałabym nawet magistrem, ale zrobiłam sobie parę lat przerwy na przetarcie się zawodowe, a za IV Rzeczypospolitej szkoła popadła w poważne, za to niespodziewane tarapaty. To, że siedział tam ubek na ubeku, nikomu dotąd nie przeszkadzało. Zresztą zasada zrównoważonej proporcjonalności, realizowana przez Grażynę, spowodowała, że obok zasłużonych marksistów z dawnej Wyższej Szkoły Nauk Społecznych przy KC zasiadali księża z KUL-u i paru cwaniaków, którzy po wykładach na drugim kontynencie, załatwionym im przez byłych oficerów prowadzących, dość bezprawnie posługiwali się tytułem profesora. Upadek miał dużo bardziej banalne powody. Okazało się, że dyrektor finansowy (Grażyna nigdy nie miała głowy do pieniędzy) nie tylko kręcił lewą kasą, ale wpakował się w podejrzane opcje walutowe... W 2008 roku Prywatna Wszechnica Nauk zbankrutowała. Mama zdążyła rzutem na taśmę przejść na emeryturę trzy miesiące wcześniej. Ja nawet nie zaczęłam pisać magisterki. Zresztą nie miałam szczególnej motywacji. Od paru lat pracowałam w Polkablu, rozwijającej się prywatnej stacji telewizyjnej. Dostałam się tam, naturalnie, po protekcji, ale wkrótce okazało się, że „podrzutek pani kanclerz" oprócz parzenia kawy i sprzątania popielniczek coś jeszcze umie. Charakteryzatorki potrafią dokonywać cudów i wskutek ich działalności lubi mnie kamera, a mikrofon wyłapuje w moim głosie coś, co Sebastian nazywał „zniewalającym brzmieniem altu". Moje „Rozmowy Kulturalne" miały nie najgorszą oglądalność, a dyrektor Wąsik, gnom o aparycji Piaskowego Dziadka z NRD-owskiej kreskówki (ale, jak twierdziły wtajemniczone koleżanki, o genitaliach Priapa), wyraźnie mnie lubił. A nawet czynił obleśne propozycje. Jednak nie udało mi się stwierdzić, czy przydomek „Tu luz, tam trak" (nawiązujący do organicznych anomalii malarza Toulouse-Lautreca) jest adekwatny, bo pojawił się Sebastian i otoczył mnie kloszem ochronnym swej opiekuńczości, wdzięku, czaru i charyzmy.

Nawiasem mówiąc, sama go tam ściągnęłam. Młodszy ode mnie, rodem z miasteczka tak małego, że nigdy o nim nie wspominał, studiował na ostatnim roku w Prywatnej Wszechnicy Nauki i udzielał się w uczelnianej gazetce. Poznaliśmy się na jakiejś imprezie integracyjnej, w majątku jednego ze sponsorów uczelni, gdzie z wdziękiem wcielił się w rolę konferansjera. Podczas tego „naszego pierwszego dnia" byliśmy na romantycznym spacerze po lesie, w trakcie którego zerwała się burza z piorunami, on otulił mnie swoją przemokniętą marynarką, a następnie, gdy jak Kopciuszek zgubiłam pantofelki, wręcz niósł na rękach (powiedzmy „na barana"). Parę dni później pojechaliśmy razem na Mazury. Tam okazał się kochankiem nowej generacji, czułym, absolutnie nieegoistycznym, jak to się mówi, mocnym w gębie, w seksualnym znaczeniu tego słowa. No więc, jak mu było nie załatwić tej pracy w Polkablu? Rychło został prawdziwą gwiazdą. Uprzejmy, uczynny, sympatyczny, bezproblemowy. Sebastian nie miał poglądów, znaczy zawsze miał takie jak jego rozmówca (inna sprawa, nie widziałam, żeby wdawał się w rozmowy z kimś w rodzaju Jerzego Roberta Nowaka czy Leszka Bubla). Przystojny jak włoski fryzjer, miał łatwość wymowy — na każdy temat. „Wędlina z harlequina" — jak oceniła go moja przyjaciółka Lucy. A jaki był naprawdę? Trudno orzec coś konkretnego o kimś przezroczystym jak mgła (perfumowana). Dziś już wiem, ale ta wiedza sporo kosztowała.

I nie jestem pewna, czy powinnam dziękować, czy nienawidzić za to mojego brata.

Mój instynkt samozachowawczy nakazywał, aby w środowisku Polkabla nigdy nie chwalić się Adamem. Ktoś taki jak pracownik IPN-u, w dodatku o fundamentalistycznych poglądach na lustrację, uznawany był tam za istotę budzącą zgrozę i politowanie. Przez trzy lata nikt, poza Lucy i Sebastianem, nie miał pojęcia o młodszym bracie. Niestety.

Któregoś razu w zastępstwie za Cenckiewicza czy Gontarczyka, a może nawet za obu „pogromców Wałęsy", zaproszono go na dyskusję w studio, no i trzeba trafu, spotkaliśmy się oko w oko. Szedł on, Sebastian i dyrektor Wąsik. Ja plotkowałam z Lucy pod palmą w holu.

— Cześć, siostrzyczko! — powiedział i ucałował mnie na powitanie.

Nie umiem, jak już wspomniałam, teleportować się w takich chwilach do Australii (albo dalej). Stałam więc jak cielę pod tą palmą, jednak kątem oka zauważyłam, że Sebek zbladł, natomiast dyrektor Wąsik uśmiechnął się szeroko, podejrzanie upodabniając się do ropuchy.

— Nie miałem pojęcia, że nasza gwiazda i pan doktor są rodzeństwem.

Co miałam zrobić? Sebastian, gdyby to się jemu przydarzyło, pewnie poszedłby w zaparte, mówiąc na przykład: „Nie mam braci wśród wrogów postępu", nasłuchując równocześnie, czy nie zapieje kur. Ja tylko uśmiechnęłam się, bąknęłam coś bez sensu i po prostu uciekłam.

Myślałam, że sprawa przyschnie. Ale nie przyschła. Mama właśnie przestała być kanclerzem, jej uczelnia zbankrutowała, IPN znów znalazł się pod obstrzałem łże-elity (której czułam się dotąd pełnoprawnym członkiem). W wiosennej ramówce nie znalazła się moja audycja. Wąsik zapewniał, że bezwzględnie znajdzie się tam po przeformatowaniu na jesieni i zalecał cierpliwość. Ale wcześniej nie przedłużono ze mną umowy i znalazłam się na bruku.

Sebastian twierdził, że robi, co może. Faktycznie, robił. W sprawie swojej kariery. Stał się twarzą stacji i osobistym przyjacielem Wąsika. U mnie bywał coraz rzadziej, najczęściej, kiedy wiedział, że jestem poza domem, za każdym razem zabierając coś ze swych ruchomości.

Przed wakacjami gruchnęło, że żeni się z Zuzią Dudko, znaną aktorką serialową (znaną głównie z pornola nakręconego parę lat temu we Włoszech). Sama ich zresztą zapoznałam. Pasowali do siebie. Zuzia jest mistrzynią kłamstwa. Co do filmu „Sama wilgoć", twierdzi, że wystąpił w nim ktoś bardzo do niej podobny, a pseudo „Susanah" to przypadkowa zbieżność. Ona sama jest miłośniczką sacrosongu, wartości chrześcijańskich, więc jeśli miałaby wystąpić w ostrej scenie pościelowej, to wyłącznie w filmie artystycznym wybitnego twórcy. Wszyscy śmieją się z tych wykrętów za jej plecami. Ale to już problem Sebastiana. Nie mój. W moim życiu „chłopak z brylantyny" więcej się nie pojawił. Napotkany na ulicy — uciekł.

I dlatego, bezrobotna, samotna i rozgoryczona z radością przyjęłam propozycję dziadka Kamienieckiego, aby spędzić wakacje na jachcie „Różyczka".

Z tym moim pisaniem to też nie było tak, że ni z tego, ni z owego przyleciała do mego segmentu muza i użądliła mnie wściekle. Nie, nie. Po zawaleniu się wszystkiego wpadłam w rozpaczliwą chandrę, całe dnie leżałam w wyrze. Przytyłam 15 kilo i pewnie gdybym mieszkała na dziesiątym piętrze, wyskoczyłabym z okna. Ale na parterze, w dodatku solidnie zakratowanym — niewykonalne. Grażyna użalała się nade mną: „Jak ty sobie teraz poradzisz, biedactwo, kiedy twoja stara matka już niczego nie może!". I faktycznie, nic nie zrobiła. Natomiast Adam zadziwił mnie swą opiekuńczością, wziął za uszy i zaprowadził do psychologa. Znał go dobrze, wcześniej sam się leczył, po tym jak jego pierwsza (i jak dotąd ostatnia) dziewczyna Kate czy, jak kto woli, Katiucha okazała się zawodową morderczynią wyszkoloną przez białoruski OMON.

Doktor Walewski spotkał się ze mną parokrotnie i wziął za to taką kasę, jakby wyciągał z depresji gangstera, a nie bezrobotną, starzejącą się pannę bez przyszłości. Jeśli był potomkiem słynnej kochanki Napoleona, to posturę wziął raczej po praprababce niż po cesarzu. Był wysoki i miał iście kobiece biodra, jedynie przenikliwe oczy przy bladej cerze przypominały „korsykańskiego potwora". Przepisał mi cały zestaw proszków i zalecił odpowiednią terapię. Jednym z jej elementów miało być stałe prowadzenie zapisków.

— Co przelejesz na papier, zejdzie ci z głowy — tłumaczył.

Chyba nie kłamał. Po kilku zeszytach wypełnionych bluzgiem pod adresem Sebastiana, agentów z Polkabla, ludzkości w całości, a także we fragmentach (znalazło się także kilka niemiłych epitetów pod adresem mojego Anioła Stróża niedojdy), jakby mi ulżyło. Pisanie i spacery zahamowały gromadzenie się ściółki tłuszczowej, co zmobilizowało mnie do dalszych wysiłków. „Jesteś piękna, młoda i masz przed sobą przyszłość" — pisałam dokładnie co 101 wierszy, według zaleceń doktora Walewskiego. Zauważyłam ponadto, że pisząc, z dnia na dzień trenuję autodyscyplinę i szybciej przezwyciężam wewnętrzny bałagan. Co więcej, dochodzę nawet w moich bazgrołach do jakichś konkluzji. Dotąd potrafiłam się koncentrować jedynie na planie telewizyjnym, a i to na krótko.

Co się tyczy niniejszej podróży, początkowo były to zapiski lakoniczne, przeplatane bzdurnymi dywagacjami, które teraz usuwam, przepisując rzecz na laptopie, równocześnie dodając elementy nowe, wówczas dość pochopnie uznawane za nieistotne. Nikt z nas nie miał pojęcia, że nasza wycieczka tak się niezwykle rozwinie. Każdy łączył z nią różne przyziemne oczekiwania. Ja chciałam przede wszystkim odpocząć, zrzucić resztę zbędnych kilogramów, ewentualnie rozwinąć umiejętności nurkowania z akwalungiem. Grażyna miała zamiar przekonać Kamienieckiego, żeby utworzył fundację (pod jej zarządem), która zajęłaby się stworzeniem w Polsce nowej uczelni wyższej. Jeszcze bardziej, jak znam moją rodzicielkę, pragnęła wybadać sytuację rodzinnoprawną Kamienieckiego. Czy w jego życiu były jakieś żony lub konkubiny, czy do ewentualnego spadku, daj Boże profesorowi jak najdłuższe życie, mogą zgłosić się inni możliwi potomkowie? Adam, choć również się do tego nie przyznawał, liczył zapewne na ruszenie z miejsca sprawy naszego zaginionego ojca. A Leśniewscy? Nie mówili o tym głośno, ale czułam, że Wiktor aż pali się do spłodzenia potomka i jacht „Różyczka" wydawał się jak najlepszym miejscem do realizacji tego przedsięwzięcia.

Po przesiadce w Londynie polecieliśmy wprost na Kajmany. Potężny boeing wylądował na schodzącym wprost do morza pasie Lotniska im. Owena Robertsa w Georgetown. Wychodząc z samolotu, minęliśmy nieszczelne złącze między samolotem a rękawem i błyskawicznie zalała nas fala tropikalnego wrzątku. Sam terminal był klimatyzowany, a przy wyjściu czekał rosły Murzyn z tablicą, na której wypisano kulfoniasto wielkimi literami „PODLASCY". Było to zresztą zbyteczne, Adam znał z poprzednich wizyt na Florydzie Raula Sancheza i przywitał się z nim serdecznie. Wkrótce na podjeździe pojawił się wynajęty busik, który wijącą się aleją obsadzoną chuderlawymi palmami (pamiątka po ostatnim huraganie) powiózł nas w stronę miasta. Jednak nie pojechaliśmy do centrum, gdzie co drugim budynkiem był naturalnie bank, choć, jak twierdził mój brat, usługami dla normalnych zjadaczy chleba zajmowało się najwyżej parę, reszta tworzyła największą w świecie pralnię pieniędzy. Omijając centra handlowe, wyskoczyliśmy na dwupasmówkę prowadzącą na północ.

Adam, śledzący mapę, zdziwił się, że nie jedziemy do portu, ale Sanchez wyjaśnił, że statek naszego dziadka kotwiczy w jachtowej marinie. Teren wokół drogi przypominał jeden wielki plac budowy. Gdzie nie popatrzeć, zielone mangrowia ustępowały miejsca willom, szeregowym domkom nad setkami zatoczek i kanałów. Nie sądzę, żeby mieszkali tam biedni ludzie. Drogi, którą podążaliśmy, nie było jeszcze na mapie, ale dzięki niej ominęliśmy zatłoczoną West Bay Road, prowadzącą wzdłuż Seven Mile Beach, ponaddziesięciokilometrowej plaży pełnej hoteli, kasyn, restauracji, a być może również innych obiektów rozrywkowych. Na koniec zrobiło się wreszcie całkowicie zielono i, jeśli idzie o samochody, dość pusto. Palmowa alejka doprowadziła nas wprost do portu jachtowego, nie za wielkiego, choć wypełnionego żaglowcami, łodziami i katamaranami.

— Ciekawe, który z tych jachtów może należeć do profesora Kamienieckiego? — zastanawiała się głośno Grażyna, gdy wychodziliśmy na nadbrzeże.

— Ten najładniejszy — odparł nienaganną polszczyzną Sanchez.

Profesor Maciej Kamieniecki wybiegł do nas po trapie. Opalony, w szortach i tiszercie, mógł służyć za reklamówkę funduszu emerytalnego, którego klienci godnie spędzają starość w tropikalnych luksusach. Jak na swoje blisko 90 lat trzymał się nadzwyczaj dziarsko i nic nie postarzał się od zeszłorocznego spotkania w Polsce, na którym oficjalnie przypieczętowano prawdziwość rodzinnej genealogii. (Grażyna niby niczego nie sugerowała, ale niezwykle ucieszył ją pozytywny wynik testów DNA). Dziadek cmoknął każdego (a szczególnie Dorotkę) w policzek, chwycił bagaże mojej matki, nim ta zdążyła zaprotestować, wprowadził nas na pokład i dalej, do salonu urządzonego w stylu kapitana Nemo. Srebra, dębowa boazeria, kinkiety. Pierwszą jednak rzeczą, na którą padł mój wzrok, był duży, olejny obraz zjawiskowej blondynki w szmaragdowym peniuarze — naszej babci Róży Kupidłowskiej.

— Witajcie w domu — powiedział Maciej Kamieniecki.

II

PAMIĘĆ GENETYCZNA

Zaczęła się karaibska bajka. Krążyliśmy między Wielkim a Małym Kajmanem, nie zaniedbując także bogatych we wszelkie podwodne żyjątka raf trzeciej wyspy, zwanej Kajman Brac. Raul Sanchez kotwiczył jacht przy specjalnych bojach, na specjalnej tablicy rysował kredą mapę podwodnego świata, dokonywał szybkiego *dive briefingu* na temat spodziewanych atrakcji, po czym dawaliśmy nura. Ja, Adam, Leśniewscy. Dziadek nurkował rzadziej, a i to, jak podejrzewam, wbrew zaleceniom lekarza kardiologa. Tylko Grażyna nie dała się namówić. Nawet pływając na płyciźnie, zawsze trzymała całą głowę ponad wodą tak wygiętą, jakby to była twarz drewnianej walkirii zdobiąca bukszpryt długiej łodzi wikingów.

Nurkowanie okazało się dużo przyjemniejsze niż na ekspresowym kursie w egipskiej Hurghadzie. A i miejscowe rafy były mniej zdewastowane. Poza tym masówka w Morzu Czerwonym — pośpiech, wadliwy sprzęt, niepełne butle i instruktorzy *divingu* zajęci głównie podrywaniem kursantek — miała się do obecnych, komfortowych warunków jak bar dworcowy w Małkini do restauracji w Ritzu. Nigdzie nie trzeba było się śpieszyć — kompresor znajdujący się na pokładzie nabijał butle, ile trzeba, i jedynie wskazania urządzenia kontrolnego sugerowały, kiedy się wynurzyć. Poza tym Raul! Technikę podwodnego mistrza, opanowaną w kubańskich siłach morskich, łączył z ciekawością świata dużego dziecka. Był doskonałym przewodnikiem po podwodnych kanionach wysypanych śnieżnobiałym piaskiem. Za nim zupełnie bez strachu pokonywało się przepaściste kominy i dawało unosić prądowi. Bezbłędnie potrafił wypatrzyć groźną wstęgę zielonej, zębatej mureny, a nawet ją pogłaskać. Nauczył nas karmić ogromne płaszczki w podwodnym Sting Ray City, zlokalizowanym w płytkich wodach północnej laguny Wielkiego Kajmanu. Był opiekuńczy, czujny, a pomarańczowe płetwy w każdej chwili umożliwiały jego lokalizację, nawet wówczas, kiedy kolejne metry głębi coraz bardziej pozbawiały nas kolorów. Kiedy pojawiły się dwa wielkie rekiny rafowe, gestem zalecił nam spokój, a sam dzielnie wypłynął na ich spotkanie, przed którym zrejterowały.

Wieczorami na pokładzie popijaliśmy piwo z lodówki i Raul opowiadał rozmaite kubańskie historie, na przykład na temat obrzędów związanych z Santerią (synkretyczną religią łączącą tradycję afrykańskich przodków z mocno uproszczonym chrześcijaństwem), czy odsłaniał tajemnicę praktyk wudu, uprawianych w jego rodzinie od pokoleń. Twierdził, że jego babcia Candelaria posiadła do perfekcji technikę wykańczania złych ludzi za pomocą nakłuwania igiełkami ich woskowych figurek.

— Dlaczego w takim razie nie załatwiła Fidela? — zapytała dość logicznie Dorotka.

— Bo początkowo wierzyła, że jest to przyjaciel ludu.

— A później?

— Na całej Kubie nie można było dostać wosku!

— Skąd tak znakomicie znasz polski? — zapytałam.

— Wujek studiował w czeskiej Pradze, ale zawsze lubił wyskoczyć na parę dni do Polski, gdzie można było zabawić się bez poczucia wszechobecnej inwigilacji. Z jednego takiego wyskoku przywiózł żonę, która, jak typowa matka Polka, nauczyła całą rodzinę waszego, skądinąd piekielnie trudnego, języka.

Sanchez zbudowany był niezwykle harmonijnie, czasami więc patrząc na niego, zwłaszcza na mokre bokserki, pozwalające domyślać się, jakie klejnoty ukrywają, zastanawiałam się, co by było, gdybym była młodsza, a on nie był Murzynem...

Adam rzadko uczestniczył w tych naszych wieczornych bankietach, każdą wolną chwilę spędzał pod pokładem na rozmowach z dziadkiem. Ich tematu mogłam się domyślać. Zapewne usiłował skłonić go do podjęcia jakichś zdecydowanych kroków mających na celu wyciągnięcie z rosyjskiej niewoli, czy raczej wskrzeszenie Macieja Podlaskiego.

Najgorsze były noce. Mój organizm nie tolerował w równym stopniu lepkiego upału, nieznośnego w ciasnej kabinie, jak i klimatyzacji (od lat mam chroniczne kłopoty z zatokami). Jedynym wyjściem było spanie (podobnie jak to czynił Raul) na pokładzie „Różyczki". Niestety, on subtelnie nie wychylał się ze swego gniazdka na dziobie. Ja zaś miałam do dyspozycji cały górny pokład z rozpiętym nad głową niebem wybrukowanym lśniącymi gwiazdami jakby na wyciągnięcie ręki.

Pod gołym niebem czułam się najlepiej, choć jeśli nie zasnęłam wystarczająco szybko, dopadały mnie odgłosy intensywnego tarła, dochodzące z kabiny Leśniewskich, które nie pozwalały zasnąć. Dorotka lubiła krzyczeć w trakcie orgazmu i choć próbowała się opanowywać, nie bardzo jej to wychodziło. Najwyraźniej należała do bardzo wymagających panienek, kiedyś naliczyłam pięć nawrotów miłosnej orki w ciągu nocy, a nie wiem, czy nie było jakiegoś bonusa o świtaniu. Czy da się to wytrzymać? Toteż nie za bardzo wytrzymywałam. Pójście do Sancheza z propozycją: „A może byś mnie zerżnął, czekoladowy przystojniaku?" nie wchodziło w grę (choć w głowie kołatało mi się powiedzonko Lucy: „W nocy wszyscy faceci są czarni!"). Najczęściej więc kończyło się tym, że jak małolata, rozejrzawszy się, czy nikt nie widzi, zapuszczałam rękę w spodnie od pidżamy i robiłam to, czego żadna grzeczna dziewczynka, a zwłaszcza wychowanica katolickiej szkoły, czynić nie powinna.

W dzień również przychodziły mi do głowy różne głupie pomysły. Pewnego popołudnia, zmoczywszy wszystkie trzy kostiumy, postanowiłam opalać się bez stanika. Zauważyłam, że Dorotka idzie ochoczo w moje ślady. Niestety i w tej konkurencji była ode mnie lepsza. Piersi miała mniejsze, ale kształtniejsze. Kątem oka wypatrywałam Raula. Ale nawet nosa ze swej kanciapy ze sprzętem nie wyściubił. Zauważyłam za to, na jakie męki skazałam mojego brata. Pozornie czytał jakieś opasłe tomiszcze, ale co rusz wzrok uciekał mu w stronę młodej góralki. Podobała mu się. To oczywiste. Więcej powiem — strasznie mu się podobała. Aż chciało się zakrzyknąć: „Nie pożądaj żony bliźniego swego!".

O życiu erotycznym mego brata nie wiedziałam wiele. Od zawsze pilnowany przez Grażynę, poważnie zakochał się dotąd tylko raz, ale za to fatalnie, w białoruskiej agentce, która bezczelnie go podeszła. Choć od jej tajemniczej śmierci w szpitalu (gdzie miała podobno ochronę policji) upłynęło sporo czasu, Adam nie znalazł sobie nikogo nowego. Nie wiem, jak rozładowywał napięcie. Chodząc do agencji towarzyskiej, buszując po Internecie? Jego sprawa. Bardzo chciałabym, aby był szczęśliwy, ale nie mogłam załatwić tego za niego. (Zresztą nie potrafiłam zadbać o siebie samą). Kiedyś w chwili szczerości przyznał mi się do jednej fascynacji. Dziewczyną, której nie zna. Której nigdy nie spotkał, a która co jakiś czas mu się śni.

— Wygląda jak bizantyjska Madonna, surowość połączona ze słodyczą — opowiadał. — Kiedyś na pewno ją spotkam. Chociaż zapewne jeszcze nie podczas tej podróży.

Jednak beztroska i unikanie spraw mogących wywołać spory nie mogły trwać wiecznie. Piątego dnia naszych wakacji, po forsownej eksploracji wraka meksykańskiego frachtowca, połączonej dla mnie z nie lada dreszczem emocji — na głębokości trzydziestu metrów, w korytarzu biegnącym między zatopionymi kabinami, spotkałam się tam twarzą w twarz, czy raczej pyskiem w pysk, z gigantyczną barakudą (nie przesadzaj, Baśka, woda działa jak szkło powiększające! — stwierdziłam po czasie z autoironią) — doszło przy kolacji do ostrej wymiany zdań.

Mówiliśmy coś na temat fobii, którą odczuwamy wobec pewnych rodzajów zwierząt, np. ośmiornic czy pająków, i Adaś, mimo zawartej jeszcze w Warszawie umowy, że dla dobra wycieczki pewnych tematów poruszać nie będziemy, zaczął bajdurzyć, że podobne reakcje są efektem tysięcy lat przykrych doświadczeń, które były udziałem naszych przodków.

— Nie wciskaj nam ciemnoty — zawołałam — ta twoja „pamięć genetyczna" to przecież wymysł autorów SF!

— Naprawdę tak uważasz? — Maciej Kamieniecki obrócił do mnie swoją opaloną twarz, a jego ciepłe oczy (czytając jakiś papier, przyciemnione tafle okularów przesunął na czoło) spotkały się z moimi. — Masz prawo, Basiu. Pracowałem jednak nad tym zagadnieniem kilkadziesiąt lat i jest to dla mnie zjawisko tak oczywiste, jak zapamiętywanie tabliczki mnożenia.

Gdyby nie szacunek dla wiekowego dziadka roześmiałabym mu się w nos. Wybrałam stulenie dzioba, jednak nieoczekiwanie Grażyna zastąpiła mnie w roli przesłuchującej.

— Czy to możliwe, żeby w naszych komórkach przechowywana była wiedza o wszystkim, co przydarzyło się milionom naszych przodków od czasów Adama i Ewy?

— Tak, Grażynko. Dokładnie tak. Pisali o tym bardzo różni ludzie. Carl Gustaw Jung, uczeń Freuda, nazywał ją nieświadomością kolektywną. W religiach Wschodu też można znaleźć bardzo interesujące stwierdzenia na ten temat.

— Zabobony! — skrzywiła się moja rodzicielka.

— To ciekawe — odezwał się Adam — sam pamiętam, jak wróciłaś pod wielkim wrażeniem wykładu, który na zaproszenie twojej uczelni miał Oleg Siemaszko z Uniwersytetu Łomonosowa.

— Nie pamiętam.

— A ja doskonale. Rosjanin mówił o eksperymentach z motylami. Larwy motyli pozytywnie warunkowano na pewien kolor, wzmacniając ich zachowanie ulubioną przez nich dietą. Po przepoczwarzeniu, kiedy została zniszczona cała struktura larwy i wykluł się motyl, osobniki uwarunkowane na określoną barwę nadal ją preferowały.

— Doskonały przykład — ucieszył się dziadek. — Dowodzi, iż nabyta wiedza została przekazana nowej pamięci motyla, mimo że stary nośnik uległ zniszczeniu. Zresztą zjawisko tradycji genetycznej jest niesłychanie powszechne w świecie zwierzęcym. Ptaki wędrowne pamiętają trasy przelotów zakodowane przed milionami lat, słodkowodne węgorze płyną na tarło do Morza Sargassowego na głębokości 400 metrów pod powierzchnią, szukając rzek, które płynęły na nieistniejącej dziś Atlantydzie, a kurczaki, nawet wyhodowane w inkubatorze, bez kontaktu z innymi, ostro reagują na cień drapieżnego ptaka, nie płosząc się, kiedy widzą sylwetkę bociana.

— I uważa pan, że my, ludzie dysponujemy czymś takim? — w głosie Grażyny tym razem było znacznie mniej sceptycyzmu.

— Tyle że głęboko ukrytym i u większości osobników mocno zablokowanym.

— Ale po spełnieniu określonych warunków moglibyśmy skorzystać z tej wiedzy?

— Tu odpowiedź nie jest aż tak jednoznaczna — dziadek wyraźnie posmutniał. — Niestety, próba taka, przynajmniej jak na razie, jest niesłychanie ryzykowna. — Na moment urwał i jakby walczył z sobą, a potem dodał ciszej: — Uczestniczyłem przed laty w pewnym eksperymencie. Można powiedzieć, byłem za niego odpowiedzialny. Mieliśmy grupę ochotników więźniów z wyrokami śmierci lub wielokrotnego dożywocia... Przestrzegałem przed ryzykiem towarzyszącym eksperymentowi, ale kierownictwo nalegało. Więc zrobiliśmy to. Trzech uczestników zmarło natychmiast, dwóch po następnych paru dniach. Czterech trafiło do domu dla obłąkanych.

— A ten dziesiąty? — zapytał czujnie Wiktor Leśniewski, któremu, choć zdeklarowanemu humaniście, nieobce było, jak widać, rachowanie w zakresie pierwszej dziesiątki.

— Przeżył. Ale czy jest tym samym człowiekiem co przedtem? Śmiem wątpić.

Zapadła cisza.

— Ale dlaczego to się stało? — wykrztusiłam.

— Nagle odblokowana pamięć uderzyła w zasoby ich mózgu niczym bomba informatyczna. Ten, który przeżył, musiał mimowolnie włączyć jakieś blokady ochronne.

— A tata? — zapytał Adam. — Wnosząc z jego zapisków, korzystał z pamięci przekazanej mu w genach przez babcię bez żadnego uszczerbku dla siebie.

— Mam na ten temat wyłącznie hipotezy. Zapewne jego pamięć genetyczna była selektywna, odblokowywał ją wyłącznie w zakresie tego, co dotyczyło wspomnień własnej matki. Pamiętajcie też, że docierał do nich powoli, we śnie... Pewnie gdybym dysponował wówczas moją obecną wiedzą, tragedii dałoby się uniknąć lub przynajmniej ją zminimalizować. Niestety. Skończyło się źle, a wnioski wyciągnięto jeszcze gorsze. Program zakończono, zespół badawczy rozwiązano.

— I nikt się tym teraz nie zajmuje? — zapytała Dorota.

Kamieniecki znów chwilę pomilczał.

— W USA, z tego, co wiem, nikt. Jak jest gdzie indziej...?

Chińczycy z pewnością coś próbują... A Rosjanie? Nie sądzę, żeby zrezygnowali, wnioskując z aktualnej pozycji profesora Dawidowa w Rosyjskiej Akademii Nauk. Zresztą trudno się dziwić. Zainteresowanie mózgiem, pamięcią i możliwościami jej manipulacji miało w Rosji sowieckiej długie tradycje.

— Czyli mogą ciągle trzymać gdzieś mojego ojca! — ożywił się Adam.

— Z ich punktu widzenia popełniliby poważny błąd, gdyby się o to nie postarali. Z tego, co wspólnie ustaliliśmy — popatrzył wymownie na wnuka — miał niewątpliwie nadzwyczajne możliwości, jeśli idzie o pamięć genetyczną.

Zrozumiałam, że mówi tu o scenie poczęcia naszego ojca — znanej przecież tylko dwóm uczestnikom tego aktu, a przecież na podstawie snu odtworzonej przez Macieja Podlaskiego i opisanej w jego pamiętniku z najdrobniejszymi, dość pikantnymi szczegółami.

— Jestem pewien, że tata żyje! — powtórzył Adam.

— I ja dopuszczam taką możliwość — wsparł go nestor rodziny.

Zobaczyłam, jak Grażyna zmieniła się na twarzy.

— Mówicie serio? — pytanie skierowane było do naszego dziadka, ale jakoś nie przechodziło jej przez gardło mówienie Kamienieckiemu po imieniu. — Przecież to wręcz niewyobrażalne, żeby człowiek, nawet w Rosji, był przetrzymywany przez prawie 30 lat. Zawalił się system, rozpadł Związek Sowiecki, rozwiązano KGB... Niemożliwe, żeby Maciek nadal żył i przez tyle lat nie dał znaku.

— Przecież dawał! — zawołał Adam, tak jakby jego sny, o których naturalnie słyszeliśmy, były czymś więcej niż płodami jego wybujałej imaginacji. — Kontaktował się ze mną, prosił o pomoc.

— No i pojechałeś na Białoruś, odszukałeś miejsce, w którym podobno go przetrzymywali, i niczego nie znalazłeś — powiedziałam.

— Bo po katastrofie czarnobylskiej zlikwidowano ośrodek, a wszystkie króliki doświadczalne zostały wywiezione.

— Pozostaje więc pytanie, gdzie się podziały. To ci się już nie przyśniło? — zapytała Grażyna.

Adam posmutniał. Znałam jego obawy. Brak sygnałów, cokolwiek by o nich sądzić, wskazywał na najgorsze.

— W 1986 roku przeniesiono ich do Kazachstanu — powiedział naraz Kamieniecki. Zatkało nas, a profesor kontynuował. — Skąd wiem? No cóż, zaraz po naszym pierwszym spotkaniu z Adamem przeprowadziłem małe śledztwo. Dwadzieścia lat za późno. Pamiętajcie jednak, kiedy Maciej zniknął, nie miałem pojęcia, że jest moim synem. Poza tym myślałem jak wszyscy — jedna zbrodnia stanu wojennego więcej. Po latach próbowałem naprawić własne zaniedbanie. Zresztą opóźnienie miało i swoją dobrą stronę. Kiedy w Sowietach nastała pieriestrojka, a potem za Jelcyna nowa Wielka Smuta, rozluźniły się też bariery wszechobecnej tajności, a wraz z nadejściem kapitalizmu wszystko stało się do kupienia, informacje również. Wynajęty przeze mnie człowiek znalazł tajny ośrodek koło jeziora Bałchasz, do którego w drugiej połowie lat 80. wyjątkowo często przylatywał profesor Dawidow.

— Dawidow... To nazwisko pada już po raz kolejny, zastanawiam się, ale chyba znam człowieka... Tylko skąd? — zastanawiała się Grażyna.

— To znany naukowiec, neurolog. Oficjalnie zajmuje się mechanizmami dotyczącymi pamięci. Przed laty często korespondowaliśmy ze sobą. Potem okazało się, że jest pułkownikiem KGB i wymiana naszych informacji jest więcej niż jednostronna, więc wszelkie kontakty uległy ograniczeniu. Co ważne — 12 grudnia 1981 roku Dawidow, przebywający wtedy w Warszawie (ciekawy przypadek — w tym samym hotelu co ja!), rozmawiał z Maciejem jako jeden z ostatnich przed jego zniknięciem.

— No to ja go rzeczywiście znam! — na twarzy Grażyny pojawiły się rumieńce. — W ostatnich latach parokrotnie odwiedzał Polskę, miał nawet wykład na mojej uczelni. A potem zaprosił mnie na obiad. KGB? Nigdy bym nie pomyślała...

— Mało kto całkiem do niedawna zdawał sobie sprawę z rozmiarów sowieckiej agentury — odezwał się Leśniewski — penetracji środowisk naukowych, sportowych, artystycznych. Praktycznie wszyscy dyplomaci mieli podwójne etaty, każda delegacja miała swe zadania jawne i niejawne. A co do tego Dawidowa... Nazwisko nie jest mi obce: niejaki Siemion Dawydow (tyle że piszący się przez y) był we wczesnych latach łącznikiem między naszym ministrem bezpieczeństwa Stanisławem Radkiewiczem a szefem NKWD Iwanem Sierowem.

— Z tego, co wiem, Siemion i Iwan byli kuzynami i w różnych momentach życia wspierali się nawzajem — kiwnął głową profesor.

Moja matka wydawała się tego nie słuchać. Kontynuował swoje.

— Taki nobliwy starszy pan... A wiesz, że bardzo chciał cię poznać, Adasiu, tyle że akurat byłeś w Ameryce.

— Jego szczęście — mruknął mój dziadek — ze swoimi szczególnymi uzdolnieniami mógłby zostać kolejnym okazem w kolekcji tego Mengele rosyjskiej neurologii.

Czas kolacji dawno się skończył, ale nikt jakoś nie ruszał się z miejsca. Wiktor zapytał o tajemniczy ośrodek nad Bałchaszem. Czy kontynuował swoją działalność?

— Nie! W 1993, wkrótce po ogłoszeniu niepodległości przez Kazachstan, również i tę placówkę ewakuowano...

— Gdzie?

— Nie ogłoszono tego w mediach ani w prasie branżowej. Dawidow oficjalnie przeszedł na emeryturę. Ale chyba nie zaniechał swoich badań... Mój człowiek w Rosji bardzo się postarał, aby ustalić stan faktyczny. Może nawet za bardzo. Niewątpliwie musiał się nazbyt zbliżyć do prawdy, bo jego ciało, z dwoma precyzyjnie zadanymi ranami kłutymi, wyłowiono przed paroma miesiącami z Amuru. Na szczęście zdążył mi coś przekazać — tu pokazał numer zapisany na kartce: 42-622.

— Co to takiego? — zapytaliśmy chórem.

— Numer kierunkowy, który mi się wyświetlił w telefonie. Mówi państwu coś nazwa Birobidżan?

Zapadła cisza.

— Stolica Autonomicznej Republiki Żydowskiej — do odpowiedzi zgłosił się Leśniewski. — Stalin, bodajże w 1928 roku, postanowił zafundować Izraelitom drugą Ziemię Obiecaną. Sześć lat później inicjatywa stała się faktem. Tyle że nie wiem, czy ten twór jeszcze istnieje.

— *Jewrejska awotonomnaja obłast*? — uśmiechnął się mój dziadek. — Jak najbardziej trwa i się rozwija. Może nie ma tam szczególnie wielu Żydów. Demografowie twierdzą, że z niespełna 200 tysięcy mieszkańców (nie licząc nielegalnie przebywających tam Chińczyków) tylko od jednego do pięciu procent mówi w jidysz i po hebrajsku. Jestem jednak pewien, że gdyby usiłowali się wyłamać z Federacji Rosyjskiej, podzieliliby los Czeczenów. Mój biedny Żenia, zanim zginął, ustalił, że profesor Dawidow, stosunkowo łatwy do rozpoznania, ponieważ utyka na lewą nogę, już w obecnym tysiącleciu wyjątkowo często latał do Chabarowska, skąd zabierał go wojskowy helikopter, i leciał dalej, na zachód. Możliwe w zasadzie są dwie ewentualności: albo ten specjalista od pamięci genetycznej ma w Birobidżanie rodzinę, albo jakieś tajne laboratorium.

— I to wszystko?

— Zatrudniłem kolejnego prywatnego detektywa. Dotarł do Birobidżanu, spędził tam bite dwa tygodnie...

— I co?

— I nic. Bieda, zaniedbanie, gdyby nie handel przygraniczny, tubylcy przeszliby zapewne na kanibalizm. Żadnych inwestycji. Ekologowie walczą, aby tereny nad Amurem przekształcić w park narodowy.

— A tajny ośrodek profesora Dawidowa?

— Ani widu, ani słychu. Owszem, są stacje radarowe i wyrzutnie rakiet skierowane w stronę pokój miłujących Chin, ale nie znalazł niczego, co mogłoby sugerować istnienie laboratorium, w którym prowadzono by eksperymenty na ludziach.

— Czyli klapa — westchnęłam.

— Nie do końca — starszy pan uśmiechnął się szelmowsko. — Chyba znalazłem to miejsce. Adamie, możesz przynieść mojego laptopa?

Po chwili mój brat dostarczył najcieńszego notebooka, z jakim miałam do czynienia. Wrażenie potęgował wielki ekran. Nie wiedziałam, do czego jest im to potrzebne, dopóki dziadek nie odpalił programu zdjęć satelitarnych Ziemi (jakąś rozwiniętą, płatną wersję Google Earth) i po chwili zobaczyliśmy Autonomiczną Republikę, tak jak można obserwować ją z kosmosu, pod warunkiem że akurat jest pogoda.

Wyświetliło się niewielkie miasto położone w dorzeczu rzeki Biry, z podłużnymi prostokątami socjalistycznych bloków i kwadracikami pojedynczych chat. Wśród siatki dróg zauważyliśmy wybijającą się linię kolei transsyberyjskiej, przy większym powiększeniu dało się nawet zauważyć stojący na niej skład kolejowy.

— To Birobidżan? — upewniłam się pro forma.

— Tak. Nie będę was zanudzał obrazkami. Sam i razem z Adamem lustrowałem okolicę bardzo wnikliwie. Może się wydawać, że nic tu nie ma. Życie koncentruje się wokół magistrali, a dalej głusza, tajga. Pójdziemy teraz trochę bardziej ku tym wzgórzom i powiększamy. Spójrzcie tu — wskazał cieniutką, jasną kreseczkę wśród oceanu pofałdowanej zieloności.

— Wygląda na drogę — rzekła Dorota.

— Bo to jest droga! — powiedział zdecydowanie profesor. — Raczej nieuczęszczana, jednak wyglądająca na wytyczoną solidnie. Problem polega na tym, że pokazałem wam fotografię sprzed paru lat. Tak to wygląda teraz. Proszę! Cały ekran wypełniła soczysta zieleń. Droga znikła.

— Tak zarosło? — zdziwiłam się.

— Albo droga została celowo zamaskowana — dorzucił Adam.

— Oboje macie poniekąd rację. Jednak, jak można ocenić to, co stało się z tym miejscem? — znów kliknął. Na fotografii sprzed dekady zobaczyliśmy poziomą błyszczącą kreskę, która wyglądała jak stalowy most przerzucony nad rzeką. Obecnie była tam jedynie rzeka.

— Może most zniosła woda, a drogę, prowadzącą do jakieś rozpoczętej za Breżniewa inwestycji, pochłonął las — podsunęła własną interpretację Grażyna.

— Istnieje taka możliwość, tym bardziej że w miejscu, w którym wcześniej droga się kończyła w górskim parowie, widać jakieś zabudowania, fragment betonowego baraku, ciężarówkę.

— A na zdjęciu współczesnym?

— Nie ma nic. Zresztą popatrzcie sami. Trochę wyżej, między drzewami widać przerywaną smugę potoku. Ale... — tu zmniejszył powiększenie i na monitorze pojawił się większy obszar tajgi. — Zwróćcie uwagę na ten szczegół o pół kilometra w bok. — Wskazał na jasny prostokącik.

— Polana? — zaryzykowałam.

— Jak na polanę za bardzo regularna — odezwała się Dorota. — Na porębę też nie wygląda.

— Trafna uwaga. I żadnych krzaków, odrostów... Podłoże wyglądające na beton. A teraz jeszcze spójrzcie na ten obrazek sprzed miesiąca.

Na rozmazanym zdjęciu ujrzeliśmy coś, co na pierwszy rzut oka przypominało rozgniecionego pająka.

— Helikopter, to jest lądowisko śmigłowców! — zawołał Wiktor.

— Inną możliwością jest jedynie UFO — uśmiechnął się Kamieniecki. — To zdjęcie po znajomości załatwiono mi w NASA. Polanę sfotografowano w chwili, kiedy maszyna wylądowała i jeszcze nie zdołano jej ukryć pod siatką maskowniczą. Możliwe, że przyleciał nią sam Dawidow.

Adam cały czas milczał z wyrazem dziwnego tryumfu na twarzy. Teraz przemówił.

— On tam jest. Wiem o tym. Odezwał się do mnie.

— I nic nam o tym nie wspomniałeś? — zdziwiła się Dorota.

— Długo wahałem się, czy w ogóle powinienem wam o tym mówić.

— Dlaczego?

— Bo to było dosyć dziwne. Jak zwykle miałem sen. We śnie kontakt. Tylko że tata... nie mam wątpliwości, że mówiącym był mój tata, tyle że kompletnie inny niż w dawniejszych snach.

— To znaczy?

— Nie przekazał mi żadnych obrazów, otaczała go kompletna ciemność. A jego słowa...

— Co mówił? Możesz nam powtórzyć?!

Z gardła mego brata wyrwał się głos pełen bólu i rezygnacji:

— „Przybądź do mnie, synu, musisz tu przybyć. I mnie zabić!".

Po północy Grażynę rozbolała głowa i poszła się położyć do kabiny. Wkrótce wykruszyli się także Leśniewscy. Jeśli zamierzali kontynuować produkcję potomka, to uczestnicząc w rozmowie, zmitrężyli mnóstwo czasu. Zostaliśmy w trójkę — dziadek z wnuczętami.

Adam nie krył radości, że nareszcie mu wierzę (wiadomo, w kręgach świętych radość z każdego nawróconego jest większa niż trwanie tych, którzy zawsze wierzyli). Zresztą, czy uwierzyłam? Nie bez zastrzeżeń. Uznałam, że jeśli w tym, co mówią, kryje się choćby ułamek prawdy, warto się sprawie przyjrzeć.

Jeszcze parę lat temu byłam kompletnie znieczulona na wszelkie teorie spiskowe. W środowisku Polkabla — ludzi wierzących w spiski, wszechobecny „układ" mafijno-ubecki, w agentów obcych mocarstw czy w tajnych współpracowników, zwykło się określać mianem czubków, oszołomów lub nawiedzeńców. Nikomu nie przyszłoby do głowy nad tym się zastanawiać, a co dopiero merytorycznie dyskutować. Dopiero gdy Adam omal nie zginął, a moja przyjaciółka z Fundacji „Media dla Białorusi", Kate vel Katiucha, okazała się wyszkoloną zabójczynią, łuski zaczęły spadać mi z oczu. Utrata pracy i znalezienie się wśród ludzi nieakceptowanych znakomicie przyśpieszyły ten proces.

Nie, nie znaczy to, że wszystko, co powiedziano tego wieczoru, brałam za dobrą monetę — dziadek i mój brat mieli niezłego świra, ale przynajmniej nabrałam ochoty, by dociec prawdy. Jak się dowiedziałam, konszachty obu panów trwały od jakiegoś czasu, a ostatnie pięć dni rozmów poświęcone było wyłącznie jednemu tematowi.

— Oczywiście są to jedynie spekulacje — mówił Kamieniecki. — Czekam na sygnał potwierdzający istnienie ośrodka. Mój człowiek bada rzecz od paru tygodni.

— Żeby tylko znów nie wylądował w nurcie Amuru — mruknęłam.

— Mam nadzieję, że wykaże się dostateczną ostrożnością. Poza tym nie sądzę, żeby ktokolwiek mógł go podejrzewać — zakończył, ale szczegółów nie ujawnił. Czyżby mi nie ufał?

— No dobrze — kontynuowałam — uzyskamy potwierdzenie, że ten ośrodek działa, a nawet, że przetrzymują tam naszego tatę. Jak go wydostaniemy?

— Jeszcze nie wiem — przyznał się profesor. — Zanim nastał putinizm, pieniądze w kontaktach z Rosjanami rozwiązywały wszystko. Przy odpowiedniej gotówce można było kupić nawet truchło Lenina z całym mauzoleum. Po roku 2000 to się zmieniło. Aspiracje mocarstwowe i tak dalej. Chociaż nie taję, rozważałem różne możliwości... Ale nie liczcie, że będę was w to wtajemniczał. I tak powiedziałem zbyt wiele. Korzystajcie z wakacji. Resztę zostawcie mnie. I nie pytajcie o szczegóły. To mogłoby być niebezpiecz... — nagle urwał, rzucił krótko: „Poczekajcie", po czym wstał i podszedł do skrzynki z wyłącznikami.

Pokład jachtu zalała ciemność — nie mogły jej rozproszyć odległe światełka z lądu ani latarnie z odległych jednostek.

Noc była księżycowa, toteż fale wokół „Różyczki" srebrzyły się w poświacie. Nigdzie nie zauważyłam najmniejszych śladów ludzkiej obecności, rurki snorkingowca, bąbli sunącego przy dnie płetwonurka czy charakterystycznej tyczki peryskopu.

— Może jestem przewrażliwiony — Kamieniecki po dłuższej chwili znów zapalił światło. — Ale wpadka Żeni, tego naprawdę bardzo ostrożnego fachowca, była co najmniej zaskakująca. Nie mogę wykluczyć, że jestem podsłuchiwany. Czasami nawet jestem tego pewien. No, ale chyba dość na dzisiaj. — Musiał zauważyć nasze zawiedzione miny, bo dodał z uśmiechem: — Jednego możecie być pewni, uczynię wszystko, co w ludzkiej mocy, aby wydostać mego syna.

Nie zadawałam więcej pytań. Nagle zrobiłam się senna. Tak senna, że zasnęłam w ciągu minuty w kabinie, bez włączania klimatyzacji.

III

CZŁOWIEK, KTÓREGO POWINNO NIE BYĆ

Nie miewam snów, a może po prostu ich nie pamiętam, w każdym razie, kiedy krzyki petreli i promienie słoneczne wpadające przez bulaj obudziły mnie wreszcie koło dziesiątej, moja pamięć pozostawała czysta jak niezapisana kartka. Śniadanie, jak się okazało, zjedzono beze mnie.

— Nie chciałem pani budzić — powiedział, usprawiedliwiając się, Sanchez. — Ale zaraz coś przygotuję.

Dziadek i Adam siedzieli dokładnie w tym miejscu, w którym ich zostawiłam.

Czyżby w ogóle się nie położyli? Okazało się jednak, że nie tylko spali tej nocy, ale mieli interesujące sny, które teraz relacjonowali sobie nawzajem.

Właściwie nie bardzo mieli co relacjonować. Obu przyśniło się to samo.

Posłaniec z ważnymi wiadomościami, bezkresna tajga i nieartykułowane głosy dobiegające spod ziemi.

— I pożar! — dopowiadał Adam. — Śnił mi się ogromny pożar trawiący nasz dom w Konstancinie.

— To ciekawe — skomentował profesor. — Mnie śnili się złodzieje buszujący po mej willi na Florydzie. Konkretów, niestety, nie pamiętam, a jedynie mój gniew.

— Ja też odczuwałem gniew, ale zero strachu!

— I jak to możecie zinterpretować? — włączyłam się do rozmowy.

— Coś się wydarzy — powiedzieli równocześnie, a Kamieniecki dodał, podpierając dłonią twarz: — Absolutnie nie wiem co. Sygnału od mego tropiciela znad Amuru spodziewam się najwcześniej jutro.

— Czuję tylko, że ten posłaniec z ważnymi wiadomościami jest niedaleko nas i stale się zbliża — dorzucił Adam.

— Jednak o wiele bardziej niepokoi mnie ten pożar i ci złodzieje...

Już miałam wybuchnąć śmiechem z powodu ich namaszczonych min, kiedy w sterówce jachtu zabrzmiał ostry dzwonek.

Panowie wymienili spojrzenia. Mój brat poderwał się z krzesełka, ale Sanchez okazał się szybszy. Podał Kamienieckiemu pokaźną komórkę.

— Tak, Peter, nikt inny, tylko ja. A ty, jak się miewasz?... To szef tutejszego jachtklubu — rzucił do nas półgłosem.

— Kto taki? Jak to nie chce podać nazwiska? Z Baltimore... A jak wygląda? Jak ten znany aktor filmowy — profesor zmarszczył brwi. — I co jeszcze powiedział? Dziesiąty? Jesteś pewien, że powiedział „Dziesiąty"? — Przełożył aparat do drugiej ręki i wydawało się, że intensywnie myśli, skrobiąc się po głowie. — Dobrze — stwierdził po chwili. — To musi być coś bardzo ważnego, skoro przybył osobiście... Normalnie nie kontaktujemy się w tym trybie — rzucił jakby do siebie, a głośno dodał: — Tak, powiedz mu, że spotkam się z nim. Jeszcze dziś. Powiedzmy za półtorej godziny. Nie, nie w klubie. Zaproponuj mu ten chiński bar w The Palms. Nie chcę, żeby przychodził do jachtklubu. Im mniej ludzi będzie wiedziało o naszym spotkaniu, tym lepiej. Dobrze. Nie będę cię potrzebował. Facet nie jest niebezpieczny.

Słuchając rozmowy, żywiej zabiło mi serce, mam słabość do amerykańskich aktorów i sama myśl, że ktoś choć trochę do nich podobny mógłby pojawić się w naszym gronie, wydała się naprawdę ekscytująca. Adama bardziej ciekawiło, kim może być przybysz i jak to się ma do naszych spraw? Jednak profesor Kamieniecki przestał być rozmowny i zaczął się bardzo śpieszyć na spotkanie. Dawno nie widziałem go tak podnieconego. Zachowywał się jak dziewczyna przed pierwszą randką. Kim mógł być tajemniczy gość? Dziadek założył jasny sportowy garnitur, zawołał Sancheza i kazał mu spuścić na wodę ponton.

— Pojadę z tobą — zaofiarował się mój brat. Ale został zmrożony krótkim: — To nie jest konieczne! Sanchez przygotował dla was bardzo atrakcyjne nurkowanie w jaskiniach. Spotkamy się na kolacji.

Rzeczywiście to było świetne nurkowanie. I mimo że w podwodnych grotach zazwyczaj ogarniają mnie uczucia klaustrofobiczne, wypływałam z poczuciem pełnej satysfakcji i sporą listą napotkanych ryb, do zapisania w *dive booku*, zeszycie, w którym notowałam wszystkie dane dotyczące warunków i spostrzeżeń podczas nurkowania. A więc dwie fantastycznie kolorowe *lionfish* (po polsku skrzydlice) kolejna żółta murena i *stonefish* — ryba kamień, podobno wściekle jadowita, chociaż w piasku wyglądająca jak kawałek starej pokruszonej cegły, na którą, gdyby nie Sanchez, mogłabym po prostu nadepnąć. Twarz Grażyny wychylonej ponad relingiem zmroziła mnie. Moja matka była blada i chyba zapłakana. Adam, który wypłynął razem ze mną, również natychmiast to zauważył.

— Co się stało?

— Dziadek miał wylew. Przed chwilą zadzwonił Peter Higgins, ten szef jachtklubu, twierdząc, że „mister Kamieniecky" został zabrany do miejscowego szpitala.

— Żyje?

— Podobno żyje, ale uległ częściowemu paraliżowi. Boże, co my teraz zrobimy z wakacjami?!

W takich chwilach szczerości gotowa byłabym ją zabić. Dziadek leżał na reanimacji, może umierał, a ona martwiła się pieprzonymi wakacjami! Przebierałam się machinalnie, otępiała, ogłuszona... Mój Boże! Obserwując żywotność i sprawność starszego pana, wszyscy zapomnieliśmy, że ma prawie 90 lat.

Decyzja mogła być jedna. Sanchez, nie zdejmując nawet mokrej pianki, zapuścił motory i skierował „Różyczkę" w stronę portu. Równocześnie połączył się ze szpitalem.

— Mamy szczęście w nieszczęściu — powiedział po krótkiej wymianie zdań. Tydzień temu na Kajmany przeprowadził się doktor Ambrosio, który wcześniej prowadził pana Kamienieckiego na Key West. Jeśli ktokolwiek powinien się nim zajmować, to właśnie on. Odnalazł się błyskawicznie i teraz cały czas znajduje się przy chorym.

Szpital w Georgetown, składający się z szeregu pawilonów pochodzących z różnych okresów architektury kajmańskiej, przypominał jeszcze jeden luksusowy ośrodek wypoczynkowy. Jednak stojąca zaraz przy wejściu komora dekompresyjna, przeznaczona dla tych, co nie zachowali ostrożności przy nurkowaniu, wskazywała, że nikt nie przebywa tu dla przyjemności. Lekarz dyżurny nie dopuścił naszej grupki na oddział, zgadzając się, i to niechętnie, aby mógł wejść tam jedynie syn pana Kamienieckiego. Adam pobiegł jak strzała, a do nas wyszedł doktor Marino Ambrosio, chudy jak tyka medyk włoskiego pochodzenia, na oko sam cierpiący na sto śmiertelnych schorzeń, i próbował dodać nam otuchy.

— Stan pacjenta jest w tej chwili stabilny, ale w tym wieku nigdy nie wiadomo... — powiedział. Jeśli miało to być pocieszenie, to nie było skuteczne. Sanchez zaklął cicho i zawrócił w stronę wyjścia.

Cierpliwość nie jest moją najmocniejszą stroną. Czekając na powrót Adama, obeszłam cały ośrodek parę razy dookoła i za trzecim okrążeniem natknęłam się na jakiegoś osobnika, rzeczywiście przypominającego replikę znanego aktora. W stosunku do oczekiwań rozczarowanie było bolesne. Nie, nie sądziłam, że za wzór posłuży mu Brad Pitt, Antonio Banderas czy choćby Edward Norton. Nie miałbym nic przeciwko dobrze utrzymanemu Harrisonowi Fordowi, byłabym w stanie zaakceptować młodego Sylwestra Stallone. Niestety, napotkałam Danny'ego DeVito. Może jedynie trochę szczuplejszego od oryginału.

Kurdupel ukłonił mi się, tak jakby mnie doskonale znał.

— Bardzo przepraszam — powiedział po angielsku — zdaje się, że to całe zamieszanie jest przeze mnie.

— Jak mam to rozumieć?

— Moje spotkanie z panem profesorem, z którym nie widziałem się od dosyć dawna, wpędziło go w stan silnego poruszenia...

— Co takiego pan mu powiedział?

— Nic tak strasznego, co mogło wywołać wstrząs. Podejrzewam nawet, że starszy pan doznał wylewu z radości.

— Ale co to było?

Na twarzy pojawił się wyraz zakłopotania, a ręka machinalnie pogładziła łysinę.

— Nie mogę powiedzieć. A właściwie to powinienem zacząć od przedstawienia się — Tim Sharffer.

— Barbara Podlaska — machinalnie uścisnęłam wyciągniętą ku sobie rękę. Była zaskakująco mocna i twarda.

— Ale skoro nie może mi pan nic powiedzieć, to trudno... — Próbowałam się oddalić. Nie puścił mej dłoni.

— Nie powiedziałem, że zupełnie nic. Mogę powiedzieć całkiem sporo, chociaż nie wszystko.

Tymczasem w drzwiach zamajaczyła sylwetka Adama. Wyglądał na przejętego, ale nadrabiał miną.

— Nie jest źle — powiedział — dziadek jest przytomny. Ma jednak paraliż prawej strony i poważne kłopoty z mową. Na szczęście doktor Ambrosio jest święcie przekonany, że jeśli w ciągu trzech dni stan się nie pogorszy, wyjdzie z tego.

— Powinniście państwo zabrać go na kontynent, w rejonie Miami są znakomite ośrodki rehabilitacyjne — powiedział kurdupel.

Adam dopiero go zauważył.

— Pan Tim Sharffer? — zapytał. A słysząc potwierdzenie, dodał: — Dziadek życzy sobie, żeby dołączył pan do naszego zespołu.

— To będzie dla mnie prawdziwy zaszczyt. A nie ma do mnie pretensji, że trochę go zdenerwowałem?

— Nic mi o tym nie mówił i raczej wyrażał satysfakcję z faktu, że pan tu się znalazł.

Wyznam szczerze, przestałam cokolwiek z tego rozumieć.

Sanchez z Grażyną i Leśniewskimi wrócili na statek, nas natomiast Tim Sharffer zaprosił na lunch do małego baru opodal portu, oferującego owoce morza w dużym wyborze. Przystałam z rozkoszą i natychmiast zamówiłam homara, ale Adam, tradycjonalista w każdym calu, wybrał dla siebie pieczonego kurczaka z frytkami.

Pan Tim, mimo że z makaroniarza miał jedynie wygląd, zachowywał się dokładnie jak postać z włoskiej komedii. Ledwo zostaliśmy w trójkę, zrobił się niezwykle gadatliwy.

— Znamy się z panem profesorem ponad 20 lat — trajkotał. — To wielki człowiek, powiem więcej, genialny!

— Pracowaliście razem? — zapytałam.

— W pewnym sensie. Jeśli można uznać za współpracę relacje zaistniałe pomiędzy weterynarzem i królikiem doświadczalnym.

Coś zaczęło mi świtać w głowie, ale Adam, jak zwykle, był szybszy ode mnie w kojarzeniu.

— To pan uczestniczył w tym słynnym eksperymencie z pamięcią genetyczną i jako jedyny uszedł z życiem! — wykrzyknął

— Miałem to szczęście — odparł skromnie Sharffer. — Inna sprawa, nikt z nas tak do końca nie wiedział, czym ryzykuje.

— Ale — zmierzyłam go wzrokiem, co przy jego stu pięćdziesięciu paru centymetrach nie zabrało mi wiele czasu — w tym eksperymencie podobno uczestniczyli wyłącznie więźniowie?

— Byłem więźniem — przytaknął tak gorliwie, jakby siedzenie w zakładzie penitencjarnym mogło być powodem do dumy. — Ale po tym wszystkim, co przeszedłem, zostałem warunkowo zwolniony. Zresztą diagnoza lekarzy była w moim wypadku jednoznaczna. „Nie zagrażam nikomu". — Widząc nasze niewyraźne miny, ciągnął dalej. — Nie bardzo mam się czym chwalić, ale nigdy nie uważałem się za kryminalistę, siedziałem za grzeszną predylekcję do małych dziewczynek. — Znów się głupawo uśmiechnął. — Nie robiłem im nic szczególnie złego, można powiedzieć, że z mojego ówczesnego punktu widzenia było to samo dobro, chociaż nie każdej się podobało... Żeby było jasne, nikogo nie zabiłem, a nawet nie pobiłem żadnej smarkuli... Niektóre były nawet zadowolone. Bo muszą państwo wiedzieć, że nigdy nie przepadałem za niemowlętami czy małymi chłopcami. Fuj! Moje zainteresowanie wzbudzały wyłącznie małe kobietki. Wedle niektórych standardów, na przykład Cyganów, zupełnie dojrzałe. Najmłodsza miała 12 lat...

— A najstarsza? — rzuciłam przez zęby.

— Szesnaście! Ale młodo wyglądała.

Poczułam gwałtowny przypływ mdłości. Tim musiał to zauważyć.

— Może jestem zbyt szczery, ale proszę nie zapominać, że to wszystko zdarzyło się ponad 30 lat temu. I nigdy się nie powtórzyło. Jednym z ubocznych efektów eksperymentu, przeprowadzanego pod okiem pani dziadka, był u mnie kompletny zanik seksualności. Owszem, nadal z zainteresowaniem patrzę na kobiety, ale wyłącznie jak na dzieła sztuki, bez względu na ich wiek nie wzbudzają mego pożądania.

Nie wierzyłam mu za grosz. Mimo aparycji gnoma, silny i opalony nie wyglądał na bezpłciowego eunucha.

— Powiedział pan, że aseksualizm był jednym z ubocznych efektów eksperymentu — zauważył Adam. — Należy rozumieć, że pojawiły się także jakieś inne?

— Żyję z nich.

— To znaczy?

Rozejrzał się dookoła i chyba nawet łypnął okiem pod stół.

— Normalnie nie ujawniam moich umiejętności na prawo i lewo, ale skoro starszy pan zdecydował, że mamy współpracować... No więc ja... jakby to najkrócej powiedzieć... ja... słyszę myśli.

Zrobiłam głupią minę, a Adam wychylił się ku Sharfferowi.

— To ma być żart?

— Nie ośmieliłbym się. Jednocześnie rozumiem, że moja deklaracja mogła zabrzmieć dla was szokująco. Dlatego proponuję test. Może pani spróbuje — tu zwrócił się do mnie.

— Proszę wyobrazić sobie jakieś zwierzę. Tak... — na moment zbliżył swoją głowę do mojej. — Dobrze. Tak. Jeszcze chwilę. Pomyślała pani o słoniu. „Duże bydlę, a trąba jeszcze większa".

Spiekłam raka, bo trąba przyszła mi do głowy w związku z seksualnymi problemami Tima.

— Przypadek! Udało się panu! — powiedziałam.

— Być może. Zatem kontynuujmy. Może za drugim razem szczęście mi nie dopisze. Niech pani wymyśli sobie jakiegoś ptaka.

Na moment przemknął mi przez myśl orzeł, jednak uznałam to za zbyt łatwe, więc postanowiłam pomyśleć o bocianie. I znów Tim odgadł bezbłędnie. A nawet dorzucił, że pomyślałam o bocianie w locie.

— A proszę powiedzieć, o czym ja myślę? — do testu wtrącił się Adam.

Sharffer utkwił w nim swe przenikliwe spojrzenie. Zobaczyłam wysiłek na twarzy. Przypominał ciężarowca zbierającego siły przed pochwyceniem sztangi.

— Jest pan dobry! — powiedział po chwili, przyznając się do porażki.

— Dobry, w czym? — dopytywałam się.

— W zakładaniu mentalnej blokady — wyjaśnił. — Kiedy człowiek świadomie nie chce ujawnić swych myśli, a jeszcze jeśli ma do tego predyspozycje albo był szkolony, moje talenty okazują się niewystarczające.

W tym momencie minęła nas, kręcąc kuperkiem, karaibska piękność, na oko koktajl czterech ras z dodatkiem ostrych przypraw.

— „Ale dupa" — zacytował po polsku myśli Adama Tim i teraz, dla odmiany, mój brat zaczerwienił się jak licealista przyłapany na przeglądaniu pornograficznego „świerszczyka" pod ławką.

Widząc, że nas przekonał, Sharffer przeszedł do rzeczy. Opowiedział trochę o sobie, w USA miał oficjalną licencję prywatnego detektywa i żył z handlu informacjami podsłuchanymi od przestępców. Potem zreferował przebieg swego spotkania z Kamienieckim. Ale bez ujawniania szczegółów.

— To była długa rozmowa i pełna emocji — rzekł ogólnikowo. — Z obu stron.

Nie mogło budzić wątpliwości, że dziadek mu zaufał i powiedział sporo o swych zamiarach. Kurdupel wiedział bowiem o naszym ojcu i jego prawdopodobnym uwięzieniu w Rosji.

— W tej sprawie pan profesor bardzo liczył na moje specyficzne umiejętności, podobnie jak ja na jego... — wyznał.

— To prawda — potwierdził Adam — dziadek życzy sobie, aby pan Sharffer wziął z nami udział w naszej wyprawie.

— W jakiej wyprawie?! — zawołałam, czując, jak w głowie zapala mi się ostrzegawcze światełko. — O czym ty mówisz, chłopie?!

— Nie sądzisz chyba, że dziadek, nawet jeśli w pełni wy-
zdrowieje, pojedzie do Birobidżanu. Owszem, początkowo
nie chciał nawet słyszeć, że my się tym zajmiemy, ale teraz
będzie musiał.

Nagle wydało mi się, że spożyty homar poruszył mi się
w żołądku, a nawet postanowił wrócić, zerwałam się i pobiegłam do łazienki. Jak nazwać stan, który mnie ogarnął?
Podnieceniem, strachem, fascynacją? Chyba jednak najwięcej było w tym strachu.

To, co opowiedział nam o sobie sobowtór Danny'ego De-
Vito nie wzbudziło we mnie szczególnego zaufania do niego,
mimo że umiał opowiadać o sobie barwnie i chętnie. Choć,
jak zaznaczył, nie mówił o wszystkim. Zanim udaliśmy się
na statek, wymógł na nas deklarację, że nie wspomnimy nikomu o jego umiejętnościach „Im mniej osób o tym wie, tym
lepiej dla sprawy".

Usiłowałam się dowiedzieć, co właściwie stało się dziadkowi. Sharffer twierdził, że od początku ich spotkania był
bardzo poruszony, a w miarę wymieniania informacji nastrój
podniecenia tylko rósł. Reszty musiała dokonać kawa i wypity koniak.

— Pod koniec rozmowy nagle poczuł się źle i poprosił,
żebym wezwał pogotowie — opowiadał. — Pobiegłem do
kelnerów, a kiedy wróciłem, leżał na ziemi...

— Jest pan pewien, że w kawie lub alkoholu nie było niczego...? — zapytał Adam.

— To niemożliwe, obsługiwał nas tylko jeden kelner, z którym pan profesor był wyraźnie zaprzyjaźniony. No i ja. A nie przypuszcza pan chyba?...

— Nic nie przypuszczam — uciął Adam.

Już na statku zauważyłam, że moją rezerwę do Sharffera podziela Raul Sanchez. Murzyn łypał na gościa ponuro i niechętnie wskazał mu wolną kabinę. Ale co miał robić. Polecenia co do Tima wydane przez Macieja Kamienieckiego były jednoznaczne. Grażyna również nie zapałała sympatią do intruza, który ledwie znalazł się na pokładzie, bezbłędnie odszukał barek kapitański i nalał sobie whisky z lodem (tej najdroższej). Leśniewskich, zajętych sobą, detektyw ani grzał, ani ziębił. Można więc zaryzykować stwierdzenie, że na pokładzie „Różyczki" na cieplejsze uczucia pan Sharffer mógł liczyć wyłącznie u mego brata. Z jakichś niepojętych dla mnie przyczyn (może wchodziły w grę paranormalne uzdolnienia obu) mężczyźni bardzo przypadli sobie do gustu. Ich sprawa.

Resztę popołudnia spędziliśmy na kotwicy. Leśniewscy trochę pływali, ja nie zanurzyłam się ani razu. Do końca dnia Adam na zmianę z Sanchezem parokrotnie kontaktowali się ze szpitalem, ale nie uzyskali żadnych informacji. Pacjent spał.

Wieczorem po kolacji upiłam się haniebnie. Tempo narzucone przez Sharffera groziło rychłym opróżnieniem zapasów „Różyczki", ale w naszym nastroju nie bardzo można było co innego robić. O planach na przyszłość nie mówiliśmy. Zresztą nie znaliśmy ich.

Trzeba przyznać, że Tim robił wszystko, żeby nas rozruszać. Opowiadał najnowsze niepoprawne politycznie kawały. Był w tym niezły, udatnie parodiował znane postacie — od Britney Spears po Baracka Obamę, a także pensjonariuszy domu wariatów, gdzie przebywał przez jakiś czas na obserwacji. Jednak, abstrahując od jego mało ciekawej aparycji, po tym, co opowiedział nam o swoich upodobaniach, nie potrafiłam patrzeć na niego bez obrzydzenia.

Sanchez w końcu również się rozchmurzył, wydobył stare, ale dobrze nastrojone banjo i zrobił nam koncert muzyki basenu Morza Karaibskiego.

Głos miał miły, a to, co jego sprawne palce wyczyniały ze strunami, wprawiło mnie w podziw. Raul zachęcał nas, żebyśmy zaśpiewali coś razem, zagrał nawet tango „O donna Clara", latynoską wersję naszego tanga milonga, ale okazało się, że wszyscy poza nim, włączając w to również Dorotkę, mieli drewniane uszy.

Potem padłam. Dosłownie, rozciągnęłam się na materacyku pod karaibskim niebem, które zapewne wiele widziało, a tej nocy dobrze powirowało nade mną. Nie spałam długo.

Ocknęłam się koło północy. Chciało mi się pić i równocześnie sikać. Objaw znany tym, którzy często nadużywają alkoholu. Obie potrzeby zaspokoiłam błyskawicznie. Wracając, natknęłam się na pokładzie na coś, co przypominało kłębek szmat, ale okazało się śpiącym Sharfferem. Ominęłam go ostrożnie, uważając, by go nie nadepnąć. Znacznie dalej, na dziobie, w księżycowym świetle zobaczyłam wysunięte ponad burtą stopy Sancheza. Czyżby w ten sposób przywabiał rekiny?

Poczułam się nagle potwornie samotna. Tak samotna, że postanowiłam pójść na dziób i zagadnąć Raula. Może nawet się do niego przytulić.

„Będzie, co będzie — pomyślałam — w końcu wszyscy śpią, a rano nawet ja nie będę pamiętała, co się zdarzyło".

Zrobiłam parę chwiejnych kroków w tamtą stronę, kiedy dobiegł mnie szept Sharffera:

— Co też się pani roi w głowie, panno Podlaski?! Z Murzynem. Nie wiadomo, czy zdrowym...

Udałam, że nie słyszę, ale chętka przytulenia się do kogokolwiek przeszła mi, jak ręką odjął. Wyciągnęłam się na moim materacu i chwilę potem spałam.

IV

PRZYSZŁOŚĆ ZACZYNA SIĘ W PRZESZŁOŚCI

Ktokolwiek miał okazję zapoznać się z pamiętnikami Macieja „Hektora" Kamienieckiego, a ja miałam, musiał zwrócić uwagę na jakże często powtarzające się na jego kartkach słowo — alternatywa. Profesor był zdania, że przypadek kieruje ludzkimi losami i najczęściej bardzo niewiele brakuje, aby nasze życie ułożyło się zupełnie inaczej. (Ja osobiście uważam, że jesteśmy ofiarami specyficznego poczucia humoru Pana Boga, który gustuje w melodramatycznych telenowelach, ale to wyłącznie mój pogląd).

Dziadek wielokrotnie w swoich pisanych wiecznym piórem, pięknym, kaligraficznym pismem, wspomnieniach zastanawia się, jak wyglądałyby jego losy, gdyby nie wojna. Druga światowa. Z drugiej strony, gdyby nie pierwsza, w ogóle mógłby się nie urodzić.

Jego ojciec, Jan Kamieniecki, pochodził z rodziny ziemiańskiej, posiadającej rozległe dobra na Ukrainie, za Żytomierzem, rodziny o polskich korzeniach, wszelako doskonale wkomponowanych w rzeczywistość rosyjskiego imperium. Jego matka, a babka Macieja, była rodowitą Rusinką wyznania prawosławnego, wysoka, czarnobrewa, o klasycznym wyglądzie kniaziówny. Co ważniejsze, znaczną część stryjów i wujów stanowili oficerowie armii imperialnej bądź urzędnicy wyższych rang.

Może owe z zaborcą zbratanie wynikało stąd, że Kamienieckim, choć zamożnym, nigdy nie udało się wejść do polskiej arystokracji. Nie mieli dobrej genealogii. W *Liber chamorum* Waleriana Nekandy Trepki na stronie 191. możemy łatwo odnaleść passus, zwłaszcza że dziadek zakreślił go czerwonym ołówkiem: *Kamieniecki był jakiś, na Pogórzu błąkał się. Że się tak nazwał, to pewnie z Kamieńca rodzic jest z królewszczyzny. Ten pojął Rymarównę, mieszczkę krakowską.* Dziadek napisał także, że według innych badań onże Kamieniecki o imieniu Adam był księżowskim synkiem, nieźle przez ojca kanonika uposażonym, zaś jego wnuk w czasach Sobieskiego był rządcą w dobrach Potockich na Podolu. Jak kolejne pokolenie dochrapało się szlachectwa i od kogo je otrzymało, trudno dociec. A może lepiej nie dociekać. W każdym razie po czasach hajdamackich weszli w posiadanie sporych dóbr na Ukrainie, a osadzie przez siebie założonej, w środku onej domeny, dali miano Kamieniewo.

I choć lud, w odróżnieniu do położonego za brodem przysiółka chłopskiego zwanego Kamieniewem Ruskim, pański fragment Kamieniewa nazywał Polskim, polskości było w onych Kamienieckich mniej niż krwi arabskiej w koniach, które ze stadniny zbiegły i z kozackimi rumakami w mezalianse powchodziły.

Janowi, urodzonemu w 1892 roku, wróżono wspaniałą przyszłość, mimo że przyszedł na świat pewnej burzliwej nocy majowej, kiedy piorun zdruzgotał rzeźbę bogini Fortuny stojącą na dachu ogrodowego pawilonu. Ale czymże jeden omen wobec innych świetnych prognostyków! Był bogaty, przystojny i inteligentny, ze szczególną predylekcją do nauk ścisłych. Jedyny syn, z pewnością rozpieszczony, zapowiadał się na lekkoducha. Mając siedemnaście lat, najbardziej lubił cwałować konno po stepie, czasem zajrzeć do karczmy, by bałamucić piękne i inteligentne córki arendarza. Na szczęście sam miał dość inteligencji, by w najważniejszych sprawach słuchać rodziców. Został „wyreklamowany" — jako jedynak — ze służby wojskowej i po ukończeniu gimnazjum w Żytomierzu wstąpił na Uniwersytet Kijowski. Po wydarzeniach roku 1905 widać było, że idą nowe czasy. Gospodarka rolna nawet na żyznych, ukraińskich czarnoziemach wymagała nowego spojrzenia i nowych kwalifikacji. Toteż mimo że wiele rzeczy trzymało go w Kijowie, gdzie miał mnóstwo przyjaciół, a także damę swego serca — młodziutką i piękną jak Madonna Rafaela Zoję Dobrolubownę, rozumiał doskonale, że nim weźmie się za gospodarowanie, winien poznać świat. Dlatego zgodził się z decyzją ojca i wespół ze swym druhem nieodłącznym, Olegiem Dobrolubowem, wyruszył kontynuować studia za granicą.

Miesiące poprzedzające pierwszy semestr zamierzali spędzić w górach Szwajcarii, gdzie zgodnie z przybierającym na całym świecie kultem tężyzny fizycznej planowali wspinać się, penetrować jaskinie... i kasyna. Opuścili Kijów w czerwcu 1914 roku, kierując się na Lwów, Kraków, Wiedeń, nie przeczuwając, że rozpoczynają odyseję, mającą ich zaprowadzić ku brzegom lądów, których istnienia nawet nie podejrzewali.

Jechali przez świat, solidny jak Święte Przymierze i działający jak szwajcarski zegarek, którego gwarancja nie powinna skończyć się z upływem tysiąclecia.

Skąd mogli wiedzieć, że dłuższy, nieplanowany postój ich pociągu na bocznicy pod Wiedniem spowodowany był koniecznością przepuszczenia cesarsko-królewskiej salonki, którą następca tronu, arcyksiążę Karol Ferdynand z małżonką, udawał się w podróż na Bałkany, mającą, jak wiemy, zakończyć się tragicznie w Sarajewie?

Ci, którzy układają kalendarze, są w stanie obliczyć terminy ruchomych świąt, ale nie mogą przewidzieć kataklizmów. Podobnie brak zainteresowania światem nie oznacza, że świat przestał interesować się nami. Kiedy dwaj młodzi studenci przez trzy letnie tygodnie usilnie wzmacniali własne zdrowie, wędrując po górskich ścieżkach, nocując w górskich *cabanach*, chatach wiejskich lub zgoła pod gołym niebem, cały cywilizowany świat pogrążał się w chorobie, która dla trzech imperiów miała okazać się śmiertelna. Choć przed wyruszeniem w Wysokie Alpy dotarły do nich wieści o zabójstwie arcyksiążęcej pary, nie zdawali sobie sprawy z jego konsekwencji. Od kogo mieli się dowiedzieć o konflikcie narastającym na kształt przewracanych kostek europejskiego domina? Od tubylców, często analfabetów, w dodatku mówiących w narzeczu retoromańskim, którego nie rozumiała większość Szwajcarów? Od sporadycznie napotkanych turystów? Z tymi jednak nie rozmawiało się o polityce, a co najwyżej pozdrawiało uprzejmie „*Grüss Gott!*". Kiedy wreszcie dotarli do Sionu i zobaczyli pierwsze po paru tygodniach gazety, byli oszołomieni jak ktoś, kto wszedł do kina w połowie seansu filmowego. Ze wszystkich dzienników, czy to wydawanych po niemiecku, czy po francusku biły ogromne nagłówki — „Wojna! Wojna! Wojna!". Szybko poznali dotychczasowy przebieg wypadków rozwijających się wedle jakiejś szatańskiej, samobójczej logiki. Rządy i narody, od pół wieku zażywające błogiego pokoju, ogarnęło trudno wytłumaczalne szaleństwo. Uruchomiona została prawdziwa lawina — 23 lipca Austro-Węgry skierowały ultimatum wobec Serbii i, choć bałkański kraik zdecydowany był spełnić większość jego warunków, wypowiedziały mu wojnę, 28 lipca rozpoczynając interwencję zbrojną.

Nazajutrz ogłoszono mobilizację w Rosji. 1 sierpnia Niemcy wypowiedziały wojnę eurazjatyckiemu kolosowi, a dwa dni później zrobiły to samo z sojusznikiem Rosji — Francją. Następnego dnia, łamiąc zobowiązania międzynarodowe, wojska Kajzera przekroczyły granice neutralnej Belgii. Spowodowało to włączenie się w konflikt Anglii. 6 sierpnia rząd Franciszka Józefa postawił kropkę nad „i", wypowiadając wojnę Rosji. Czy stary cesarz zdawał sobie sprawę, że tym samym podpisał wyrok śmierci na swe wielonarodowe państwo i dynastie władającą od setek lat jądrem Europy?

W jadącym cały dzień pociągu do Genewy młodzi poddani Mikołaja II przedyskutowali wszelkie ewentualności rozwoju sytuacji. Dobrolubow palił się, by przerwać wakacje, wracać do ojczyzny i wstąpić do wojska. Bał się, że wojna bez niego może potrwać krótko. Że rozstrzygnie się w kilku wielkich bitwach, na polach Szampanii i Prus Wschodnich, rzecz jasna, na korzyść Ententy.

Kamieniecki był w swych opiniach bardziej powściągliwy. Do dynastii Romanowów miał stosunek obojętny, nie widział sprawy, za którą warto byłoby ginąć. Za Konstantynopol pod berłem carów?... A co do trwania konfliktu, przygotowania do studiów inżynierskich w Genewie spowodowały, że nieźle orientował się w stanie współczesnej techniki. I na buńczuczne zapewnienia Rosjanina o zajęciu Berlina przed Bożym Narodzeniem i zatknięciem imperialnej flagi Romanowów na Bramie Brandenburskiej odpowiadał:

— Obawiam się, że to tylko pobożne życzenia. Przy wyrównanym poziomie techniki i wielkich zasobach ludzkich wojna może potrwać dłużej, niż ktokolwiek się spodziewa. Nie doceniamy, jak sztukę wojenną mogą zmienić pojazdy mechaniczne, czołgi, sterowce i samoloty...

— Dłużej, czyli ile? Rok, dwa?

— A może i pięć lat — do rozmowy prowadzonej po rosyjsku włączył się pasażer, który wsiadł w Lozannie. Jak się okazało, bankier pochodzenia żydowskiego. — I jednego możemy być pewni, świat po tym doświadczeniu będzie już zupełnie inny od tego, w którym się wychowywaliśmy.

— Co pan mówi? — żachnął się Dobrolubow. Ich rozmówca, kompletnie zeuropeizowany Żyd, nie wyglądał na starozakonnego. Choć postarzała go tusza i zakola przedwczesnej łysiny, z dalszej wymiany zdań wynikało, że liczył sobie najwyżej trzydzieści parę lat. — Konsultował się pan może z jakimiś wróżbitami?

— Bynajmniej. Za to dużo czytam, analizuję fakty. To w moim fachu niezbędne. Podobnie jak szybkie wyciąganie wniosków. Wiem, jak wojna secesyjna zmieniła Amerykę. Nowe sposoby prowadzenia wojny na wyniszczenie pokazała wojna burska. Zaiste możni tego świata kręcą stryczek, na którym mogą zawisnąć.

— Pan socjalista? — zainteresował się Kamieniecki, który jak każdy młody człowiek chętnie chłonął wszelkie nowinki, choć jego ścisły umysł bronił się przed uproszczeniami Marksa.

— Uchowaj Boże! — w literackiej ruszczyźnie dał się wyczuć niepowtarzalny akcent przedstawiciela Starego Zakonu. — Jestem człowiekiem interesu. A socjaliści chcą rewolucji, wspólnoty dóbr...

— I żon — dorzucił ze śmiechem Oleg.

— Nie wszyscy to popierają, przynajmniej w teorii. Na razie jednak mają inne zmartwienia. Nie dalej jak parę dni temu jeden z tych dziwaków żalił mi się, że wybuch wojny odsuwa wizję socjalnej rewolucji na długie lata. Co gorsza, praktyka i wybuch wojenno-nacjonalistycznej histerii kładzie kres jego przekonaniom, że dzięki świadomości klasowej proletariusz niemiecki nigdy nie będzie strzelać do rosyjskiego robotnika.

— A to kretyn — skomentował Dobrolubow.

— Teoretyk! — zgodził się ich rozmówca. — Ale ma swoje kółko zaprzysięgłych wyznawców. Może zresztą trafcie na niego w Genewie. Nazywa się Ulianow. Włodzimierz Ilicz Ulianow. I jak każdy teoretyk wścieka się, gdy praktyka nie potwierdza jego teorii. A ja uważam, że powinien się cieszyć.

— Jak to?

— Jestem tylko starym, dobrze znającym życie Żydem i z doświadczeń moich przodków, przeganianych przez wieki z jednego krańca świata na drugi, wiem, że z wojny narodzić mogą się tylko chaos, głód i epidemia. A na końcu szaleństwo. Zmęczeni ludzie obalają dotychczasowe autorytety, a zwracają się ku szamanom. Im dłużej potrwa wojna, tym większe spustoszenie pozostawi i gorsze demony zrodzi. Postacie, które w normalnych czasach nie miałyby szansy zostać dziesiętnikami w legionach, w okresie zamętu mogą sięgnąć wieńca cezarów.

— Celna myśl — pochwalił Dobrolubow. — Pańska?

— Swobodny cytat Prokopiusza z Cezarei.

Zanim pociąg zatrzymał się na końcowej stacji, podróżny przedstawił się, wręczając im swoją kartę wizytową.

— Gdyby zainteresowały kiedyś panów niskooprocentowane kredyty bankowe umiarkowanego ryzyka, zawsze możecie zwrócić się do mnie. W Genewie albo w Sankt Petersburgu.

Na wręczonym kartoniku można było przeczytać „Mojżesz Izaakowicz Dawidow".

Wiele lat później w „Ziemiańskiej", warszawskiej znanej restauracji mocno pijany Dobrolubow wspominał ten incydent, mówiąc memu pradziadkowi.

— Trzeba było go wtedy posłuchać, Wania. Wyciągnąć nasze rodziny z Rosji, pojechać do Ameryki... póki było to możliwe.

W Genewie młodzieńcy zatrzymali się na dłuższy czas. Czekali niecierpliwie na listy od rodziców ze wskazówkami co do ich dalszego postępowania... Oleg bez przerwy kombinował, jak drogą okrężną wrócić do *matuszki Rosiji*. Może przez Włochy i Turcję?

Jan również bił się z myślami. Listy od matki, które nadeszły całym stadkiem, pełne były zaklęć, aby nie wracał, został w Szwajcarii, kształcił się i czekał, aż wojna się skończy. Ojciec, w swoich dopiskach, mówił o tym, że w życiu należy kierować się rozsądkiem i honorem, ale dokładniejszych zaleceń nie formułował. Pojawiła się natomiast prośba o nawiązanie kontaktu z rodziną. Jedna z kuzynek, Alina Krzycka de domo Kamieniecka mieszkała w nieodległym Vevey i wypadało ją odwiedzić. Kamieniecki nie śpieszył się z tą wizytą — Krzyckich znał jedynie ze słyszenia, zaś kuzynka Alina była córką jego stryjecznego dziadka Jakuba, „buntowszczika", który udział w powstaniu styczniowym przypłacił utratą majątku i wieloletnim pobytem na Sybirze.

„Skończysz jak Jakub!" — to sformułowanie w rozgałęzionym rodzie Kamienieckich stanowiło pogróżkę, którą straszono niesforną dziatwę.

Jan zwlekał więc z tą wizytą, jak długo mógł. Ale kiedy Oleg stwierdził, że musi na parę dni pojechać do Zurychu spotkać się z kimś z Rosji, postanowił spełnić prośbę rodzica. Przeprawił się statkiem przez Jezioro Lemańskie i odszukał w Vevey nieduży dom, położony w zadbanym ogródku, z kwiatami w doniczkach zwieszającymi się z balkonów.

Zbliżając się do drzwi, usłyszał muzykę. Przez otwarte okno tego upalnego popołudnia wylewała się melodia skoczna, a zarazem trochę patetyczna, a wraz z nią podążał chór głosów młodszych i starszych.

„Powstań, Polsko, skrusz kajdany, dziś twój tryumf albo zgon".

Zapukał, wpierw cicho, potem głośniej. Śpiew ucichł. Drzwi otworzył mu starszy mężczyzna o postawie starego wiarusa.

— Pan do kogo? — zapytał po niemiecku.

— Do pana Krzyckiego, Iwan Aleksandrowicz Kamienieckij.

Wiarus uśmiechnął się.

— Wejdź, Janku. I nie musisz mówić po rosyjsku. Tu jest Polska.

A więc to był Stefan Krzycki, też sybirak. Jeden z tych Polaków, którzy, mimo iż wiek upłynął od rozbiorów Rzeczypospolitej, nie przyjmowali tego faktu do świadomości. Słowa, które wtedy usłyszał, miały Kamienieckiemu nie dawać spokoju przez następne tygodnie.

Bo cóż wcześniej znaczyła dla niego Polska? Nigdy dotąd się nad tym poważnie nie zastanawiał. Od zawsze traktował ją jako określenie geograficzne lub historyczne. Jeśli jego dziad Wincenty wyglądał na portrecie jeszcze na starego szlagona, jakby wyciągniętego z „pamiątek Soplicy" Rzewuskiego, to już ojciec Aleksander Kamieniecki, wykształcony w Petersburgu, uważał się za człowieka w pełni nowoczesnego — nowoczesność i naukowe spojrzenie na świat kazały mu wyzbyć się marzeń — nie wierzył w życie pozagrobowe, w cuda i w sentymenty. Owszem, kultywował niektóre polskie tradycje, do kościoła dwa razy w roku jeździł, po polsku z synem gadał, ale ze szczerym przekonaniem wyznawał panslawizm. „Los słabszych to uleganie silnym — twierdził.

— Po epokach dominacji ludów romańskich i germańskich wiek XX będzie wiekiem Słowian, pod egidą Rosji, i trzeba się z tym pogodzić. Tak jak starożytny Rzym wchłonął rozmaitych Sabinów, Wolsków, Etrusków i tysiące innych plemion, by stworzyć z tego barachła wielkie imperium, tak powołaniem trzeciego Rzymu — Moskwy było uniwersalne państwo Słowian, wśród których Polacy — «Francuzi Wschodu», a zarazem «Włosi Północy» mieli zająć poczesne miejsce, pod warunkiem że zaakceptują swoje miejsce w szyku. A w przyszłości?

Mamy do wyboru: stać się Niemcami bądź Rosjanami. Być niewolnikami jednych lub mentorami drugich. Wybór jest oczywisty".

Krzycki ujął go pod ramię, prosząc, aby czuł się jak u siebie w domu. Zaraz dopadła go kuzynka Alina, nieduża, ruchliwa, którą siwe nastroszone włosy upodabniały do maltańczyka, ukochanego pałacowego pieska z dzieciństwa Jana.

— Jaki dorosły, jaki podobny do Aleksandra!... — wołała, obsypując go pocałunkami.

Wnętrze mimo swej szczupłości przypominało nieco dwór w Kamieniewie.

Portrety pełne sarmackich wąsów, szyszaków i golonych łbów, skrzyżowane szable na kilimie, reprodukcja, a zresztą kto wie, może nawet oryginał jednobarwnego obrazu Grottgera, przedstawiającego anioła w okowach. Drugie drzwi, szeroko otwarte na ogrodowy taras, wpuszczały mnóstwo światła rozjaśniającego wnętrze.

Wokół *royala* zgromadziło się kilkanaścioro gości, płci obojga, w różnym wieku. Sami Polacy! Krzycki przedstawiał kuzyna zebranym, wywołując znaczne zainteresowanie. Jan odpowiadał machinalnie, ściskając bądź całując podawane ręce, od momentu wejścia całą jego uwagę przykuło zjawisko siedzące przy fortepianie. Blondynka, osiemnasto-, może dziewiętnastoletnia, o jasnych, wesołych oczach i nieco zbyt ostrym nosku, przyglądała mu się nader ciekawie. Przedstawiła się jako Pola Narbutowicz.

— Dołączy pan do nas? — zapytała, delikatnie trącając klawisze. — Przerwaliśmy w połowie utworu.

— Niestety, nie znam tej pieśni — wymamrotał.

— Przecież to „Warszawianka"! — życzliwy płomyk w jej oczach zgasł jakby za podmuchem polarnego wichru.

— Tu jest śpiewnik. — Młody Romek Krzycki, chyba rówieśnik Kamienieckiego, podał mu książkę. — Może zaczniemy jeszcze raz, od początku — zaproponował, intonując: „Oto dziś dzień krwi i chwały, oby dniem wskrzeszenia był...". Reszta dołączyła i nad spokojnymi wzgórzami zabrzmiała pieśń o orle w górnym pędzie, i dzieciach, których boje wieńczyły: Kremlin, Tybr i Nil...

Później od kuzynki Aliny dowiedział się, że Polacy osiadli w tej części Lemanu spotykają się dość regularnie, aby śpiewać patriotyczne pieśni i wymieniać informacje z Polski.

— A dziś jest sytuacja szczególna — dodał — nasi poszli w pole.

— Nasi? — Jan zmarszczył brwi.

— Przyszły listy i prasa z Krakowa. Pierwsza kompania kadrowa przekroczyła granicę Królestwa. Poszła walczyć z Moskalem.

Zabolały go te słowa. Tacy jak on Moskale byli wszak po drugiej stronie.

— Stanęli u boku Niemców i Austriaków...?

— Nic nie rozumiesz — powiedział młody Krzycki. — To taktyka. Profesor Narbutowicz, ojciec Poli, rozmawiał niedawno z Komendantem, czyli z Ziukiem Piłsudskim — wyjaśnił, widząc, że sam tytuł Kamienieckiemu nic nie mówi.

— A ten opowiedział mu jaką spraw kolejność przewiduje. Najpierw państwa centralne pokonają Rosję, później Ententa, czyli serdeczne porozumienie Anglii, Francji i Rosji, przetrąci łeb Szwabom. Wybije nasza godzina i z kurzawy dziejów wyłoni się Rzeczpospolita, wskazując drogę ku niepodległości innym zniewolonym narodom, Czechom, Ukraińcom, ludom Kaukazu.

Jan przygryzł wargi, nie pytając o dalsze szczegóły. Zresztą specjalnie go to nie interesowało. Doznawał bowiem sprzecznych uczuć. Zraniono go jako prawowiernego obywatela imperium, a jednocześnie czuł się bardzo dziwnie. Jako mężczyzna. Narbutowiczówna wyzwoliła w nim coś, czego istnienia nie podejrzewał. Było to jak uderzenie gromu.

Dotąd myślał, że kocha Zoję Dobrolubowną, przeznaczoną w rodzinnych umowach na jego przyszłą żonę, ale dziewczyna miała dopiero 14 lat. Była dzieckiem, interesującym pączkiem, z którego dopiero mogła rozwinąć się stepowa róża. W dodatku była znaną od maleńkości i w związku z tym spowszedniałą siostrą przyjaciela. Ich związek był postanowiony i nie wywoływał w Janie szczególnego bicia serca. Natomiast Pola...

Wprawdzie jako przyszły inżynier powinien dobrze znać

się na zjawiskach elektromagnetycznych, nie potrafił jednak wytłumaczyć tego elektryzującego błysku, który pojawił się między nimi w momencie spotkania. Co gorsza, jeszcze szybciej przygasł. Tego popołudnia mijali się często tak w domu, jak w ogrodzie, ale nie było okazji, żeby porozmawiać. Zasięgnął języka u kuzynki Aliny. Pola była panną i choć miała kilku adoratorów, w tym również Stefana Krzyckiego, żadnego nie traktowała poważnie. Myślała o karierze pianistki. Teoretycznie więc nie był bez szans. Co z tego? Dziewczyna ignorowała go ostentacyjnie. Dopiero przy pożegnaniu, kiedy zapytał, gdzie mieszka, dowiedział się, że w Morges, ale często przybywa do Genewy, do teatru, a ostatnio również do kinematografu. Zapytał, od jakiego imienia pochodzi używane przez wszystkich zdrobnienie „Pola".

— Od Apolonii. Ponieważ rodziłam się niedaleko stąd, w kantonie Valais, „Wśród tych pagórków leśnych, wśród tych pól zielonych" — tłumaczyła piękną polszczyzną, z ledwo wyczuwalnym akcentem człowieka wychowanego na obszarze języka niemieckiego. — Rodzice dali mi to imię, abym słysząc je, zawsze przypominała sobie najważniejszą sprawę: „A Polonia?". Ale pana przecież takie rzeczy nudzą.

— A-Po-lo-nia, A-Po-lo-nia... — stukały koła pociągu unoszącego go z powrotem do Genewy, a wsłuchawszy się głębiej w sapanie lokomotywy, śpiew wiatru, można było usłyszeć jeszcze: „Hej-kto-Po-lak-na-ba-gne-ty"...

„Do tego dnia — pisze profesor Kamieniecki — mój ojciec nigdy nie zastanawiał się, kim jest. Czuł się obywatelem świata, przedstawicielem kasty zamożnych, nieźle urodzonych. Mój dziadek Aleksander pozostawał obojętny religijnie. Jan wprawdzie został ochrzczony jako katolik i okazjonalnie bywał w kościele, ale co niedzielę chadzał z matką do cerkwi prawosławnej. Jednak gdy dorósł, przestał go wzruszać mistycyzm carskich wrót i uroda pobożnych śpiewów. Jak wielu młodych ludzi odłożył problemy wiary na starość. A własna tożsamość?

Może gdyby nie wojna, wymagająca twardego określenia przynależności, i gdyby nie spojrzenie Poli...

Tej nocy miał kłopoty z zaśnięciem. Oleg jeszcze nie wrócił, więc nie miał nawet z kim pogadać. Pogrążony w ciemnościach, z zaciśniętymi powiekami, usiłował, jak zwykle, gdy miał chandrę, rozwiązywać zadania matematyczne, mnożyć wielocyfrowe liczby. Niestety. Zamiast zgrabnie działającej maszynki do liczenia, z głębi dziecięcych wspomnień powracał wierszyk, którego uczyła go piastunka, jedna z tych panien z miasta, przyjmowanych do opieki nad dzieckiem (chłopki analfabetki nie bardzo się nadawały). Piastunki zmieniały się często. Za każdym razem, gdy matka zauważała choćby najmniejszy cień poufałości pojawiający się między nimi a jej małżonkiem, dochodziło do wymiany kadr.

„Kto ty jesteś? — Polak mały
Jaki znak twój? — orzeł biały...".

A może nauczył się utworu w innych okolicznościach. Jan Kamieniecki, gdy opowiadał tę historię synowi, nie był jej absolutnie pewny. Z prostej przyczyny. Jak się później dowiedział, Władysław Bełza napisał utwór w roku 1900. I choć wiersz szybko zdobył popularność, Janek mógł go usłyszeć najwcześniej w wieku 9-10 lat. A czy wtedy jeszcze miewał piastunki? Czy już przejął nad nim opiekę Siergiej, wieczny student...?

Żeby było jasne, tożsamość narodowa nie objawiła się Kamienieckiemu w ciągu jednej nocy. Proces był długotrwały i bolesny. Miał nadzieję, że Pola mu w tym pomoże, napisał do niej list. Odpowiedziała uprzejmie, ale chłodno, w sposób niezachęcający do dalszej konwersacji. Ale zaraz potem przyszła kartka, w której wspomniała, że przyjeżdża do Genewy, że będzie w czwartek koło południa na dworcu Carnavin.

Naiwnie myślał, że być może daje mu szansę. Kupił kwiaty i długo przed czasem znalazł się na peronie. Trudno było o boleśniejsze rozczarowanie. Nie przyjechała dla niego. Przybyła pożegnać grupę Polaków wyruszających do Wiednia. Stamtąd planowali wyjazd do Krakowa. Był wśród nich Romek Krzycki, któremu marzyła się służba w tworzonych Legionach. Z frontu dochodziły radosne wieści, Austriacy zwyciężali pod Kraśnikiem, Zamościem, Janowem... Na dworzec odprowadzali go oboje rodzice. I panna Apolonia. Rzut oka wystarczył, aby zorientować, jak wiele się zmieniło w relacjach tych dwojga młodych. Pola miała oczy zaczerwienione od łez i wargi spękane, zapewne od namiętnych pocałunków. Ukradkiem wyrzucił kwiaty — nie bardzo wiedział, co ma z nimi zrobić.

Kuzynostwo cieszyło się bardzo jego przybyciem. Ochotnicy też wyrażali swoją wdzięczność, co nie znaczyło, żeby nie czuł się idiotycznie. Narbutowiczówna ledwie zwróciła na niego uwagę. „Jestem dla niej nikim" — pomyślał. Kiedy na moment oddaliła się, by przynieść jakąś zapomnianą paczkę z powozu, Roman dłużej przytrzymał w swej dłoni rękę kuzyna.

— Obiecaj mi jedno, Janku, obiecaj — powiedział, wbijając w niego przenikliwie swój wzrok. — Oczywiście, wierzę, że powrócę szczęśliwie. Gdyby jednak coś mi się stało, zaopiekujesz się Polą?

— Ja?... Ale dlaczego ja? — Kamienieckiemu zrobiło się dziwnie, płomień smagnął mu twarz, a zarazem chłód nagły przeszył pierś.

— Widziałem, jak na nią patrzysz. Jesteś lojalny, ale gdybym ja... gdyby mi... wiem, że potrafisz uczynić ją szczęśliwą.

— Ja, Rusek?

— Jaki Rusek! Ty potomek kresowych rycerzy — jesteś Polakiem! Czytałeś Sienkiewicza?

— *Quo vadis*... po rosyjsku — wyznał wstydliwie.

— To przeczytaj *Trylogię* po polsku. Dojdziesz do końca *Pana Wołodyjowskiego*, to dowiesz się, kto to był Hektor.

— Bohater trojański!

— Hektor Kamieniecki! Obrońca kresowej twierdzy przed turecką nawałą. Musisz to przeczytać!

Rozległy się gwizdki konduktorów. Pociąg ruszał. Narzeczeni jeszcze raz padli sobie w ramiona, a Jan wycofał się taktownie.

Patrzył potem, jak Pola stoi na krawędzi peronu i macha chusteczką bardzo długo po odejściu pociągu. Wreszcie podszedł do niej. Pożegnała się z nim sucho. I gdyby nie słowa: „Dobrze, że pan wpadł", mógłby uznać, że kompletnie go zignorowała. Jasne, nie był bohaterem jej legendy!

Wracając do domu, wpadł do polskiego antykwariatu opodal przystani nad Rodanem. Komplet sześciu tomów *Trylogii*, który wygrzebał dla niego bukinista, był w stanie umożliwiającym lekturę, choć zdradzał dowody wielokrotnego czytania, i to przez ludzi śliniących niezbyt czyste palce. Po powrocie do domu bezzwłocznie zasiadł do książki.

W zasadzie od dzieciństwa prawie nie czytał po polsku. Ale mnogość lektur francuskich i niemieckich sprawiły, że nie tęsknił za cyrylicą. Więc choć zrazu szło mu ciężko, z każdą stroną było lepiej. Styl Sienkiewicza był staromodny, upstrzony latynizmami. Ale kiedy na dobre zaczęła się akcja, wciągnęło go. To przecież była jego Ukraina. Przy domu był podobny wiśniowy sad jak w Rozłogach, a Zoja przypominała Kurcewiczównę. Nieraz zdarzyło mu się pływać Dnieprem, podziwiać dzikie piękno porohów czy cwałować konno po stepie. Nadejście nocy ledwie zauważył. Zapalił lampę, w pensjonacie było światło elektryczne, i czytał. To było jak zakaźna choroba. Nigdy dotąd nie czytał takiej książki. I nigdy żadnej w sposób podobny nie przeżywał. Śmiał się z forteli Zagłoby, płakał, kiedy Longinus Podbipięta niczym święty

Sebastian konał, odmawiając litanię do Królowej Anielskiej, i towarzyszył Skrzetuskiemu przedzierającemu się przez moczary wokół Zbaraża.

Skończył pierwszy tom, gdy świtało. W Genewie rolę kogutów spełniały wyjeżdżające na miasto tramwaje.

Do powrotu Dobrolubowa przeczytał całe sześć tomów, „pisanych w niemałym trudzie ku pokrzepieniu serc". Po drodze uświadomił sobie, że nigdy dotąd nie spotkał się z taką literaturą — *Muszkieterowie* Dumasa byli książką o męskiej przyjaźni, u Waltera Scotta chodziło o los pojedynczych ludzi, nie narodów. Tego nie można było nawet porównać z *Wojną i pokojem* hrabiego Tołstoja. Pisarstwo Sienkiewicza, przy całym beletrystycznym bogactwie, było krzykiem wielkiego wspaniałego narodu, który skazano na niebyt. Że też nie zauważył tego wcześniej w *Quo vadis*. Chłonął wątek historyczno-romansowy, nie zauważając, iż Gienrik Sienkiewicz ukrywał w rzymskich kostiumach czytelną dla rodaków aluzję. Kimże byli ci prześladowani chrześcijanie? Ta Kalina z ludu północnych Ligów? Co miał symbolizować opór garstki sprawiedliwych przeciw niewyobrażalnej potędze?

Kiedy wreszcie 20 sierpnia powrócił z Zurychu Dobrolubow, zastał przyjaciela pochylonego nad *Panem Tadeuszem*... „O roku ów, kto ciebie widział w naszym kraju"... Czy rok 1914 to miał być kolejny rok ów?

Oleg przybył wściekły i mocno wstawiony. Zaproponował Janowi wódkę i na jego oczach wychylił całą szklankę.

— Co się stało?! — spytał Polak.

— Gazet nie czytasz. Przegraliśmy w Prusach. Pod Tannenbergiem Hindenburg pobił naszych.

— To jest wojna. Może byłeś przesadnym optymistą. — Nie potrafił odmówić sobie odrobiny złośliwości. — Przed Bożym Narodzeniem sojusznicy z Ententy mieli spotkać się w Berlinie.

Oleg zaklął i cisnął pustą szklanką o ścianę.

— Przyjaciel Polaczek — zawołał. — Przytulisz do piersi, w serce ukąsi! A wiesz, co to takiego Tannenberg? Wy nazywacie to miejsce Grunwald, tam pięć wieków temu zjednoczeni Słowianie pobili germańskiego agresora...

— Jeśli uznać Litwinów za Słowian, to być może... No, prawda, były jeszcze pułki smoleńskie, ale Smoleńsk, przyjacielu, o ile dobrze pamiętam, należał wtedy do nas.

Niewiele brakowało, żeby Dobrolubow rzucił się na Kamienieckiego. Szczęściem potknął się o zawinięty dywan i runął jak długi...

Trzy dni później opuścił Genewę, by stawić się pod sztandarami cara Mikołaja II.

Jan nieco dłużej bił się z myślami, ale w końcu 2 września, w sobotę wyruszył w drogę do Morges, gdzie miał wiejski dom profesor Jędrzej Narbutowicz, jeden z wykładowców słynnego Instytutu Politechnicznego w Zurychu. Przybył za wcześnie. Profesor jeszcze nie powrócił z Instytutu. Najprawdopodobniej zatrzymały go jakieś obowiązki. Apolonia dotrzymywała mu towarzystwa, choć widać było, że traktuje to wyłącznie jako obowiązek.

— I cóż pana do nas sprowadza? — pytała, kapryśnie wyginając usta.

— Potrzebuję rady od pana profesora.

— Doprawdy?

— Rodzice nalegają, abym kontynuował studia w Instytucie Politechnicznym.

— A pan?

— Chciałbym jechać do Polski. Tam jest moje miejsce.

Zauważył zdumienie na jej twarzy.

— Skąd ta odmiana?

— Z lektury wieszczów. Mickiewicz modlił się o wielką wojnę narodów, a Słowacki śnił o polskim papieżu. Sądzę, że moje umiejętności konnej jazdy mogłyby się przydać w kawalerii.

— A jak pana zabiją? — drwiący ton znikł i pojawiło się zaniepokojenie.

— Żyje się raz!

Rozległo się radosne szczekanie psa, zwiastujące powrót Narbutowicza. Profesor najpierw długo słuchał Kamienieckiego, który opowiedział mu o swych rozterkach. Potem, jakby zupełnie bez związku z tematem, gawędzili o nowinkach technicznych, o wynalazkach Guglielmo Marconiego w dziedzinie przekazywania dźwięków na odległość, o przyśpieszeniach, jakie w technice może wywołać wojna — szczególnie w lotnictwie czy produkcji pojazdów opancerzonych. Wreszcie Narbutowicz rzekł:

— Jeśli chce pan poznać moje zdanie, to brzmi ono: Witaj na uczelni!

— A Polska? — spytał Jan, który nie takiej odpowiedzi się spodziewał.

— Kiepski będzie strzelec z kogoś, kto w tak młodym wieku mruży oczy, żeby cokolwiek zobaczyć — powiedział naukowiec. — Powinien pan zacząć nosić okulary. A poza tym, wolna Polska, a co do jej powstania nie mam najmniejszych wątpliwości, bardziej od szabel potrzebować będzie mózgów. Czysta to głupota i marnotrawstwo wielkie strzelać diamentami do nieprzyjaciół...

Został więc w Zurychu. Studiował. Zachodził na domowe obiadki do profesorstwa. Wobec Poli odgrywał rolę przyjaciela domu. Był przez nią tolerowany. I nic więcej. Rok później, okrężnymi drogami do środowiska Polaków w Zurychu dotarła wiadomość, że 13 czerwca 1915 doszło do brawurowej szarży drugiego szwadronu II Brygady Legionów pod Rokitną. Zdobycie trzech linii okopów rosyjskich zostało okupione śmiercią dowódcy Dunin-Wąsowicza i kilkunastu ułanów. Roman Krzycki, który wsławił się w tym boju, zmarł po paru dniach z odniesionych ran.

Apolonii nie było w tym czasie w Zurychu, odpoczywała

w Morges. Pojechał złożyć jej kondolencje. Zastał ja w czerni, bladą, ale spokojną. Wysłuchała jego słów, tylko drżenie wargi zdradzało emocje.

— Teraz zapewne mi się pan oświadczy? — powiedziała ironicznie. — Od początku liczył pan na to.

— Chciałbym — odparł, raniony dotkliwie w swoich uczuciach. — Ale niestety, pozostawiłem w Rosji narzeczoną, z którą zaraz po wojnie wezmę ślub.

I odszedł. Jak wojna, to wojna!

Później żałował swoich słów. Życie jednak nie dało im czasu na prędkie naprawienie skutków tego incydentu. Pola wyjechała do rodziny w Ameryce.

Ignacy Paderewski wprowadził ją do najlepszych sfer, przedstawiając jako swoją osobistą uczennicę. Później mówiono, że stracił dla niej głowę jakiś magnat od żelaza albo stali. Inni twierdzili, że to ona zadurzyła się w znakomitym tenorze. W każdym razie nie odpowiedziała na list Kamienieckiego, który napisał w chwili przygnębienia. Nie potrafił o niej zapomnieć, tym bardziej że Narbutowicz, którego został asystentem, informował go poufnie, iż córka pyta o Jana w swoich listach i śledzi z oddali jego karierę.

Tymczasem pod sam koniec roku 1916 doszło do zdarzenia pozornie błahego, które jednak miało odegrać znaczną rolę w dziejach naszej rodziny.

Jan wybrał się na odczyt, jaki na Uniwersytecie w Zurichu wygłosił Karl Gustav Jung. Samotnik z Küssnacht po zerwaniu z Freudem bardzo rzadko pojawiał się publicznie, toteż było to prawdziwe wydarzenie, które do wielkiej auli ściągnęło tłumy słuchaczy. Psychiatra rozczarował, mówił krótko, dość zawile o swej koncepcji libido i roli marzeń sennych, omawiał także przypadki psychoz i wierzeń religijnych, po czym szybko zakończył bez wdawania się w dyskusję.

— Kaprysy geniusza! — powiedział do Kamienieckiego potężny mężczyzna, który stał obok niego w szatni i odbierał sobolowe futro. — Ale my się chyba znamy, nazywam się Dawidow... Poznaliśmy się w pociągu, nieprawdaż?

— Interesujących rozmów nigdy się nie zapomina — powiedział uprzejmie mój pradziadek.

— Zaskakuje pana zapewne moja obecność w tym miejscu — uśmiechnął się bankier. — Co ma wspólnego psychiatra i pieniądze? Mógłbym uzasadniać, że całkiem sporo, ale ważniejsze, że od wczesnej młodości fascynuje się wszystkim, co dotyczy mózgu i naszej jaźni. W młodość dwa lata studiowałem u profesora Iwana Pawłowa i gdyby nie decyzja rodziny, zajmowałbym się tym nadal.

— Rozumiem, finansista powinien być dobrym psychologiem — zgodził się uprzejmie Jan.

— Pieniądz to tylko jeden ze sposobów warunkowania ludzkich działań — odparł Dawidow, a na jego mięsistych ustach pojawił się zagadkowy uśmiech — niektórzy uważają, że przejściowym. W epoce, w której każdy otrzyma wszystko według potrzeb, pieniądz okaże się zbędny...

— Mówi pan serio?

— A cóż jest serio w naszym szalonym świecie, kiedy nawet to, co postrzegamy, może być jedynie złudzeniem lub sztucznym obrazem wywołanym w naszym mózgu.

Wyszli. Nadal padał śnieg, było jednak bezwietrznie, a światła położonego w dole miasta dodawały zimowej scenerii bajkowego pierwiastka. Dawidow rozgadał się i rozmarzył, opowiadając o możliwościach, jakie doświadczenia profesora Pawłowa, udoskonalone i przeniesione na ludzi, mogłyby przynieść światu.

— Ma pan pojęcie — perorował — można by dać ludziom szczęście, rozkosz, emocje, praktycznie bez żadnych kosztów i ograniczeń. Pogrążeni w złudzeniach i mirażach, bez konfliktów i sprzeczności mogliby jednocześnie wydajnie pracować i budować lepszy świat.

„Niebezpieczny fantasta" — pomyślał Kamieniecki, oddychając z ulgą, gdy się rozstali na postoju dorożek. „Całe szczęście, że naszym świecie nie ma szans na spełnienie jego mrzonek".

Nie miał pojęcia, jak bardzo się mylił.

Kiedy tylko w listopadzie 1918 wybuchła niepodległość, profesor Narbutowicz razem ze swym protegowanym stawili się w Polsce. Serdecznie namawiali na to panią Krzycką, ta jednak nie potrafiła się zdecydować na wyjazd. Jej mąż, załamany śmiercią swego syna, zmarł w Vevey 3 grudnia 1916 roku, parę tygodni po swym wielkim sąsiedzie Henryku Sienkiewiczu.

Zakotwiczyli w Warszawie, dziwnym mieście, ni to polskim, ni żydowskim, pełnym kontrastów, biedy i brudu, a jednocześnie — jakiejś ukrytej siły, żywotności, której darmo szukać w schludnej i nudnej Szwajcarii. W odradzającej się Rzeczypospolitej Jędrzej Narbutowicz zajął się organizacją szkolnictwa, a rekomendowany przez niego młody inżynier doktor trafił do formującego się Wydziału Specjalnego Ministerstwa Spraw Wojskowych. Zdolności matematyczne, a zarazem praktyczna wiedza techniczna były idealne przy rozpracowywaniu wrogich szyfrów. Kamieniecki rychło stał się gwiazdą swego wydziału. Wziął udział w wyprawie kijowskiej Piłsudskiego. Po ukończeniu w lutym 1920 roku pierwszego w odrodzonej armii polskiej kursu kryptograficznego dla oficerów przydzielono go do zespołu porucznika Kowalewskiego, gdzie brał aktywny udział w trakcie bitwy warszawskiej w rozszyfrowywaniu sowieckich depesz i stał się jednym z jej cichych bohaterów. Złamanie bolszewickich szyfrów i trafne odczytanie dyslokacji ich sił umożliwiło słynny manewr generała Rozwadowskiego od strony Wieprza, który przesądził o losach wojny, Europy, a być może i świata.

Był to chyba zarazem najtrudniejszy moment w jego życiu. Przeszłość zatrzasnęła się za nim niczym wieko od trumny. Idąc na Kijów za głównymi siłami polskiej armii, uzyskał zgodę dowództwa i zboczył nieco z drogi, aby odwiedzić Kamieniew. Od rodziców i sióstr od dawna nie miał żadnych wiadomości. Zastał dwór spalony i mogiły w sadzie. Ojciec zginął pierwszy, siostry i matkę gwałcono po wielokroć, zanim poderżnięto im gardła. W Kijowie dowiedział się o podobnym losie Zofii Dobrolubowny. Nie pomogło jej ukrycie się klasztorze, bolszewicy wymordowali wszystkie zakonnice, poigrawszy z nimi wprzódy do woli.

Rodzice Zoi podzielili los innych arystokratów, załadowanych na barki, jak twierdzono, celem transportu „w miejsce reedukacji" na Wyspach Sołowieckich. Nigdy tam nie dotarli. Z pokątnych plotek wynikało, że barki z wrogami ludu zatopiono po prostu w Morzu Białym. O losach samego Olega nic nie było wiadomo. Jedni mówili, że walczył pod Kolczakiem, inni, że pod Wranglem, jeszcze inni, że jak Michaił Tuchaczewski przystał do bolszewików. Któż mógł to sprawdzić. Póki trwała wojna, nie miał czasu na rozpacz, ale kiedy się skończyła...

Po zakończeniu wojny z Sowietami Jan dostał urlop i kiedy Warszawa świętowała zwycięstwo, prześladowany myślami samobójczymi zaszył się w wynajętym pokoju na Miodowej. Wrócił, choć nie miał do kogo, a okrucieństwa, które widział, sprawiły, że szczerze zwątpił w gatunek ludzki i bożą sprawiedliwość. Siedział i pił wódkę. Potem spał, a następnie znowu pił. Stan ten trwał wiele dni. Przerwało go dopiero pukanie do drzwi.

— Nie ma nikogo — warknął.

Nie zraziło to pukającego. Drzwi się otworzyły i weszła jakaś postać. Zaraz też rozległ się kobiecy głos:

— Mój Boże, co pan zrobił ze sobą, człowieku?

— Pola?

Obraz był niewyraźny, wirował, choć szczupła sylwetka odcinała się wyraźnie od ściany. Sen czy jawa? Jan próbował wstać, ale cały świat stanął dęba. Zaatakował go sufit, potem rozkołysana podłoga.

Przytomność wróciła mu po dłuższym czasie. Ktoś najwyraźniej musiał przenieść go do dorożki i przewieźć na drugi kraniec miasta. Znajdował się bowiem w mieszkaniu Narbutowiczów. Głowa mu pękała, czuł się potwornie słaby...

— Nie mogłam tam pana zostawić — tłumaczyła Apolonia. — Ten brud i smród. Tata zgodził się, żeby spędził pan tu parę dni, aż wróci do siebie...

— Chciałbym się czegoś napić — wybełkotał.

— Wody? Mleka? Może kawy!

— Wolałbym odrobinkę czegoś mocniejszego.

— Wykluczone. Lekarz mówił, że było to poważne zatrucie.

A więc wezwali nawet lekarza. Co za wstyd!

— Długo spałem? — wymamrotał.

— Trzy dni.

Poczuł zbliżający się atak torsji.

— Muszę do łazienki — wycharczał.

— Zaprowadzę pana.

I tak w mało romantyczny sposób wznowili swoją znajomość. Dwoje ludzi po przejściach, którzy utracili najbliższych. Najlepiej ujęła to Pola:

— Takie poturbowane sieroty jak my powinny sobie pomagać.

Początkowo myślał, że ciągle wspomina stratę narzeczonego. Później dowiedział się, że w ten sposób skomentowała fakt, iż adorujący ją przez dwa lata Amerykanin ożenił się z inną. Dopiero po jakimś czasie zauważył, jak bardzo Pola się zmieniła. Była dorosłą, samodzielna kobietą. Uczyła angielskiego i niemieckiego na pensji dla panien z dobrych rodzin.

Pamiętnik dziadka nie wspomina szczegółowo, jak rozwijał się ich związek. Z pewnością było mnóstwo rozmów, teatry, kawiarnie, spacery...

Do decydującej rozmowy doszło w Łazienkach. Pola, widząc trwające niezdecydowanie Kamienieckiego, zapytała po prostu:

— No więc jak, Janku, poprosisz mnie wreszcie o rękę, czy ja mam to zrobić?

— Oczywiście, ale ja... — język plątał mu się z emocji.

— Chcesz mnie czy nie?

— O niczym innym nie marzę od chwili, kiedy zobaczyłem cię po raz pierwszy, tylko cały czas myślałem, że nie mam u ciebie najmniejszych szans.

— Mój tata twierdzi, że najważniejsze jest, aby mężczyzna kobiecie imponował i żeby czuła się w jego towarzystwie bezpiecznie...

— Ale to jeszcze nie miłość?

— Ależ jesteś marudny. Jesteśmy dorośli, lubimy się, podobamy się sobie, mamy do siebie zaufanie, to czego chciałbyś więcej? Nie jestem już tą samą grzeczną dziewczyną co sześć lat temu. Gdybym była mężczyzną, natychmiast po twoim wytrzeźwieniu zaciągnęłabym cię do łóżka. A tak, niestety, będziesz musiał się wcześniej ożenić.

— W takim razie weźmy ten ślub jak najszybciej.

„I tym sposobem droga do mego poczęcia została otwarta" — zakończył pierwszą część swych zapisków mój dziadek.

V

PONADNORMATYWNY CHIŃCZYK CHANG

W skomplikowanych sytuacjach życiowych zwykłam powtarzać sobie jedną ze złotych myśli mojej przyjaciółki Lucy: „Nie przejmuj się, prędzej czy później zawsze cię wydymają. Jedno, co możesz zrobić, to zadbać, żeby przy okazji mieć odrobinę przyjemności".

Moja przyjaciółka Lucy nie wygląda na wielką myślicielkę w rodzaju Wirginii Woolf czy Kingi Dunin, wręcz przeciwnie. Tym, którzy jej nie znają, wydaje się wielce udaną krzyżówką lalki Barbie z piosenkarką Dodą Elektrodą. Ale to są pozory, podobnie jak złociste włosy Lucy. Każdy, kto widział ją bez majtek, wie, że jest ciemną szatynką, swój atomowy biust zawdzięcza elastycznym wkładkom, a wzrost koturnom, z którymi się nie rozstaje. Chyba że w łóżku. Lucy jest w zasadzie lesbijką, choć nie fanatyczką, ponieważ wie, że istnieją sytuacje, w których przespanie się z mężczyzną jest nieuchronną koniecznością. Poznałyśmy się, ledwo zaczęłam pracę w Polkablu. Lucy ma w pobliżu salon piękności i solarium, z którego musi korzystać każdy, kto chce występować na wizji, a na co dzień ma cerę bladą jak brzuch zdechłej ryby.

Oczywiście, moja droga mama nigdy nie zaprzyjaźniłaby się z kimś takim. Służba, kelnerzy, szatniarze czy sekretarki z dziekanatu stanowią dla niej kastę podludzi, których należy traktować grzecznie, ale wyłącznie zgodnie z ich przeznaczeniem. Nas zbliżyło parę zdarzeń. Jakieś party, gdzie jeden koleś usiłował mnie zgwałcić i został przywołany do porządku ciosem koturna Lucy w najczulsze miejsce na świecie. Innym razem, kiedy jej przyjaciółka Anita wyrzuciła ją z mieszkania, zmieniając orientację seksualną i zamki w drzwiach, zatrzymała się na parę dni u mnie. Czemu nie w hotelu? „W wysokich budynkach nachodzą mnie myśli samobójcze"... Uwielbiałyśmy robić wspólnie zakupy, chodzić do kina. Gwoli prawdy Lucy nigdy nie próbowała mnie uwieść.

— Jesteś chodzącą zakamieniałą hetero, Barb — wyznała mi pewnego razu — i tego ci zazdroszczę.

Lucy, o czym wiedziało niewielu, miała przed laty całkiem zwyczajnego męża i dziecko, ale oboje zginęli w wypadku, z którego ona sama wyszła cudem, wylatując przez przednią szybę, zanim wóz stanął w płomieniach...

A potem była już taka, jaka była...

Po pijanej nocy spędzonej na statku ranek przyniósł otuchę, Adam pojechał z Sanchezem do szpitala, skąd wrócili w lepszych nastrojach. Dziadek dobrze przespał noc, odrobinę lepiej mówił, a opiekujący się nim lekarze wyrażali się, jeśli idzie o rokowania, z ostrożnym optymizmem. Grażynę ucieszył najbardziej widok złotej karty kredytowej Kamienieckiego, dzięki której Adam mógł od tej pory regulować wszelkie wydatki, co nie zmuszało nas do przedterminowego zakończenia rejsu.

Profesor musiał przekazać memu bratu sporo szczegółów dotyczących przyszłych zamierzeń, bo po powrocie na „Różyczkę" zachowywał się tak tajemniczo jak nigdy. I co chwila zerkał na zegarek. Dokładnie o drugiej zadzwonił telefon. Adam odebrał go. Później zrelacjonował mi przebieg rozmowy.

— „Czy to wypożyczalnia Colosseum?" — zabrzmiał z oddali głos o dość dziwacznym akcencie.

— „Nie, ale posiadamy komplet filmów z Indianą Jonesem" — odparł mój brat zgodnie z instrukcją.

— „Interesuje mnie wyłącznie Tolkien".

— „Mamy komplet «Władcy Pierścieni»".

Wymiana haseł przebiegła prawidłowo. Można było przejść do szczegółów.

— Chcę rozmawiać osobiście ze starym — zażądał dźwięczny głos z drugiego końca świata.

— Miał wylew, ale żyje, a ja jestem upoważniony do kontynuowania rozmów. Moje nazwisko...

— Bez szczegółów! — na chwilę rozmówca zamilkł, ale zaraz rozmowa została wznowiona. — Kto go tak urządził?

— Wszystko wskazuje, że atak był naturalny. W jego wieku to się zdarza, większość jego rówieśników już dawno nie żyje...

— Nie wierzę w naturalne zbiegi okoliczności — odburknął rozmówca. — Widujesz się z nim?

— Tak. Dwa razy dziennie.

— No to przekaż, że potwierdzam jego przypuszczenia.

— Miejsce czy osobę.

— Miejsce! Co do osoby istnieje pewne prawdopodobieństwo, że tam jest. Ale to wymaga dalszych studiów. I kosztów.

— Musielibyśmy się zobaczyć osobiście?

— Jak najbardziej. Profesor wie, gdzie mnie znaleźć. Pojutrze o osiemnastej w umówionym miejscu. H-3.

— Mogę nie zdążyć.

— OK, może być za trzy dni.

Po południu pojechałam do szpitala. To znaczy pojechaliśmy w trójkę z Adamem i Sharfferem. Dziadek najpierw odbył konferencję z wnukiem, potem ze współpracownikiem. Wreszcie poproszono i mnie.

Leżący w pościeli Maciej Kamieniecki po raz pierwszy wyglądał na swoje lata. Ręka z wszczepioną kroplówką drżała, na twarzy widoczny był jednostronny obrzęk, piękna opalenizna przybladła, jedynie oczy zachowały część dawnego blasku.

— Nie chciałem was narażać, córuś — mówił, poruszając z wysiłkiem połową ust — miałem nadzieję załatwić to osobiście, ale w moim obecnym stanie...

— Nie odpuścimy, kiedy jest szansa wyciągnięcia mojego ojca — powiedział zdecydowanie Adam.

— W każdym razie sądzę, że dobrze będzie, jeśli polecicie do Hongkongu w trójkę...

— Do Hongkongu? — nie wierzyłam własnym uszom.

— Naturalnie, na wszelki wypadek będziecie udawać, że każde z was leci osobno. Tim się tym zajmie. Musicie mieć bilety zabukowane do różnych miejscowości. Dla Adama docelowym punktem będzie Tajpej na Tajwanie, dla ciebie Manila, a dla Tima Singapur. Przypadkowo przesiadka i dwudniowy postój wypadnie dla wszystkich w Hongkongu. To, czy i gdzie udacie się później, zależeć będzie od spotkania z Joséphem. Jeśli wszystko ułoży się, jak trzeba, Adaś przedstawi wam dalszą część scenariusza.

— Anulujemy bilety i wrócimy tu, na Kajmany? — zapytałam.

— Tylko w wypadku jakiegoś zagrożenia. — Zauważyłam, że dziadek rozkręca się i z każdą chwilą mówi coraz lepiej. — Rozumiem, że plan wygląda trochę zawile i wolelibyście znać wszystkie detale, ale tak będzie dla was bezpieczniej. W Hongkongu spotkacie się z Joséphem. Przekaże wam, co udało mu się ustalić. A potem, da Bóg, spróbujemy... — Tu urwał i wyciągnął do mnie chude ręce. — Chodź do mnie, moja malutka!

Przygarnął mnie do siebie. Przez moment czułam bicie jego serca, a zarazem przypływ mocy, której całkiem sporo kryło się w jego szczupłym ciele.

— Zobaczymy się jeszcze jutro, przed waszym wylotem

— powiedział. — A teraz niech zostanie ze mną Tim. Na dwa słowa.

— Bardzo łatwo się męczy — powiedział Adam, wychodząc na korytarz. — I niesłychanie wszystko przeżywa.

— Może więc powinniśmy darować sobie tę wyprawę?

— Wykluczone. Nie masz pojęcia, o jaką stawkę idzie gra.

Nie zapytałam jaką. I tak pewnie by nie powiedział. Jednak dopiero teraz do mej durnej łepetyny dotarła myśl, że ewentualne uwolnienie mego taty jest jedynie częścią ich szaleńczych planów.

Nie miałam pojęcia, jakich cudów może dokonywać złota karta kredytowa American Express w połączeniu z Internetem. Kilkanaście minut spędzonych nad klawiaturą wystarczyło, aby nasza trójka stała się szczęśliwymi posiadaczami biletów American Airlines do Los Angeles i dalej, do Hongkongu.

Dzień później byliśmy drodze. Wydawało mi się, że śnię... Paradoksalnie to wrażenie jeszcze się wzmogło, kiedy obudziły mnie dochodzące z pokładowych głośników chińskie i angielskie słowa. Podniosłam ekran zasłaniający okienko i wśród rozstępujących się chmur ujrzałam najpierw wzburzone morze, a następnie niewiarygodną liczbę wieżowców mieszkalnych, stłoczonych wśród wzgórz, poszarpanych zatok i półwyspów dawnej perły brytyjskiego Dalekiego Wschodu.

Samolot zatoczył łuk, znów na moment znalazł się nad wodą, a następnie przeleciał nad wąską plażą, autostradą i energicznie usiadł na pasie lotniska Chek Lap Kok położonego na wysepce połączonej groblą z resztą miejskiego organizmu. Silniki jumbo jeta zawyły, wrzucając ciąg wsteczny. A Sharffer, jeśli rzeczywiście umiał czytać w myślach, z pewnością usłyszał w niejednej głowie westchnienie ulgi. „Znowu się udało".

Zapewne dojazd taksówką w kilka osób do centrum wypadłby taniej, ale, zgodnie z poleceniem profesora, wybraliśmy szybką kolej, która dowiozła nas w rejon Union Plazza, położonego w południowej części półwyspu Kawloon. Ponieważ nie stwierdziliśmy do tej pory żadnych śladów inwigilacji (Sharffer znał się na tym jak mało kto), dalej wzięliśmy już wspólnego minibusa, który dostarczył nas do całkiem przyzwoitego hotelu przy Kimberly Street, spokojnej przecznicy Nathan Road — dla odmiany ruchliwej i gwarnej, stanowiącej kręgosłup kontynentalnej części miasta. Pełno było tam barów, sklepów wolnocłowych i magazynów z elektroniką.

Zgodnie z planem do spotkania z agentem dziadka mieliśmy pięć godzin, które ja wykorzystałam na krótki rajd po sklepach, Adam na sen. Co robił w tym czasie Tim Sharffer, pozostało jego słodką tajemnicą.

Około drugiej przejechaliśmy głębokim tunelem metra na właściwą wyspę, gdzie mieściło się pierwotne centrum kolonii, skąd kolejka górska zawiozła nas na szczyt wzgórza Shan Teng. Nie żałowałam tej podróży, ze szczytu góry roztaczał się imponujący widok. Z jednej strony las wieżowców city zwanego przez tubylców Chung Wan, z drugiej malownicze wzgórza opadające ku południowemu wybrzeżu. Amatorów pięknych widoków przybyło z nami niewielu, jeszcze mniej kręciło się po trasach, gdzie rozglądaliśmy się ciekawie w poszukiwaniu współpracownika profesora.

Dostrzegłam go pierwsza — odwrócony tyłem, wysoki, czarnowłosy mężczyzna oglądał coś na wschodniej rubieży. (Może, jeśli miał dobry wzrok — Tajwan?). Leżący obok na balustradzie magazyn dla nurków (znak rozpoznawczy nr 1) wskazywał, że musi to być Joséph. Przyśpieszyłam kroku. Mężczyzna odwrócił się raptownie. Omal nie pisnęłam z zaskoczenia. Człowiek, którego brałam za agenta w służbie mego dziadka, okazał się Chińczykiem. Zamierzałam minąć go w pełnym pędzie, kiedy przemówił doskonałą angielszczyzną:

— Jeśli szuka pani mnie, *madame*, to proszę się zatrzymać, bo właśnie pani mnie znalazła.

Z wrażenia straciłam mowę.

— Ale jak...? — zdołałam wysztusić

— Jak poznałem, że pani to pani? Intuicja zawodowa! Zresztą nie ma tu ani jednej młodej kobiety o środkowoeuropejskim wyglądzie.

Zaraz nadszedł Adam i odbębnił procedurę wymiany haseł i odzewów. Zgadzało się. Tim, w komicznym przebraniu amerykańskiego globtrotera z kamerą i dwoma aparatami na szyi, przezornie trzymał się z boku. Jeśli próbował „prześwietlić" mózg Azjaty, to nie podzielił się z nami wynikami zabiegu, zaraz zresztą przepadł. Później stwierdził, że żaden „ogon" się ani za nami, ani za Chińczykiem nie pałętał.

Nasz rozmówca był Chińczykiem w najwyższym stopniu ponadnormatywnym: wysoki, smukły, opalony tak, że nie sposób było pod pięknym brązem wypatrzeć czegokolwiek żółtego, do tego miał europejską twarz, a oczy tylko w minimalnym stopniu skośne. Nawet włosy, choć czarne, nie miały owego charakterystycznego metalicznego odcienia, właściwego dla mieszkańców Państwa Środka.

— Joséph Conrad Chang — przedstawił się, patrząc mi prosto w oczy — tak jak ten pisarz.

— Korzeniowski — dorzuciłam. — Też był Polakiem.

— Wiem — odparł Chang. — Profesor uświadomił mi to na pierwszym spotkaniu. Wcześniej byłem przekonany, że autor *Tajnego agenta* był z pochodzenia Rosjaninem. Ale zdaje się, że każdy wybitniejszy Rosjanin miał polski rodowód Dostojewski, Ciołkowski... Wasz dziadek nie miał jasności jedynie co do Czajkowskiego.

— Wielki muzyk, chociaż jego erotyczne preferencje mnie brzydzą — mruknął ledwie słyszalnie Adam.

Chińczyk zaproponował spacer. Old Peak Road schodziła w dół długimi serpentynami i była dość odludna, co stwarzało niezłe warunki do rozmowy.

— Jak długo będziemy schodzić? — zapytał mój kochany brat, który jako typowy mól książkowy nie przepadał za wysiłkiem fizycznym.

— Nawet najbardziej spacerowym tempem nie powinno zabrać nam to godziny — odparł Chang.

Ruszyliśmy. Zauważyłam, że Sharffer definitywnie znikł, a może tylko posuwał się za nami, zachowując dystans. Uważałam tę ostrożność za przesadę. Od pierwszego wejrzenia Chang zyskał moje zaufanie, a także, nie ukrywam, wzbudził we mnie pewną fascynację.

Po paru krokach i krótkiej rozmowie na temat stanu zdrowia „Hektora" (dziadek nadal chętnie posługiwał się swoim starym AK-owskim pseudonimem) przystąpiliśmy do rzeczy. Joséph Conrad potwierdził wnioski wyciągnięte przez nas z analizy zdjęć satelitarnych. Na północ do Birobidżanu, w wąskim parowie, do którego po demontażu mostu prowadził krótki, starannie zamaskowany roślinnością dojazd z lądowiska helikopterów, leżał faktycznie obiekt o nazwie „Ośrodek Badawczy nr 1347".

— Ciekawa data — mruknął Adam. A ponieważ nie skapowałam, o co chodzi, poinformował siostrę kretynkę, że w roku 1347 rozpoczęła się w Messynie na Sycylii epidemia „czarnej śmierci", która w ciągu zaledwie paru lat pochłonęła ponad jedną trzecią ludności Europy...

— Wolałabym jednak posłuchać o tym ośrodku od Changa!

— Teoretycznie podlega on Federalnemu Ministerstwu Ochrony Środowiska, ale tak naprawdę... — Chińczyk zawiesił głos — Adin Boh znajet. Miejscowi nie wiedzą praktycznie niczego o tym obiekcie. Ma go w swej pieczy jednostka specjalna FSB, której podlega również pobliskie lądowisko śmigłowców. Interesujące, że straż leśna nie ma dostępu do strefy. Żeby było ciekawiej, poza wizytami starszego, dystyngowanego pana, lekko powłóczącego nogą, który odpowiada rysopisowi profesora Dawidowa, z ośrodka również nie wychodzą jego rezydenci...

— Czyli pełna izolacja? — bardziej stwierdził, niż zapytał Adam. — Żadnego dostępu?

— Z doświadczenia wiem, że żadna izolacja nigdy nie jest stuprocentowo szczelna. Tę oceniam na jakieś 96-97 procent. Dużo! Spod pełnej kontroli „siłowników" wymyka się jedynie konserwacja linii energetycznej. Tu w wypadku awarii, która co jakiś czas się tam zdarza, bo sieć jest w znacznej części naziemna, a więc narażona na wiatry i obfite opady śniegu, wymagane jest wsparcie grupy specjalistów. Ale nawet ci konserwatorzy nie są dopuszczani bliżej niż na kilometr od ośrodka.

— Więc jak mogą usuwać awarie?

— Dalej trakcja poprowadzona jest kablami. Drugi słabszy element systemu to straż zewnętrzna, patrolująca okoliczny obszar leśny i chroniąca lotnisko. Zabawne, ale chłopaki nie mają pojęcia, czego pilnują. Na co dzień mieszkają w blokach, w niedalekim mieście Bira. Święci nie są. Lubią i popić, i pohandlować. Zaprzyjaźniłem się z jednym z nich. Zabrał mnie nawet ze sobą na patrol.

— W pojedynkę? — zdziwił się Adam. — Myślałam, że patrole w takich miejscach chodzą co najmniej dwójkami.

— Za sprawą pewnego rewelacyjnego, łatwo rozpuszczalnego specyfiku jego kumpel dostał ostrego ataku biegunki i, mówiąc delikatnie, przesiedział parę godzin w kucki pod drzewem.

— A pan dotarł do celu?

— Zbliżyłem się tylko na odległość stu metrów do linii

zasieków. Niemniej zobaczyłem to i owo. Naziemna część ośrodka prezentuje się niezbyt okazale, są tam wszystkiego trzy baraczki, ale niewątpliwie maskują wejście do systemu głębokich jaskiń... Na koniec znalazłem jeszcze jeden słabszy punkt. Zaopatrzenie. Z powodu likwidacji mostu i zalesienia starego traktu, całość zaopatrzenia odbywa się metodą powietrzną. Obserwacja lądowiska pozwoliła mi zorientować się, że żywność dostarczana jest raz dziennie, w specjalnych pojemnikach. Zapewne nie stać ich na luksus własnej kuchni. Później w Chabarowsku wytropiłem firmę cateringową dostarczającą to żarcie. Nie mieli pojęcia, dla kogo jest ta żywność. Codziennie przygotowują zestaw: śniadanie, obiad, kolacja. Dla 36 osób. Menu, wedle ich opinii, jest smaczne, wysokokaloryczne, a nabywca na niczym nie oszczędza.

— A zatem należy przypuszczać, że tyle maksymalnie wynosi liczebność ośrodka — zauważyłam. — Razem: więźniowie, naukowcy, ochrona.

— Tak sądzę.

— To niewiele.

— Aż nadto, nawet gdybyśmy byli ekipą Jamesa Bonda — uśmiechnął się Chińczyk. Miał, szelma, ładny uśmiech.

— Dużo pan ryzykował — powiedziałam. — Strach pomyśleć, gdyby tak złapali pana koło tego ośrodka...

— Ryzyko to mój zawód.

— A czym dokładnie się pan zajmuje?

Znowu się uśmiechnął.

— Obecnie, wypożyczony przez pani dziadka, jestem na urlopie bezpłatnym.

Postanowiłam dalej pociągnąć go za język.

— Jest pan obywatelem Chin?

— Uchowaj Boże! Chiny Ludowe nie są, przynajmniej w chwili obecnej, krajem moich marzeń. Miałem jedynie chińską matkę. Urodziłem się w nieistniejącym już Związku Radzieckim. Oficjalnie jestem obywatelem Kazachstanu, ale tak naprawdę czuję się obywatelem świata. Wolnego świata — podkreślił z naciskiem.

— I przeniknął pan tak łatwo do Birobidżanu?

— Mimo wszystko czasy się trochę zmieniły. Warunki też. Rosja nie jest w stanie kontrolować wszystkiego i wszystkich. A sama granica z Chinami jest dziś dziurawa jak durszlak. Handel, migracje. Właściwie trwa prawdziwa wędrówka ludów. Nikt nie próbował nawet policzyć, ilu Chińczyków w ostatnich latach przeszło i osiedliło się po rosyjskiej stronie. Pięć milionów, a może dwadzieścia...?

— I Rosjanie nic z tym nie robią?

— Wobec podobnej osmozy są równie bezradni, jak starożytni Rzymianie w stosunku do barbarzyńców przekraczających Ren i osiedlających się wokół ich obozów. Poza tym przeszkadza im własna doktryna strategiczna, wbijana do głów latami, od pokoleń i dotąd niezmieniona. Niebezpieczny dla rosyjskiej duszy i całego imperium jest Zachód. Na Wschodzie znajdują się wyłącznie przyjaciele. A jeśli pojawiają się fakty świadczące o czymś przeciwnym, tym gorzej dla faktów.

— Aż pewnego dnia ci przyjaciele stanowić będą taką większość, że całkiem demokratycznie ogłoszą secesję Syberii. I Rosjanie nie będą w stanie się temu sprzeciwić — powiedział Adam.

— Akurat tego jednego możemy być pewni!

Przez chwilę schodziliśmy w milczeniu.

— A co z więźniami? — zapytał Adam. — Jaką mamy pewność, że się tam znajdują?

— Pewności nie mamy. Nie mogę tego wykluczyć ani potwierdzić. W pewnym sensie wszyscy ludzie w ośrodku są niczym więźniowie.

— I nie krążą wśród okolicznej ludności żadne plotki, domysły, co tam się może dziać? — pytałam.

— Robiłem szeroki wywiad, oczywiście ostrożnie, przy pomocy osób trzecich, gdzie trzeba, nieźle smarując. Niestety, praktycznie nie dowiedziałem się niczego konkretnego.

— Jakieś wnioski wynikające z własnej obserwacji pan ma?

— Cóż... Nie ma tam wielkich anten — czyli nie jest to żadna stacja namiarowa, brak silosów z rakietami, bo na to potrzeba betonu i dobrego dojazdu. Nie zauważyłem nadzwyczajnych środków bezpieczeństwa medycznego, wskazujących, że w ośrodku mogą zajmować się bronią biologiczną lub chemiczną.

— Przynajmniej tyle dobrze!

— A co do plotek. Zetknąłem się z opiniami bardziej zabobonnych tubylców, że rezyduje tam sam diabeł zdolny zabierać ludziom dusze. Tylko co miałoby to oznaczać? Nie mam pojęcia.

Zeszliśmy z góry opodal ogrodu zoologicznego. Tu kończyły się dzielnice małych domków i zaczynało się ścisłe centrum wypełnione przez wieżowce połączone klimatyzowanymi galeriami spełniającymi rolę naszych kładek napowietrznych.

— Musimy znów spotkać się jutro — powiedział mój brat — wtedy podejmiemy decyzję, co robimy dalej. Pytanie, gdzie będzie bezpiecznie?

— Mogę wynająć łódkę — zaproponował Joséph Conrad.

— To da nam pewność, że nie zostaniemy przez nikogo podsłuchani.

Umówiliśmy się na przystani, w pobliżu ogromnego Centrum Wystawienniczo-Kongresowego. W samo południe.

Ledwie to ustaliliśmy, Chang gwałtownie skręcił i wtopił się w tłumek, w którym wierni, wychodzący z wieczornego nabożeństwa w katedrze świętego Jana, mieszali się z oczekującymi na wizy koczownikami przed Ambasadą Amerykańską.

Tim Sharffer czekał na nas w hotelu. Zaprosił do swego apartamentu, który, jak twierdził, sprawdził dokładnie posiadaną aparaturą antypodsłuchową.

— Pokój jest czysty — zapewnił. — Ale muszę sprawdzić jeszcze was. Czy przypadkiem nie zainstalowano wam jakiejś pluskwy? Zacznijmy od butów. Może je pani zdjąć, panno Barbaro?

— Nie zdejmowałam tych butów od zejścia ze statku na Kajmanach.

— A w samolocie? — uśmiechnął się czujnie, przejeżdżając po obuwiu swoim wykrywaczem. — Ale rzeczywiście nic w nich nie ma. Sprawdźmy teraz kieszenie...

— Nie ufa pan Changowi? — zdziwiłam się.

— Ufam tylko sobie. A i to jedynie, kiedy jestem trzeźwy.

— Może powinnam się rozebrać?

— Mój sprzęt tego nie wymaga.

Staranne badania nie wykazały niczego. Kiedy został wyłączony telefon, komórki przezornie zostawiliśmy w naszych pokojach, Adam streścił przebieg rozmowy z Chińczykiem. I z tego, co mogłam wywnioskować, spoglądając na twarz Tima, nic z opowieści go nie zaskoczyło.

— Mamy klasyczną sytuację charakteryzującą się słowami: „nie potwierdzam i nie zaprzeczam" — skomentował.

— Wiemy, że jest ośrodek, w którym bywa Dawidow, ale nie wiemy, czy jest tam wasz ojciec? Co teraz?

— Stare przysłowie chińskie powiada: „Jeśli nie możesz wejść do domu twego wroga, aby go zabić, zaproś go do siebie" — powiedział Adam.

— Co to znaczy? — spytałam.

Mój brat poszukał odpowiedniej wtyczki, pasującej do miejscowego kontaktu, podłączył kabel i szybko odpalił laptopa otrzymanego od Macieja Kamienieckiego.

— Wiecie już, że nasz dziadek, chociaż od dawna na emeryturze, nadal interesuje się zagadnieniami związanymi z pamięcią genetyczną, a szerzej, ze zjawiskami paranormalnymi — rzekł. — Co więcej, prowadzi drobiazgowy rejestr zdarzeń i związanych z nimi ludzi. Zgromadził tam rzeczy naprawdę zastanawiające. Chyba nikt poza nim nie zwrócił uwagi, że w tej grupie, dosyć wąskiej, odnotowano w ciągu ostatnich paru lat największą liczbę tajemniczych zniknięć.

— Czyli ile? — zainteresował się Sharffer.

— Dwanaście, z tego osiem z nich nie daje się wyjaśnić do końca w żaden racjonalny sposób. Zobaczcie zresztą sami.

Na ekranie wyświetliły się zdjęcia i nazwiska. Po kliknięciu odpowiedniej ikony wyświetlały się krótkie informacje. Adam odczytywał je nam głośno.

— Marina da Silva, Brazylijka. — Z ekranu uśmiechała się piękna, czekoladowa Mulatka o lekko wyłupiastych oczach, mogąca być ozdobą każdego festiwalu samby. Z materiałów prasowych wynikało, że ta 28-letnia dziewczyna miewała widzenia, a także snuła niezwykle realistyczne opowieści o tym, jak wywieziono jej przodków z Afryki (bezbłędnie posługiwała się dialektem Ngola, odmianą języka Kimbundu, którego używali rdzenni mieszkańcy portugalskiej Angoli z okolic Luandy). Później opowiadała, w sposób jakby przeżywała to osobiście, o tym, co przydarzyło się jej praprababce, niewolnicy na plantacji kawy. Sypała detalami na temat zdarzeń z końca XVIII wieku czy początku XIX, zaskakując historyków i etnografów. Na przykład o swoim prapradziadku, białym nadzorcy niewolników, który zgwałcił jej praprababkę, a sam zginął wkrótce potem, podczas buntu niewolników, zakopany w kopcu amazońskich mrówek. Parę z wymienionych faktów zweryfikowano po tym, jak sprawę jej zwidów omówiły szerzej popołudniówki i telewizja. Dziewczyna pochodziła z miejscowości Tarauanca w stanie Acre, w środku głębokiego brazylijskiego interioru. Była półanalfabetką i nic nie wskazywało, żeby uczestniczyła w paranaukowych mistyfikacjach. W dodatku nie mogły to być dane z jakichś sag rodzinnych, przekazywanych drogą ustną z pokolenia na pokolenie. Ani jej matka, ani jeszcze żyjąca babka nie miały

o opowiadanych historiach najmniejszego pojęcia. Szczegó-
łowe badania Mariny wykazały u niej niezwykłą wrażliwość
na zapachy oraz spore uzdolnienia hipnotyzerskie. Przez kilka tygodni była gwiazdą telewizji w Rio, aż do dnia, kiedy
późnym popołudniem opuściła hotel w Copacabanie, wybie-
rając się, jak mówiła, na krótką przechadzkę. Z tego spaceru
nigdy nie wróciła. Mogła naturalnie paść ofiarą jakiegoś seksualnego zboczeńca, zostać porwana do burdelu lub posłużyć
jako materiał wyjściowy dla przeszczepów. Sęk w tym, że za-
angażowane przez producenta telewizyjnego medium twier-
dziło uparcie, że da Silva ciągle żyje, gdzieś daleko, gdzie
jest zimno, ciemno i strach...

Zupełnie inny był przypadek Polaka, Krzysztofa Budzisza. 50-letni, łysawy mężczyzna z Łodzi nie wykazywał żadnych cech wspólnych z Mariną, choć zapewne chciałby je
mieć. Był autorem dość tandetnych opowieści z pogranicza
fantastyki i pornografii, wydawanych przez nikomu niezna-
ne wydawnictwo niszowe. Interesował się zjawiskami paranormalnymi, a nawet napisał całkiem przyzwoitą rozprawkę
o jasnowidzu Stefanie Ossowieckim, zaginionym tajemniczo
w czasie okupacji. Sformułował w niej tezę, popartą paroma
słabo udokumentowanymi tropami, że inżynier został porwany przez tajną sekcję gestapo, zajmującą się tajemniczymi
zjawiskami. Mówił o jakichś zeznaniach repatriantów, do-
wodzących, że jeszcze w latach 50. Ossowiecki przebywał
w jednym z zamkniętych miast Związku Radzieckiego, a nawet cieszył się swoistą „półwolnością". Budzisz utrzymywał,
że jego ojciec był świadkiem tego porwania, a on przeżywał
ten obraz wielokrotnie w snach. Było to o tyle ciekawe, że
stary Budzisz zmarł, kiedy jego potomek miał zaledwie pięć
lat. Kiedy więc miał opowiedzieć mu o Ossowieckim? Znik-
nięcie Budzisza było jeszcze bardziej spektakularne niż roz-
płynięcie się Brazylijki podczas spaceru na niebezpiecznych
w końcu ulicach Rio. Wedle relacji jego żony, w przerwie

piłkarskiego meczu Polska – Azerbejdżan, wybiegł z domu po papierosy. Mimo że padało, nie zabrał nawet płaszcza ani nawet komórki. Kiosk znajdował się tuż pod domem. Niestety, fatalnym zbiegiem okoliczności tego dnia był zamknięty. Budzisz, nałogowy palacz, musiał pobiec gdzieś dalej. Czy po drodze kogoś spotkał? Nie wiadomo. W każdym razie, wysokiego łysawego mężczyzny, z wydatnym brzuchem, nie zapamiętano w żadnym z okolicznych, czynnych tego dnia punktów sprzedaży. Rozpłynął się w powietrzu, nie pozostawiając najmniejszego śladu.

Numer trzeci — Ras Singh był 35-letnim Hindusem z Bombaju, podrzędnym aktorem tamtejszej fabryki snów, zwanej Bollywoodem. Utrzymywał, że za sprawą płynącej w jego żyłach krwi fakirów i magów potrafi przeżyć całodzienne pogrzebanie w ziemi, zdolny jest lewitować, a także przewidywać przyszłość. O ile dwie pierwsze umiejętności nie zostały niezbicie zweryfikowane, luźne świadectwa przypadkowej publiczności trudno brać na poważnie, to talent prekognicji miał niewątpliwy. Dwa tygodnie przed swym zniknięciem nachodził policję, błagając o ochronę, później wynajął prywatnego detektywa i dwóch ochroniarzy. Wymieniał dzień i porę, a także opisywał czwórkę mężczyzn, którzy go porwą — dwóch białych blondynów i dwóch Azjatów, Chińczyków bądź Koreańczyków. Policja nie potraktowała tych proroctw poważnie. Jednak na wszelki wpadek poradzono mu, żeby siedział tego dnia w domu. Trzeba pecha, krytycznego ranka zadzwonił do niego znany reżyser, proponując nagłe zastępstwo na planie. Podobny do Singha aktor złamał nogę i na gwałt potrzebowano dublera. Któż zrezygnowałby z takiej okazji? Oczywiście Singh zażądał potrójnej stawki, co mu obiecano, i eleganckiego wozu z wytwórni (podjechał!). Na wszelki wypadek, Ras należał do osobników nad wyraz ostrożnych, zadzwonił do swojego agenta, aby ten potwierdził prawdziwość oferty. To jednak nie do końca uspokoiło przesądnego aktora, więc zabrał ze sobą jeszcze dwóch uzbrojonych ochroniarzy. Później obaj twierdzili, że po ujechaniu kilkuset metrów nagle stracili przytomność i ocknęli się potłuczeni na poboczu drogi. Samochód nigdy nie dojechał na plan zdjęciowy. Ani nigdzie. Jak się okazało, nikt nie potrzebował tego dnia zastępstwa, a reżyser wyjechał akurat do Delhi. Co do artystycznego agenta, cóż za pech, tego popołudnia, zapewne wkrótce po rozmowie z Singhem, pośliznął się podczas kąpieli we własnej łazience i skręcił sobie kark... Śledztwo trzeba było umorzyć.

Podobnie niewytłumaczalnie wyglądało pięć następnych przypadków — Szwedki Astrid Johanssen, Marka Vossa z Republiki Południowej Afryki, Egipcjanina Mehmeda Sadriego, a także niezwykle uzdolnionych bliźniaków 24-letnich Lei i Charlesa Turnerów z Brisbane (Queensland, Australia), ulubieńców miejscowej telewizji, w której prowadzili własny show „Gemini". Demonstrowali tam nadzwyczajną zdolność przekazywania sobie myśli. Ich wywróconą łódkę znaleziono na rafie niedaleko Hook Island, dokąd wybrali się w weekend, aby ponurkować. Wiadomo, wypadki chodzą po ludziach, jednak tego dnia morze było wyjątkowo spokojne, a umiejętności żeglarskie bliźniaków czyniły przypadkowe zderzenie z rafą czymś nieprawdopodobnym. Ciał nigdy nie znaleziono, ale obfitość rekinów w okolicy stanowiła dość łatwe wytłumaczenie.

— Pańskim zdaniem wszyscy ci ludzie zostali porwani? — zapytał Tim. — Przez Rosjan?

— Dowodów, rzecz jasna, nie ma — odparł Adam. — Wszelako przyjacielowi dziadka udało się ustalić, że na krótko przed zniknięciem każdej z wyżej wymienionych osób w ich miastach, z różnych powodów pojawił się profesor Dawidow. Wpadał do Rio, Łodzi, Brisbane, Göteborga, Johannesburga i Kairu. Przy czym, co chyba jest dość wymowne, zawsze wylatywał wcześniej, zanim doszło do porwania.

— *Bloody bastard*! — rzucił przez zęby Sharffer. — I co teraz...?

— Dziadek proponuje, żeby zarzucić na niego przynętę... Nie wiem, czy zwróciliście uwagą na pochodzenie porwanych.

— Pochodzą z wszystkich kontynentów — stwierdziłam.

— Poza jednym. Ameryką Północną. Zauważcie, żaden z porwanych nie jest obywatelem Stanów Zjednoczonych. Jak myślicie, dlaczego?

— Myślę, że z ostrożności — powiedział Tim Sharffer. — Nawet chłopaki z FSB, czy jak ich teraz zwą, wiedzą, że nie porywa się bezkarnie obywateli USA. Ale nadal nie wiem, dlaczego... — tu urwał. Potem cmoknął z uznaniem. — Wasz dziadek to cholernie cwana gapa!

— Nie mamy na ten temat najmniejszych wątpliwości — odpowiedzieliśmy unisono.

Po zmierzchu moi panowie zrobili się trochę senni. Nigdy nie potrafię zrozumieć dlaczego, w przeciwieństwie do kobiet, tak łatwo męczą się nasi mężczyźni. Nawet Sebastian, w końcu młody, wypasiony szczaw, był najszczęśliwszy, mogąc zażyć popołudniowej drzemki.

Im zamykały się oczy, a ja dopiero zaczynałam się rozkręcać. W hotelu nie działo się nic interesującego, natomiast z ulicy dobiegały dźwięki zabawy, a kolorowy tłum z pobliskiej Nathan Road miał zniewalającą moc przyciągania. W dodatku jeszcze, kiedy ruszyłam chodnikiem, owionęły mnie zapachy orientalnych kuchni. Nie jestem szczególnym żarłokiem, ale jak zaczarowana posuwałam się wzdłuż ulicy, zaglądając do lokali i zastanawiając się, co też mogłabym przegryźć. Wybrałam owoce morza w niedużej knajpie opatrzonej godłem złotego smoka. Kucharz, idąc za moim wzrokiem, wybrał garść krewetek i nim zdążyłam zaprotestować, wrzucił biedactwa do wrzątku, tłumacząc, że „shrimpsy lubią gorącą kąpiel!". Smakowały bosko! Do posiłku wypiłam dwa lub trzy piwa, toteż trudno się dziwić, że wyszłam nie tymi drzwiami, którymi weszłam. Wcześniej jednak, na zakończenie posiłku, otrzymałam tradycyjne chińskie ciasteczko. Nie jestem przesądna, ale bardzo byłam ciekawa, jakie zawiera życzenie i miałam tylko nadzieję, że będzie ono po angielsku. Przełamałam je. Ale wewnątrz nie było życzeń, a jedynie maleńka broszka ze złotym smokiem przypominającym jeden z chińskich hieroglifów.

— Czy to ktoś zgubił? — zawołałam kelnera.

— Jest zwyczajem naszego lokalu, że co tysięczny konsument dostaje suwenir. Pani właśnie jest tym tysięcznym gościem.

— To jest złote?

— Tylko pozłacane.

Podziękowałam serdecznie, dałam 5 dolarów napiwku, pozłacaną broszkę wpięłam w kurteczkę i z lekkim szumem w głowie wyszłam z lokalu. Uliczka, na której się znalazłam, była ciemnawa, pusta, może była to zresztą sprawa godziny, nieoczekiwanie dosyć późnej.

Nie lubię się cofać, toteż pomyślałam sobie, że jeśli pójdę w prawo, a potem skręcę jeszcze raz w prawo, znajdę się niedaleko naszego hotelu. Niestety, zaułek tylko przez moment skręcał w prawo, potem ostro zawinął w lewo. Doszłam do jakiejś przecznicy. Cholera! Była jeszcze ciemniejsza. „Nie bądź tchórzem, Baśka. Znajdujesz się w cywilizowanym świecie!".

Tymczasem ulica zaczęła opadać w dół, co spodobało mi się jeszcze mniej, ponieważ pamiętałam, że do hotelu szło się pod górę. Nazwy, wprawdzie obok chińskich robaczków widniały napisy angielskie, nic mi nie mówiły. Po dalszych pięćdziesięciu metrach poddałam się i zawróciłam. Ale czy wypite piwo pokręciło mi w głowie, czy moja orientacja terenowa była tak bezdennie zła, znalazłam się przy jakimś parku, przy którym, jako żywo, wcześniej nie byłam. Rozglądałam się zdenerwowana brakiem ludzi. Gdyby pojawił się jakikolwiek przechodzień, wystarczyłoby zapytać go o Nathan Road i każdy wskazałby mi drogę. Tyle że akurat nikogo nie było. Owszem, za niskim murkiem, w głębi parku, zobaczyłam trzech typów, ale mieli wygląd tak nieciekawy, że wolałam ich o nic nie pytać. Przypomniały mi się wrażenia z dzieciństwa, kiedy na Saskiej Kępie pojawił się gwałciciel. Pamiętam, jak chodziliśmy z koleżankami, dla pewności po trzy, i z pojemnikiem gazowym zaciśniętym w łapce, z nadzieją, że potwór zainteresuje się którąś z nas. Daremnie. Dziś jednak nie miałam trzynastu lat ani gazowego sprayu.

„Idź prosto przed siebie! — powtarzałam sobie. — Nikt cię nie zaczepi, a ponieważ jesteś na krańcu półwyspu, w którąkolwiek z trzech stron się udasz, dojdziesz do morza!...".

„A jeśli, znając mego pecha, trafię akurat na czwartą?".

Ulica znowu się zwęziła. Teraz szła dość stromo w górę! Niedobrze. Gdyby świeciło słońce, rozpoznałabym strony świata. Ale jak zrobić to w nocy? Latarnie nie porastają przecież mchem od północnej strony. Byłam bliska paniki, kiedy usłyszałam za sobą kroki. Obejrzałam się. Ktokolwiek szedł za mną, był jeszcze za zakrętem. Nie żebym się bała. Ale na wszelki wypadek przyśpieszyłam. Ten, kto dreptał za moimi plecami, zrobił to samo. Zobaczyłam jakąś bramę i ukruszony kawałek bruku. Chwyciłam go i cofałam się w cień, aby w odpowiednim momencie zaatakować.

— Na miłość boską, proszę mnie nie zabijać — powiedział Joséph Conrad, zrównując się ze mną.

— Pan Chang — dopiero teraz zorientowałam się, że zęby szczękają mi ze strachu. — Pan mnie śledził?

— Nigdy bym nie śmiał, ale kiedy pół godziny temu przypadkowo zobaczyłem panią samotną w tym dość podłym

barze, pomyślałem, że lepiej będzie dyskretnie się panią za-
opiekować. To miasto ma wiele twarzy. A im głębsza noc,
tym mocniej ujawnia się ta bardziej niebezpieczna. Ale teraz
może się pani nie bać.

— Trochę tu zi... zimno — powiedziałam, bezskutecznie
próbując opanować mój dygot.

Zdjął swoją jasną marynarkę i zarzucił mi na ramiona.

— W lewej kieszeni jest piersiówka z czymś na rozgrza-
nie — powiedział. — Na pewno pomoże!

Nie wierzyłam mu. Nie ufałam gładkim słowom, przy-
milnemu uśmiechowi i dżentelmeńskim manierom. Napój
w piersiówce z pewnością nasycony był środkiem odurzają-
cym — łyknę, stracę świadomość i obudzę się w jakiejś me-
linie, palarni opium albo na dnie Victoria Harbor. Dlaczego
w takim razie go wypiłam?

— Zaprowadzę panią do hotelu — zaproponował.

Chyba przez pomyłkę kiwnęłam głową. Po przejściu nie-
całych dwustu metrów znalazłam się w rzęsiście oświetlonej
recepcji.

Zrobiło mi się głupio z powodu mych podejrzeń, więc
zwracając Changowi marynarkę, powiedziałam na przekór
swoim zasadom.

— A może wskoczy pan na małego drinka?

Popatrzył na mnie tymi swoimi tylko połowicznie skośny-
mi ślepiami (po matce Chince) i zapytał:

— Jest pani pewna, że to dobry pomysł?

Byłam pewna, że zły, powiedziałam jednak:

— Mały drink nikomu jeszcze nie zaszkodził.

Wypiliśmy po cztery drinki, kompletnie pustosząc mini-
bar. Nie pamiętam, o czym gadaliśmy. Podejrzewam jednak,
że była to rytualna wymiana informacji, z tym że w odróżnieniu na przykład od rozmowy kwalifikacyjnej, pełna zupełnie
nieusprawiedliwionych pauz, zawieszeń głosu. Jestem przekonana, że gdyby chcieć zapisać to w zgodzie z interpunkcją,

zużyłabym zapas znaków przestankowych normalnego komputera na rok.

— Jesteś żonaty, Chang?

— Byłem. W innych czasach, w innym życiu.

— To ile właściwie masz lat?

— Staruch ze mnie. Stuknęła mi trzydziestka.

Pomyślałam o moim wieku Chrystusowym i postanowiłam spławić szczeniaka.

Tylko nie bardzo wiedziałam, jak się do tego zabrać. Tym bardziej że przejął inicjatywę w rozmowie.

— A ty? — zapytał.

— Co ja?

— Ułożyłaś sobie jakoś życie.

— Jestem zakamieniałym singlem.

— Aha. I jeszcze jedno, na przyszłość nie przyjmuj tak łatwo prezentów.

— O czym mówisz?

— O tym — wskazał kurteczkę z wpiętym złotym smokiem, która zsunęła się z oparcia krzesła na podłogę.

— Nie rozumiem?

— Najprostszy w świecie lokalizator, z odległości kilometra mogłem kontrolować każdy twój krok.

Nie wiem, czy tak wpłynęła na mnie ta informacja, czy może czwarty drink, nagle mimo lodu, pobrzękującego w szklankach, zrobiło mi się okropnie gorąco i poczułam ogromną ochotę wejść pod prysznic. Ale przecież nie mogłam. Po whisky, nawet rozcieńczanej colą, robię się niepoczytalna. Idąc do łazienki, mogłabym na przykład zaproponować Chińczykowi, żeby umył mi plecy. Albo zasugerować, że ja umyję jemu.

Sytuacja z każdą chwilą robiła się głupsza. Zupełnie nie wiem, dlaczego rozpięłam dwa guziki bluzeczki, a sukienka jakoś tak się podwinęła, że ujawniła koronkowe majteczki (założyłam je tego wieczoru bez wiary, że mogą się do czegokolwiek przydać). Złapałam się na tym, że mój wzrok, pewnie ze względu na zmęczenie, opada z twarzy młodzieńca ku jego kolanom, a w myślach roztrząsam kwestię, jakie fragmenty ciała odziedziczył po matce Chince, a jakie po ojcu Rosjaninie?

Nagle wstał. Ja też wstałam i zachwiałam się.

Podtrzymał mnie. Miał uścisk pewny jak poręcz w studio Polkabla.

Chyba przypadkowo musnęłam go piersiami, a może nawet ustami.

I wtedy zadzwonił mój cholerny braciszek. Aniołek stróżek!

— Jesteś nareszcie. Gdzie ty się podziewałaś, dziewczyno? Dzwonię trzeci raz.

— Przepraszam, że nie poprosiłam o wyrażenie zgody na spacer. Następnym razem zwrócę się w tej sprawie na piśmie.

— Nie ma sensu się dąsać! Martwiłem się o ciebie. A teraz koniecznie muszę się z tobą zobaczyć.

— Obawiam się, że na rozmowy jestem zbyt wstawiona i chce mi się spać.

— Sama?

— A z kim? — Powiodłam wzrokiem po pokoju i zorientowałam się, że mój Chińczyk zniknął.

VI

LATA DWUDZIESTE, LATA CZTERDZIESTE

Dziadek Maciej Kamieniecki był jedynakiem. Skomplikowany i niebezpieczny poród sprawił, że posiadanie większej ilości potomków oznaczałoby dla pani Apolonii ogromne ryzyko. I oboje z mężem nie ośmielili się go podjąć. Zresztą sytuacja materialna młodego doktora inżyniera w latach 20. nie przedstawiała się zbyt korzystnie. Jan odszedł z wojska wkrótce po tym, jak Marszałek przestał być Naczelnikiem Państwa z opinią zdeklarowanego piłsudczyka, a do władzy dorwała się endecja. Jednak po zamachu majowym Piłsudskiego w 1926 roku, który jako legalista uznał za bezprawny, nie powrócił do służby. Uwielbienie dla Naczelnika nie było w stanie zniszczyć umiłowania demokracji. Inna sprawa — nikt go do tego powrotu szczególnie nie namawiał. Pozostawała mu pensja adiunkta na politechnice, żona dorabiała prywatnymi lekcjami muzyki. Zrezygnowała z posady w szkole, chcąc bez reszty zajmować się Maciejem.

„Miałem cudowne dzieciństwo — pisał mój dziadek. — Mama całymi dniami czytała mi książki, prowadzała na spacery do Łazienek, Ogrodu Saskiego lub nad Wisłę. Latem jeździliśmy na letnisko do Broku nad Bugiem, gdzie rokrocznie wynajmowano kwaterę u chłopa. Parę razy moi rodzice wykosztowali się na wczasy w Juracie na Helu".

Krótko po spłodzeniu swego pierworodnego (i zarazem ostatniego) syna Jan Kamieniecki spotkał ducha. Właściwie to duch czekał na niego na podwórku ich kamienicy, kiedy wracał z politechniki. Duch, ubrany w postrzępiony szynel, był nieogolony, miał włosy w strąkach i zalatywało od niego alkoholem. W pierwszej chwili inżynier wziął go za żebraka i usiłował wyminąć, ale duch... przemówił:

— Przyjaciela nie poznajesz, Wania?

— Oleg?!! — Zaiste w mocno chwiejącym się bradiadze trudno byłoby rozpoznać wykwintnego arystokratę z lat imperialnej młodości. — Jak mnie znalazłeś?

Włóczęga uśmiecha się:

— W odróżnieniu od bolszewiskiej Rosji w Polsce wydawane są książki telefoniczne.

— Ale co tu robisz, w tym stroju?

— Czekam na zmianę pogody. Niestety, od siedmiu lat dla nas jest wyłącznie zła.

Stwierdzenie, choć ironiczne, zawierało sporą dozę prawdy. Gdyby ogrom nieszczęść, które spotkały Dobrolubowa rzucić na wagę, ta niechybnie załamałaby się pod ich ciężarem. Kraj, który kochał i któremu służył, dostał się w łapy bandy bolszewików, rodziców i przyjaciół wymordowano. Majątek uległ konfiskacie. Dalsza rodzina rozproszyła się. A próba stworzenia własnej...? W siedemnastym roku, zwolniony z armii z powodu odniesionych ran na polu bitwy, wziął sobie kochankę, Maszę Rabcewą, miłą, czystą dziewczynę z Sankt Petersburga. Prostą, choć nie prostacką. Lubiła czytać książki, przykładała wiele uwagi do swego wyglądu, a manier mogłyby się od niej uczyć arystokratki. Pracowała jako pielęgniarka w szpitalu wojskowym, jednak nie przestała się zajmować Olegiem, nawet gdy ten opuścił już lazaret. Zamieszkali wspólnie w willi na przedmieściu. Była

— jak wyznał Kamienieckiemu w trakcie męskich zwierzeń — kochanką wyjątkową, oddawała mu się z jakimś niezwykłym zapamietniem, w jej wielkich otwartych oczach czaił sie wieczny głód tak odmienny od codziennej dobrotliwości. Podczas szczytowego spazmu wydawało się, iż traci przytomność. A może tylko, na krótki moment przenosiła się do jakiegoś innego wymiaru, skąd wracała, spokojna już, rozluźniona, szczęśliwa... Nie zadawała pytań o przyszłość, nie zastanawiała się, „co z nami będzie?", nie pytała nawet, czy jej nie opuści. Wreszcie gdy nadszedł dzień rozstania, nie zapytała, kiedy wróci. Nie wspomniała mu nawet o dziecięciu noszonym w swym łonie.

Zresztą kto w tamtych czasów znał odpowiedź na tak zda się proste kwestie? Rok 1917 był to dla Rosji niezwykły rok, nadziei, raczkującej demokracji, narastającej anarchii, wreszcie bolszewickiego przewrotu. Oleg wrócił do wojska, mając nadzieję, iż bój z czerwonymi będzie krótki.

Nie mógł być przy narodzinach swojego syna, któremu zgodnie z tradycją rodziny Rabcewych dali na imię Mikołaj.

O fakcie swego ojcostwa dowiedział się z kolejnego listu, który dotarł do niego gdzieś nad Wołgą. W odpowiedzi przyrzekł, że się z Maszą ożeni. Gdy zwycięży. Czy było to zobowiązanie wykonalne? Przez trzy lata wojował z bolszewikami, obserwując z rozpaczą, jak topnieją siły prawowitej władzy, jak przegrywają kolejno: Kołczak, Denikin, Wrangel, natomiast czerwona hołota coraz szerzej rozlewa się po kraju, a towarzyszą temu: zbrodnia, brud i zdziczenie obyczajów. Zdążył być wszędzie. Kule wroga zdawały się go omijać, a w walce wręcz nie miał sobie równych. Wojował więc na Syberii, u Kołczaka, a gdy ten definitywnie przegrał, przebił się na Powołże, do Denikina. Jesienią 1919 roku, po zdobyciu u boku Denikina Orła, wydawało mu się mu (i nie tylko jemu), że Moskwa jest w zasięgu ręki... Niestety. Czas pracował na rzecz czerwonych. Komisarze tumanili masy, jakże nośne było hasło „grab zagrabione!", a propagandę skutecznie wspierali terrorem. Więc wygrali. Naturalnie Oleg mógł z resztkami armii Wrangla ewakuować się z Krymu. Odmówił. Zaopatrzony w lewe papiery potajemnie odwiedził Piotrogród — jego syn Kola miał wtedy nieco ponad dwa latka, a Masza, całkiem nieźle dawała sobie radę. Pomagali jej, jak mogli, dalecy kuzyni, którzy służyli jako marynarze w Kronsztadzie — kolebce rewolucji. Nadal była urodziwa i niezwykle pociągająca. Ani Dobrolubow, ani mój pradziadek nie pozostawili opisów tamtych nocy, ale jestem w stanie wyobrazić sobie, co działo się na piotrogradzkim poddaszu. Śpiące w kącie dziecko, wokoło za cienkimi ścianami sąsiedzi, a oni, możliwie jak najciszej, próbujący zespolić się aż do końca, znaleźć w sobie ucieczkę przed straszliwym światem, zatracić się, okłamać, że jutro będzie lepsze i że w ogóle będzie! Więc widzę tę rozpaloną twarz młodego arystokraty i ogromne, dwóm księżycom podobne oczy Maszy. Słyszę ich oddechy, pocałunki, zgrzyt zębów usiłujących powstrzymać jęk rokoszy. A wszystko urwane w pół rumorem buciorów chłopaków od Dzierżyńskiego rozlegającym się na schodach.

Doniósł zapewne któryś z uczynnych sąsiadów, ale przeliczył się, oczekując nagrody. Dobrolubowowi udało się zbiec po dachach. Może lepiej, gdyby wtedy zginął.

Co prawda próbował jeszcze walczyć, ale kolejne, coraz mniejsze oddziały białych zostały wybite do nogi. Dotarł aż do Mongolii. Jak poźniej twierdził, Wrangel wysłał go z sekretną misją do barona Ungerna von Sternberg, szalonego watażki próbującego, jak opowiadano, odbudować imperium Czyngiz Chana. Znalazł się tam incognito, zapewne dlatego nie sposób znaleźć wzmiankę o jego pobycie w Urdze w relacjach pisarza Ferdynanda Ossendowskiego czy sapera Kamila Giżyńskiego, Polaków obecnych w tym czasie na dworze „Krwawego Barona". W lipcu 1921 roku pod Kiachtą niewiele brakowło, aby sztych szabli Olega definitywnie zakończył karierę kierującego bolszewicka szarżą Konstatntego Rokossowskiego. Podobno od poważniejszych obrażeń przyszłego marszałka Polski ocaliła metalowa sprzączka (szatan dba o swych akolitów!). Bitwa jednak okazała się przegrana. Następnie również Japończycy, na których liczył Ungern, odmówili wsparcia, a Dobrolubow ledwie z paru ludźmi wyrwał się z okrążenia, podobno ze swoją ostatnią misją.

O paru następnych latach opowiadał Kamienieckiemu niechętnie, zbywając pytania sformułowaniem:

— Pozostałem sam, ukryłem się w syberyjskiej głuszy, usiłując przeczekać — czerwona paranoja nie potrwa przecież wiecznie — kalkulowałem. — Rok, dwa — najwyżej trzy. Świat nie może tolerować potwora, którego ideologia zagraża całej ludzkości.

Jednakże świat zdumiewająco łatwo się pogodził, a nieludzki system trwał! I krzepł. Choć nie bez sporych trudności. Biorąc to pod uwagę, Lenin wprowadził Nową Politykę Ekonomiczną, NEP. I na chwilę reżim jakby znormalniał. Czyżby system miał złagodnieć?

Z dokumentami na nazwisko Aleksego Wasilcewa Oleg powraca nad Newę. Ostrożnie, acz systematycznie poszukuje Maszy. Nie znajduje nawet jej grobu. Jej kuzyni mieli nieszczęście znaleźć się wśród prowodyrów kronsztadzkiego buntu w marcu 1921 roku. (Cóż za żart historii — pierwsi zaczęli rewolucję wystrzałem z „Aurory" i pierwsi przejrzeli na oczy!). Organa uznały, że Masza, kochanka białogwardzisty Dobrolubowa, musiała współpracować z kontrrewolucjonistami. Samo takie oskarżenie wystarczało za wyrok. Nie może być wszak wolności dla jej wrogów.

A mały Kola? Udało się ustalić, że oddano go do bliżej

nieokreślonego domu dziecka. Jeśli przeżyje, będzie jancza-
rem nowego systemu.

W tej sytuacji Dobrolubow zdobywa się na czyn naprawdę
heroiczny. Postanawia wejść w paszczę lwa. Udało mu się
ustalić, że poznany w pierwszych dniach wojny w szwajcar-
skim pociągu bankier Dawidow jest ważną personą w Ludowym Komisariacie Finansów. (Przezornie zmienił kiepsko
brzmiące w nowym społeczeństwie imię z Mojżesza na Mi-
chał). Michaił Iwanowicz jest obecnie szarą eminencją tego
resortu. Nie zapomniano przysług, jakie wyświadczył wodzo-
wi rewolucji w Genewie, jak pomógł w słynnym transporcie
zaplombowanym wagonem do Rosji. A że płacił za wszystko
niemiecki wywiad? Nie szkodzi. Bez tej dwuznacznej akcji
nie byłoby Wielkiego Października. Oleg jedzie więc do Moskwy, odszukuje tam Dawidowa, który na widok poszuki-
wanego „wroga ludu" omal nie umiera na serce. Proponuje
bankierowi interesujący układ. Komuniści potrzebują złota,
szlachetnych kamieni, Dobrolubow ma jedno i drugie.

— Wiem, gdzie został ukryty legendarny skarb Ungerna,
którego wszyscy szukają. Chętnie się nim podzielę — kusi
Dawidowa. — A niech by. Oddam cały!

— A pan skąd o tym wie?

— Byłem kimś w rodzaju jego adiutanta i powiernika.
Skarb został podzielony, część ukryto na miejscu, w Mongolii, ale poważną część polecono mi przetransportować jak
najdalej na Zachód i tam go ukryć. Wykonałem ten rozkaz.

— A co chciałbyś otrzymać w zamian? — ostrożnie son-
duje finansista.

— Paszport dla mnie i dla mego syna... A przede wszystkim pomoc w jego odnalezieniu. Z tego, co wiem, trafił do
jakiegoś sierocińca.

— Zobaczymy, co się da zrobić. — „Kasjer rewolucji"
uśmiecha się ciepło. Wpadniesz do mnie w najbliższy pią-
tek? — pyta. — Tamara zaparzy dobrej herbaty. A, prawda,

nie znasz Tamary. Ożeniłem się po raz drugi. Moje szczęście ma dziewiętnaście lat...

Można wyobrazić sobie, że bezpośrednio po wyjściu Dobrolubowa Dawidow wykonał telefon do przyjaciela z Najważniejszego Resortu.

— Feliksie Edumundowiczu, czy bylibyście tak łaskawi, poświęcić mi odrobinkę uwagi? Jest pewna sprawa. I jeśli można, bardzo chciałbym zapoznać się z protokółem z przesłuchania i rozstrzelania niejakiego Ungerna.

Wspomniana herbatka nie zostanie szybko wypita. Trzy dni poźniej, w drodze na spotkanie z Dawidowem Oleg zostaje aresztowany. Trafia do lochów Łubianki, gdzie przez dwa tygodnie zostaje poddawany fachowej obróbce. „Powiedz, gdzie to ukryłeś, a twoje kłopoty natychmiast się skończą!" — kuszą oprawcy. Wszystko na nic. Ani Dawidow, ani towarzysze nie zdawali sobie sprawy, z jakim człowiekiem mają do czynienia. *Jebionny aristokrat!* Taki prędzej umrze, niż coś powie. Raz nawet są przekonani, że umarł. Niedobrze! Jeśli zabierze swoje tajemnice do grobu, oni za to zapłacą! Trzeba zmienić metodę, towarzysze! Po miesiącu, umytego i przebranego w czyste łachy, prowadzą na spotkanie z Dawidowem. Sam towarzysz Dzierżyński użyczył im swego gabinetu.

Michaił jak zwykle grzeczny i jowialny częstuje Olega papierosami, rozlewa koniak do kieliszków i serdecznie przeprasza. Musiał spełnić swój obywatelski obowiązek i powiadomić organa o ich spotkaniu. Sowiecki kodeks przewiduje surowe kary dla tych, którzy nie zgłoszą doniesienia. Myślał oczywiście, że sprawa skończy się na małym wyjaśniającym przesłuchaniu. Jeszcze raz przeprasza, jeśli coś przebiegło nie tak.

— Ale teraz wszystko pójdzie gładko — przekonuje. — Teraz mam upoważnienia do rozmów i gotów jestem pójść na układ zgodnie z poprzednimi warunkami.

— Warunki się zmieniły — stwierdza hardo Dobrolubow i precyzuje swoje żądania. — Najpierw zobaczę mego syna. Następnie Nikołaj dołączony zostanie do grupki sierot, które za pośrednictwem amerykańskiej ambasady będą wkrótce opuszczać Rosję Sowiecką. Dopiero gdy upewnię się, że Kola bezpiecznie wyjechał, dostaniecie wszystko, o czym tak marzycie.

Zafrasowany Dawidow znika, nie ma go dobrą godzinę. Ciekawe, z kim się przez ten czas konsultuje? Może z tym małym dziobatym Gruzinem, który podczas choroby Lenina ma coraz więcej do powiedzenia w kierownictwie, a może z Feliksem Edmundowiczem Dzierżyńskim?

— Jest zgoda — wraca szeroko uśmiechnięty. — Dostaniecie wszystko, o co prosiliście.

— Nic, tylko robić interesy z władzą radziecką — odpowiada zadowolony Oleg. Woli się nie uśmiechać, nie chce pokazywać dziur po wybitych zębach. — Skarb został zdeponowany na terenie mojego rodzinnego majątku. Możecie sprawdzić — jesienią roku 1921 ten teren był kompletnie opuszczony...

Zwracają mu wolność, pieniądze, opłacają hotel. Dawidow zaprasza na kolację, Tamara, wiotka i smukła arystokratka, niewątpliwa rewolucyjna zdobycz, jest wspaniałą panią domu, zna francuski, recytuje poezje. Przez moment może się wydawać, że stanął czas, do przedrewolucyjnej kamienicy powrócili dawni właściciele, a z nimi spokój, prawo, umiar... Oczywiście Dobrolubow nie ma żadnych złudzeń. Zdaje sobie sprawę, że jest obserwowany dzień i noc, i wie, że jego śmierć jest postanowiona. Tyle że on także szykuje swym prześladowcom drobną niespodziankę.

Najpierw jednak musi zabezpieczyć los Koli. Spotyka się z chłopcem na dworcu białoruskim, rozmawia z towarzyszącym grupce dzieci konsulem USA. Ten traktuje go z wielkim szacunkiem. To zrozumiałe — ciotka Olega wyszła za mąż za amerykańskiego senatora i jest jedną z bardziej wpływowych osób w Nowej Anglii.

— Wiesz, kim jestem? — pyta malca.

— Moim ojcem. Kontrrewolucyjnym generałem — odpowiada dzieciak. Nie wydaje się zachwycony swoim wyjazdem z kraju. Kiedyś to doceni. Może całkiem niedługo.

Pozostaje do odegrania ostatni akt. Do jego dawnych włości konwojuje go pięciu agentów dowodzonych przez gołowąsego komisara. Czy tylko? Pewnie mają jeszcze dodatkowe ubezpieczenie.

— Po co to wam, *tawariszcz graf*, tyle fatygi? — dopytuje się rudawy czekista. — Powiedzcie, gdzie to jest, a my zajmiemy się resztą.

Mówi im to samo, co Dawidowowi:

— Sami nie znajdziecie. Poza tym kryjówka jest zaminowana. Każdy niewtajemniczony wyleci w powietrze.

Do Żytomierza dojechali koleją. Dalej przesiedli się na dwie milicyjne furki. W pierwszej on z komisarem, w drugiej reszta eskorty. Oleg przyglądał się uważnie ekipie ładującej się na wóz. Czy kiedy tylko skarb zostanie ujawniony, ci młodzi chłopcy zajmą się egzekucją jego właściciela?

Wiosna na Ukrainie była piękna tamtego roku, kwitły sady, śpiewały ptaki. Aż szkoda umierać. Coś ścisnęło go za serce, kiedy zza zakrętu wyłonił się pałac Dobrolubowych, piękny klasycystyczny gmach, przejęty z początkiem XIX wieku po polskiej rodzinie Sierpuchowskich (po cóż podnosili świętokradczą rękę na cara!). Choć zdewastowany w trakcie działań wojennych, jakoś ostał się pożodze i aktualnie został zamieniony w szkołę. Nie było dawnych mebli i obrazów, rozgrabiono nawet kominki, ale wciąż pozostawały okna, podłogi, schody i widok na sad. Na czas ich pobytu młodzież gdzieś ewakuowano. Za to na podwórku kręciło się kilku kolejnych czekistów.

Ku zaskoczeniu dyrektora szkoły, który czekał już na

nich, i eskorty, Oleg Dobrolubow, rzuciwszy jedynie okiem na dawny pałac, skierował się w stronę neogotyckiego spichlerza położonego obok ogrodu warzywnego i dawnej bażanciarni. A więc dlatego wszyscy ci, którzy szukali skarbów po arystokratach, mozolnie przekopując piwnice pałacu, niczego nie znaleźli!

Czekiści przypatrywali się, jak „biały" chodzi po pustym pomieszczeniu, ogląda klepisko, mierzy stopami odległości, coś liczy. Wreszcie pokazuje, gdzie kopać. Znajdują się łomy, łopaty i młodziaki przystępują do roboty. Kopią metr, półtora... Na przyszły grób starczy. Ale nic nie znajdują. Rudowłosy komisar nerwowo zaciąga się papierosem. Nie znajdą, *budiet płocho.*

Tymczasem Dobrolubow liczy jeszcze raz. Każe zmienić miejsce.

— To tu!

— Obyś się nie mylił! — warczy komisar.

Znów kopią. Ani się obejrzeli, a noc zapadła.

— Przynieść pochodnie — poleca rudy czynownik.

Wreszcie słychać upragniony dźwięk — łopaty uderzają o metal. Na chwilę wszystkich ogarnia ekscytacja.

— Cofnijcie się — mówi Oleg — to może wybuchnąć. Wskakuje sam do wykopu. Ale zauważa, że komisar idzie w jego ślady i staje obok niego.

— Nie szkoda wam życia? — pyta Dobrolubow, macając palcami w glinie. — Przecież jeśli teraz popełnię jakiś błąd, to zginiemy obaj.

— Jeśli wam nie żal, to i mnie nie...

— W takim razie pomóżcie mi. A wy — zwraca się do pozostałych — cofnąć się! Pokornie spełniają rozkaz, Oleg podważa oskardem jakąś klapę. Wie, że funkcjonariusze nie mogą ich zobaczyć. Na to liczył. Czekista nakłoniony do pomocy chwyta za klamrę z metalu, z ogromnym wysiłkiem podnosi... Potworny cios druzgocze mu kark. Pada bez jęku, w tym samym momencie Oleg porywa z kopczyka ziemi stojącą tam naftówkę i wskakuje w otwór, zatrzaskując za sobą klapę.

Szybko blokuje ją od spodu. Słyszy strzały. A niech strzelają! Korytarz jest ciasny i daj Boże, żeby się nie był zapadł od czasów, kiedy bawił się w nim jako dziecko w hrabiego Monte Christo. (Sąsiad, Wania Kamieniecki, z konieczności musiał grać opata Farię). Liczy, że nic się nie zmieniło od tamtych czasów. Podziemny loch służył dobrze wielu pokoleniom Sierpuchowskich, za czasów najazdów tatarskich, za koliszczyzny...

Kwadrans potem musiał jeszcze rozbić parę desek i rozgarnąć gęstwę chaszczy.

Oleg jest w parowie. Aromatyczne powietrze uderza go w nozdrza jak wspomnienie dzieciństwa. To tu z młodym Kamienieckim bawili się w Indian. Tu była ich wyspa Robinsona, ich gniazdo piratów...

Dookoła panuje cisza. Tylko potok szemrze na kamykach. Oleg zastanawia się, kiedy czekiści zorientują się, że nie sforsują klapy i ruszą w pogoń górą?

Ciągle ma przewagę. Zna tu każdą ścieżkę, każdy kamień. A idąc rzeką, zmyli psy. Nim minie noc, dojdzie do granicy z Polską...

Naraz zatrzymał się. Jego czujny słuch wyłapał parsknięcie konia. Przypadł do ziemi i posuwał się wolniej ku krawędzi parowu. Na tle jasnego nieba zauważył sylwetkę jeźdźca. Nie tacy durnie z czerwonych, pomyśleli o zabezpieczeniu tyłów. Ale czy wiedzą, że *aristokrat-biełoruczek* nauczył się zabijać gołymi rękami?

Pięć minut potem dysponuje zarówno bronią, jak i koniem sołdata. A po następnych pięciu godzinach, pod osłoną porannych mgieł, przeprawi się przez graniczną rzeczkę. Kilka osób będzie musiało tej nocy zginąć. Ale jemu się uda.

Upłynie jeszcze kilka ciężkich miesięcy. Policjanci z posterunku w Równem, na który się zgłosi, nie dadzą wiary jego zeznaniom i potraktują go jak bolszewickiego szpiega. Będą przesłuchania, potem decyzja o przewiezieniu do Krzemieńca, następnie do Lwowa... Dotąd przekonany był o powszechnej inteligencji Polaków. Teraz musi zrewidować nieco tę opinie. Wreszcie ma dość tej zabawy, toteż pewnej nocy ucieka podczas kolejnego transportu. Oczywiście jest ścigany, a rozesłany po wschodnich województwach list gończy ułatwia jedynie działanie wysłanych jego tropem zabójców z Czeka. Znów paru ludzi musi zginąć, a jemu nie pozostaje nic innego, jak przedzierzgnąć się we włóczęgę, śmierdzącego pijanicę, po prostu zwierzę. A do Warszawy daleko...

Trochę więc jeszcze potrwa, zanim wykąpany, nakarmiony i pobudzony doskonale zaparzoną kawą z odrobiną amaretto zasiądzie w stołowym pokoju mieszkania Kamienieckich i zacznie snuć swoją niesamowitą historię. (Na szczęście prababcia zmusiła swego męża, by ją spisał, skutkiem czego dziadek miał gotowy aneks do swych wspomnień).

Opowieść wywarła ogromne wrażenie na Janie Kamienieckim. Był zdumiony, wstrząśnięty, wzruszony.

— Jak mogę ci pomóc? — zapytał, kiedy opowieść dobiegła końca.

— Skontaktuj mnie z angielską ambasadą, dalej już sobie sam poradzę.

— Z angielską, powiedziałeś.

— Pewne zaskakuje cię, że nie z amerykańską?

— Skoro zaopiekowali się twoim synem.

— Prędzej czy później się z nim zobaczę. Ale na pomoc jankesów w wydostaniu się z Polski trudno liczyć. Ten ich cholerny izolacjonizm...

Oleg nie kontynuował tego wątku, ale Jan był dość inteligentny, by dośpiewać sobie resztę. Brytyjczycy mieli najbardziej zdrowy stosunek do Rosji, a sporo wskazywało na to, że Dobrolubow musiał współpracować wcześniej ze służbami Jego Królewskiej Mości.

Rzeczywiście, Anglicy, do których udał się z listem Olega, wykazali pewne zainteresowanie, wyznaczyli jednak odległy bardzo termin na spotkanie. Lekceważenie czy...? Rosjanin miał na ten temat swoje zdanie:

— Przyjedzie po mnie ktoś z Londynu. Zachowajmy spokój i cierpliwość.

Ale sam spokojny chyba nie był. Przez pięć dni ani razu nie wyszedł z domu, nigdy też nie podchodził do okna. Poprosił Kamienieckiego o broń. Ale przynajmniej nagadali się za wszystkie czasy.

Wróciły dawne wątki ich rozmów. Wojna, rewolucja, przyszłość. Tyle że bardziej niż kiedykolwiek podszyte mrocznym mistycyzmem. Rosjanin obwiniał o wszystko diabła. Uważał, że katastrofa, którą była wojna światowa, a następnie bolszewicki przewrót były osobistym dziełem księcia piekieł.

— Co gorsza, obawiam się, że osobowe zło nie powiedziało jeszcze ostatniego słowa — twierdził. — Może się okazać, że hekatomba Wielkiej Wojny i potworności leninowskiego systemu są jedynie wstępem do zdarzeń dużo straszniejszych.

— Ale co może być straszniejsze?

— Armagedon. Zagłada całych narodów, a być może całej ludzkości. Pamiętasz nasze rozmowy w pociągu, w sierpniu 1914 roku? — Jan kiwa głową. — Dobrze prorokowałeś, Wania, przewidując długą wojnę, degradującą człowieka i jego organizację. Stało się jeszcze gorzej — obserwujemy postępujący upadek całej tradycji, którą Europa budowała od czasów Karola Wielkiego. Pewnego ideału rycerskiego, sublimacji uczuć i obyczajów. Teraz wszystko to się rozpada. Stare elity tracą swoje znaczenie, pola bitewne przemieszały parweniuszy i arystokratów, kobiety poszły do pracy i uzyskały prawo głosu.

Wiesz, jak to się odbije na rodzinie, na moralności? A popatrz na sztukę. Co się z nią dzieje. Od wieków absorbowało ją poszukiwanie piękna i harmonii. Dziś epatuje głównie tym, co zdegenerowane. Co gorsza, właśnie to wciągane jest na piedestał. A polityka... Do władzy dorywają się indywidua takie, jak ten włoski krzykacz Mussolini.

— I uważasz to wszystko za robotę diabła?

— A któż inny miałby interes, aby zawrócić pochód człowieka do doskonalenia, duchowego wzbogacania, mądrości, piękna, proponując w zamian rozdarcie, nihilizm i pozbawiony boskiego pierwiastka świat ludzkiej dżungli? Czytałeś pewnie, że Nietzsche ogłosił śmierć Boga.

— Jednak Nietzschego trafił szlag, a pan Bóg ma się dobrze.

— W Polsce, w prostym ludzie. Ale nie w elitach. Zwłaszcza na Zachodzie. Tam po prostu nie wypada wierzyć. A człowiek bez wiary jest skazanym na pierwotne popędy zwierzęciem. Zobaczymy tego efekty. Silni będą zagryzać słabszych...

— Nie wierzysz, że może istnieć człowieczeństwo bez wiary?

— Przez jakiś czas, z przyzwyczajenia, w pojedynczych przypadkach — być może. Ale jeśli uzna się, że człowiek to tylko uzbrojona w narzędzia małpa, to z jakiego powodu ma współczuć innym, wykazywać altruizm, skoro to będzie sprzeczne z jej małpim interesem? Zaiste, szatan przeżywa swe dni chwały. A największe sukcesy przed nim.

— Daj spokój z szatanem! — Kamienieckiego zaczął denerwować ten wywód. — Przecież za każdym niepokojącym cię zjawiskiem stoją konkretni ludzie, nihiliści, bolszewicy, faszyści...

— Mówisz o teatrzyku marionetek. Kukły doskonale odgrywają swoje role. Nie one jednak pociągają za swoje sznurki.

— A kto pociąga?

— Mogę się tylko domyślać, pośrednicy diabła — masoni, socjaliści, Żydzi...

Jan aż podskoczył.

— Jesteś antysemitą?

Dobrolubow zaśmiał się gorzko:

— Podobno my, Rosjanie mamy to we krwi. Ale uspokoję cię, nie jestem. Szanuję naszych starszych braci w wierze, bardzo podoba mi się ich idea powrotu do Syjonu i założenie własnego państwa. Myślę raczej o tych, którzy utracili wiarę i stają się zaczynem fermentu. Popatrz na kierownictwo bolszewickie...

— Daj spokój, nie cytuj mi *Protokołów Mędrców Syjonu*, bo każdy wie, że spreparowała je *ochrana*. Nie wiem, czy wiesz, że pojawił się ostatnio w Niemczech taki facet, Adolf... zapomniałem nazwiska, który obwinia synów Izraela o całe zło świata.

— Nie on jeden. Na Sybirze spotkałem wędrownego proroka, Żyda stuprocentowego, ślepca, o wyjątkowo przenikliwym umyśle, który płakał mi w rękaw, mówiąc, że idzie dzień gniewu na lud Izraela, że Jahwe nie wybaczy im kolejnej apostazji i spuści na nich „brunatną sforę spod znaku złamanego krzyża, która będzie miała siłę ognia niweczącego Sodomę i perfekcję Rzymian burzących Jeruzalem".

— „Brunatna sfora spod znaku złamanego krzyża"?...

— Nie mam pojęcia, co to może oznaczać. Ale mówił to tak sugestywnie, wręcz czuło się w jego słowach ogień i gryzący dym palonych zwłok.

— Mam dystans do wszelkiego rodzaju proroctw, jednak proszę, zdecyduj się, Oleg, albo wszystkiemu winni są Żydzi, albo masoni, albo socjaliści.

— Diabeł gra na wielu fortepianach. — To mówiąc, Dobrolubow wstał i przeszedł się po pokoju, pamiętając wszakże, żeby nie zbliżać się do okna. — Nasz świat jest absolutnie nieprzygotowany na ostateczne starcie Dobra i Zła. Europa prędzej czy później zginąć musi! Albo się sama wyrżnie albo uwiędnie. Może jedno i drugie. Do niedawna wierzyłem w świętą Rosję, więcej powiem, był taki czas, kiedy miałem wrażenie, że obaj wierzyliśmy. W Rosję przywiązaną do tradycyjnych wartości, ale rozwiniętą i należycie wyedukowaną, w Rosję wierzącą w boży ład, ale zarazem zamienioną w państwo prawa i sprawiedliwości. Tylko taka Rosja mogła być nadzieją i wsparciem dla degenerującego się świata. Niestety, komuniści to udaremnili.

— Prędzej czy później upadną.

— Teraz ty się łudzisz. Owszem, mogliby upaść, gdyby w dziewiętnastym i dwudziestym roku Ententa interweniowała na serio, a nie jedynie próbowała dbać o pola naftowe, gdyby marszałek Piłsudski pomógł nam dobić czerwoną bestię.

— Zrobiłby to z przyjemnością, tylko że twoi generałowie nie chcieli nawet słyszeć o Polsce niepodległej.

— Ich błąd. Dali się zatrzasnąć w pułapce legalizmu. I teraz to się mści. Wiele nad tym myślałem. Bolszewicy dla celów doraźnych gotowi byli obiecywać wszystko wszystkim, nawet *swobodną Polskę*, wiedząc, że prędzej czy później przejdą po jej trupie, by zagarnąć świat.

— Kiedy dojdzie do następnego światowego zwarcia, błąd Ententy uda się naprawić.

— Zmartwię cię, mój *drug*. Zapamiętaj moje słowa! Nie będzie kolejnych interwencji. Nawet ich prób. Demokratyczny świat jest bezbronny wobec apokaliptycznej bestii. Będzie pertraktował z wściekłym psem, zamiast go zastrzelić. Chyba że sam się zarazi wścieklizną i upodobni do niego... Ale byłoby to leczenie dżumy cholerą! A nawet gdyby jakimś cudownym sposobem sowiecki reżim upadł, jak sądzisz, przez ile pokoleń jego toksyczne alkaloidy krążyć będą w naszym organizmie?

— Nie wiem, na czym opierasz swe pesymistyczne przekonania. Bolszewicki system ekonomiczny jest utopią. Zaprzeczaniem wszystkiego, na czym opierała się dotąd ludzkość, jest skierowany przeciwko wolnej myśli, konkurencji, instynktowi bogacenia się...

— Wytłumacz to tym wszystkim uzbrojonym w nagany mużykom, którzy dorwali się do władzy. Powiedz o tym tłuszczy upojonej leninowskim hasłem: „grab zagrabione"! Stary świat, którego grzechy i wady doskonale znamy, odwoływał się do najszlachetniejszych cech człowieka — do honoru, lojalności, patriotyzmu, wiary, piękna... W obecnych czasach systemy, które rodzą się na naszych oczach, będą żerować na najniższych instynktach, najbardziej nieludzkich hasłach. Zaprawdę sprawdzają się słowa proroków. „Biada nam, którym przyszło żyć w latach przedostatnich!".

Z pokoju obok dobiegł płacz małego Maciusia.

— Płacz, płacz, dzieciaku — powiedział Oleg — wszystko, co najgorsze, jest ciągle przed tobą.

Dobrolubow zniknął w przeddzień spotkania z angielskim emisariuszem. Więcej się nie pokazał. Znajomy Kamienieckiego w MSZ-cie, który pomógł nawiązać kontakt z Anglikami, nabrał wody w usta.

Dzień po terminie spotkania Olega i emisariusza z Londynu Jan wyczytał w jakieś popołudniówce o bandyckich porachunkach w karczmie Wawer.

Nie zastanawiając się wiele, pojechał na miejsce. Wieś Wawer, wszystkiego parę chałup, była zabitą dechami dziurą na peryferiach Warszawy, ledwie zauważalną z okien pociągów pędzących linią nadwiślańską na Puławy, Lublin i Lwów. Pewnego znaczenia przydawała jej wąskotorowa kolejka do Karczewa. Karczma, wedle legendy, pamiętająca króla Stefana Batorego i goszcząca w swych murach ponoć samego Napoleona w trakcie wyprawy na Moskwę, oraz stojąca opodal, wzniesiona z czerwonej cegły szkoła elementarna, zwana „Murowanką", były nielicznymi budowlami, na których można było zaczepić oko. Przed karczmą stał żuraw i poidło dla koni, dalej znajdowała się kuźnia. Rozmowa z miejscowymi, ożywiona za pomocą paru banknotów, które wetknął im w ręce, dała Janowi sporo do myślenia.

Przebieg zdarzeń rysował się następująco: Najpierw kolejką wąskotorową przybył z Warszawy człowiek nazwany przez świadków „Ruskiem", który jednak nie wszedł do lokalu, tylko najpierw zajrzał do kuźni, a następnie podążył ku stajniom. Wkrótce potem eleganckim samochodem nadjechał inny dżentelmen przezwany „Anglikiem". „Lud polski miewa w takich sprawach trafne rozeznanie" — zauważył w swych zapiskach dziadek. W karczmie, jak to przy okazji końskiego targu, odbywającego się na błoniach za torami opodal dawnego fortu wysadzonego przez wycofujące się z Warszawy wojska rosyjskie, zgromadziło się sporo luda. Nikt wcześniej nie zwrócił uwagi na sześciu gości nieodróżniających się od innych włościan. Choć że byli nietutejsi, to pewne. Nikt nie wie, kiedy przybyli, siedzieli w dwóch grupkach, milczkiem popijając piwo i wyraźnie na coś czekając. W momencie pojawienia się w drzwiach „Anglika" dobyli broni. Inna sprawa, że „Rusek" okazał się szybszy wychynął z kuchni i pierwszy zaczął strzelać do uzbrojonych „chłopów", trzech położył na miejscu, czwartego zranił, po czym wyskoczył przez zamknięte okno, wybijając szyby w oknie i zniknął w ogrodzie.

— Nie dogonili go, panie. Zresztą rejwach się podniósł i tych trzech uzbrojonych uciekło. Znaczy dwóch wlokło trzeciego, który był ranny i broczył posoką jak zarzynana świnia.

— Dokąd uciekli?

— W stronę Anina. Do lasu. Musieli mieć tam konie...

W następnych dniach Jan cierpliwie poszerzał informacje na temat incydentu. Dowiedział się, że w starciu padło trzech napastników, których tożsamości nigdy nie ustalono. Nie mieli przy sobie żadnych dokumentów, a ubrania nabyli na targu ze starzyzną. Pracownik brytyjskiego MSZ-u zmarł w szpitalu. Jego szofer nic nie wiedział, poza tym, że zaraz po wejściu na salę ktoś otworzył do nich ogień.

Żaden z zabitych nie był Dobrolubowem. Rosjanin (według świadków „postawny, wysoki, po prostu pan") znikł, jakby go święta ziemia pochłonęła. Choć niezupełnie. Od tego zdarzenia rok po roku przychodziły do Kamienieckiego pocztówki w dniu św. Jana, jego patrona. Miały egzotyczne znaczki i ciekawe stemple: Stany, Meksyk, Brazylia, południowa Afryka, Indie, Australia, Nowa Zelandia. Tak jakby nadawca usiłował uciec dalej i dalej. Na kartkach nigdy nie było podpisu ani adresu zwrotnego. Tylko charakter pisma i piękna, wyniesiona od dobrego nauczyciela francuszczyzna (życzeniom towarzyszyła zawsze jakaś krótka złota myśl, często brzmiąca jak przestroga) dowodziły, że wszystkie przesyłki wyszły spod jednego pióra.

Ostatnią kartkę nadano w czerwcu 1939 roku, w Wellington na Nowej Zelandii.

Potem wybuchła wojna. Później miało się okazać, że w styczniu 1940 roku dobiegła kresu ziemska wędrówka Olega Dobrolubowa. Zginął dokładnie w prawosławny Nowy Rok na swej farmie, niedaleko nowozelandzkiej stolicy. Oficjalnie mówiono o samobójstwie, tylko kto, u licha, popełnia samobójstwo, strzelając sobie w tył głowy, łamiąc uprzednio wszystkie palce i zrywając paznokcie?

W pamiętnikach mego dziadka nie ma zgoła nic o jego latach szkolnych i wczesnej warszawskiej młodości. Mogę jedynie podejrzewać, że udostępnił mi jedynie część swoich zapisków, dotyczącą powiązań Kamienickich, Dobrolubowych i Dawidowów, ze szczególnym uwzględnieniem zagadnienia pamięci genetycznej. Nie dowiedziałam się zatem o jego szkole i sztubackich żartach, a podobno uczniem bywał niesfornym. Próżno szukałam wzmianek o miłosnych porywach, mogących przekreślić mit, iż Róża Kupidłowska była jedyną miłością życia Macieja Kamienieckiego. A przecież trafiło się oto chyba nie przez przypadek kilka luźnych kartek, być może wyrwanych z większej całości.

W roku 1936 trzynastoletni Maciej przeszedł ciężkie zapalenie opon mózgowych. Parę dni był nieprzytomny, wisząc na krawędzi pomiędzy życiem a śmiercią. Rodzice odchodzili od zmysłów, na przemian modląc się i wzywając najlepszych specjalistów. W czasie długiej rekonwalescencji dziadek odkrył w sobie talenty literackie, w efekcie powstało opowiadanie *Połtawa*. Plastyczny, nakreślony z Sienkiewiczowskim rozmachem obraz bitwy pod Połtawą. Batalia rozegrana 8 lipca 1709 pomiędzy wojskami Karola XII Szwedzkiego, wspierającego atamana Iwana Mazepę, a armią Piotra I, przesądziła o losach kilku narodów na lat trzysta. Opowiadanie wzbudziło zachwyt rodziców i ogromne zdumienie nauczyciela historii, który najpierw ocenił pracę na celującą, a potem zaczął przepytywać Macieja, z jakich źródeł korzystał, rekonstruując przebieg militarnej rozgrywki. Twierdzenie dziadka, że tak ją sobie po prostu wyobraził, sprawiły, że historyk, profesor Kucharski po prostu się obraził, twierdząc, że niepodobieństwem jest, nawet przy jego wiedzy, wyobrażenie sobie takiej liczby szczegółów, w dodatku zgadzających się z rozproszonym materiałem źródłowym.

Również Jan Kamieniecki nie przeszedł do porządku dziennego nad niezwykłą wizją syna. *Połtawa* miała dwóch narratorów — Ukraińca nazwiskiem Sarbut i Rosjanina lejtnanta Szarowa i kończyła się pojedynkiem, który obaj, lubo ranni przeżyli.

Jan jako człowiek, który niełatwo godził się ze zjawiskami paranormalnymi, zadał sobie sporo trudu, aby przegrzebać rodzinne genealogie. Efekt był zdumiewający — Sarbut, który po połtawskiej klęsce przedostał się na Litwę, zmienił tam nazwisko na Sarbutowicz. Wiek poźniej przekształciło się ono w bardziej arystokratycznie brzmiące Narbutowicz, natomiast lejtnant Szarow, który na służbie u Piotra Wielkiego doszedł do rangi generalskiej, otrzymał za zasługi majątek Stary Słuck, i odtąd jego potomkowie Starosłuckimi się zwali.

Jeśli dodamy, że Apolonia Narbutowicz była matką Macieja, a Natasza Starosłucka jego babką, nie trzeba wielkiej fantazji, aby wyobrazić sobie, że mój dziadek opisał wielką bitwę tak, jak przeżyli ją jego przodkowie po mieczu i kądzieli.

Mój pradziadek nie wierzył w cuda, magię czy jasnowidzenie, należał do umysłów ścisłych — toteż postanowił ów fenomen zracjonalizować.

Dzięki znanej mu z krótkiego pobytu na Sorbonie Lilianie Lubińskiej dotarł do jej męża Jerzego Konorskiego z Instytutu Biologii Doświadczalnej, wybitnego polskiego neurofizjologa, ucznia Pawłowa. Konorskiego, który po trzyletnim pobycie u Pawłowa w Leningradzie dopiero adaptował się do życia w Polsce, przypadek mego dziadka zafascynował.

Później zdradził, że w trakcie pobytu w ZSRR zetknął się z profesorem Aleksandrem Łurią, a ten wspomniał mu o własnych hipotezach na temat pamięci genetycznej. Konorski odniósł wrażenie, że Łuria wie na ten temat więcej, niż gotów jest powiedzieć, w każdym razie opisał mu (jako anonimowy) przypadek polskiego trzynastolatka, który niezwykle Rosjanina zainteresował. Sugerował nawet, żeby chłopiec odwiedził ZSRR. Kamienieccy odmówili.

I chyba dobrze zrobili. Zresztą „przebicia pamięci" już się u Macieja nie powtórzyły. Tymczasem po wybuchu wojny Konorski znalazł się na terenie ZSRR. Wspólnie z Łurią zajął się tzw. medycyną wojenną, dokonując licznych operacji mózgu. W trakcie tej pracy udało im się odkryć mechanizm „warunkowania instrumentalnego" i przejmowania przez pewne części mózgu funkcji dotąd wykonywanych przez partie, które akurat uległy uszkodzeniu.

Okazało się równocześnie, że rosyjski naukowiec, a może

jego przełożeni, nie zapomnieli o pamięci genetycznej młodego Polaka. Po dłuższych namowach Konorski ujawnił nazwisko swojego pacjenta. Na szczęście zabrakło czasu, aby gestapo na zlecenie sowieckich partnerów odnalazło i wyekspediowało Macieja na Wschód.

„Bóg ustrzegł" — kończy tę cześć swych zapisków mój dziadek.

Wrzesień 1939 roku zastał Jana Kamienieckiego w Paryżu. Od pół roku, świadom nadciągającego konfliktu bezskutecznie oferował swoje usługi polskiej armii. Dopiero w lipcu przyjęto go jako doradcę do zespołu pracującego nad nową generacją maszyn szyfrujących — przypominając sobie o jego pracy w zespole Kowalewskiego — a następnie wysłano do Francji. Z oddali mógł jedynie śledzić doniesienia o niemieckim Blitzkriegu, bombardowaniach Warszawy, w której zostawił rodzinę, i wreszcie o zdradzieckim ataku Rosjan 17 września. Przed ewentualnością paktu nazistów z komunistami ostrzegał swych znajomych w Sztabie Głównym jeszcze późną wiosną, ale został wyśmiany.

„Stalin ręka w rękę z Hitlerem to jakby połączyć ogień z wodą. A co z tego wyjdzie? Tylko dużo dymu".

Po upadku Francji wreszcie doceniono jego talenty. Powołano tajną polską-brytyjską komórkę analityczną, zajmującą się symulacjami perspektywicznymi. Tak naprawdę wiedzieli o niej jedynie Churchill i Sikorski... Chociaż nie tylko oni dwaj. I to się zemściło. Bardzo długo nie doceniano skali penetracji Secret Intelligence Service przez sowieckie służby. W 1943 roku dość zagadkowo wypłynęły w MI 6 dokumenty, które mimo ewidentnych sukcesów Jana Kamienieckiego zachwiały jego pozycją. Papiery, które rzekomo pochodziły z Rosji i Szwajcarii, jakieś nieautoryzowane zeznania, insynuowały jego wcześniejszą współpracę z carską *ochraną*, a potem z wywiadem sowieckim. Bezpośrednio obwiniano go o wawerską wpadkę Dobrolubowa sprzed lat. Nie było, naturalnie, żadnych konkretnych dowodów. Ale w trakcie wojny same podejrzenia wystarczają. Inżynier liczył, że wszystko wyjaśni jego osobista rozmowa z generałem Sikorskim. Niestety, premier zginął podczas pamiętnej katastrofy na Gibraltarze. Jedna z uporczywych plotek mówiła, że wcześniej został zamordowany. Niestety, Anglicy objęli śledztwo ścisłym embargiem. Janowi nie pozostało nic innego, jak złożyć dymisję. Chciał zgłosić się do wojska, choćby jako prosty żołnierz, ale uznano, że jest zbyt stary. Poza tym miał taki słaby wzrok... Przeżył to ciężko. Gdyby nie świadomość, że rodzina w Polsce mogłaby potraktować jego samobójstwo jako przyznanie się do winy, zabiłby się bez wahania. Toteż postanowił wyjechać do Stanów i tam ułożyć sobie życie od początku. Zaczynał od naprawy drobnych urządzeń elektrycznych. Potem zainteresowały go telewizory i rodząca się całkowicie nowa gałąź wiedzy — elektronika. Opatentował pierwszy, zrazu drobny wynalazek. Następne przyszły niejako automatycznie.

Kiedy kończyła się wojna, był człowiekiem całkiem zamożnym, nim zaczęły się swingujące lata 50. — wręcz bogatym.

W maju 1945 roku poleciał do Niemiec i spotkał się tam ze swym synem, który właśnie opuścił wyzwolony przez Amerykanów oflag. Maciek (dziadek w części swych wspomnień pisze o sobie w trzeciej osobie), bohater powstania warszawskiego, miał ochotę natychmiast wracać do Polski. Nie myślał o niczym innym, jak o odszukaniu swojej ukochanej Różyczki Kupidłowskiej (nie miał pojęcia, że naszą babcię tygodnie dzieliły od narodzenia ich potomka), ale Jan Kamieniecki zbyt dobrze poznał istotę komunizmu, by mu na to pozwolić. Próbowali za to odszukać matkę i żonę. Na próżno. Apolonia, przeżywszy cudem powstanie na Starówce, zginęła w najgłupszy możliwy sposób. Podczas segregacji w Pruszkowie nie ujawniła swego szwajcarskiego obywatelstwa, co więcej, z sobie tylko wiadomych względów podała się za osobę młodszą o 10 lat i dlatego trafiła do obozu koncentracyjnego w Ravensbrück, gdzie zmarła na wszystkie choroby tego świata, nie doczekawszy wiosny wyzwolenia.

W tej sytuacji obaj panowie Kamienieccy wspólnie pojechali do Stanów. Czekało ich dostatnie życie. Maciek skończył renomowaną uczelnię i podjął pracę naukową w dziedzinie neurologii, praktykując równocześnie w szpitalu.

Czy wybór właśnie tej specjalności był wynikiem kontaktu z Konorskim, kiedy niczym „królik doświadczalny" przeszedł wszelkie możliwe badania? Trudno orzec. Sam twierdził, że nie był to impuls, a narastające z upływem lat przeświadczenie, że powinien się tym zająć. W każdym razie nauka zaabsorbowała go bez reszty.

Nigdy się nie ożenił, kiedy wreszcie dowiedział się przez Czerwony Krzyż, że Róża Kupidłowska-Podlaska nie żyje (nie miał pojęcia, że 22 lipca 1945 roku zabiło ją NKWD pospołu z rodzimą bezpieką), stracił ochotę na trwałe związki. Jego życie seksualne pozostaje dla mnie zagadką, w pamiętnikach subtelnie milczy, choć niewątpliwie jako mężczyzna przystojny i bardzo witalny, mnichem nie był.

„Chyba jestem niezdolny do życia rodzinnego" — taką uwagę zapisał w chwili szczerości w jednym z tomów swoich wspomnień.

Za to, jeśli tylko mógł, mnóstwo czasu spędzał razem z ojcem, swym mentorem, przyjacielem i mistrzem. Wspólne weekendy, wyjazdy turystyczne. Ciekawa to musiała być para — wdowiec i stary kawaler. Może zresztą dokładniejsze badania wykryją jakieś mniej cnotliwe rozdziały ich życia. Ja ich nie szukałam. Wyglądało, że obaj całkowicie zerwali z przeszłością. Przeszłość jednak o nich nie zapomniała.

Pewnego letniego dnia roku 1963 do domu Jana Kamienieckiego w Wirginii zapukał nieznajomy mężczyzna. W pierwszej chwili mój pradziadek zastanawiał się, czy w ogóle go przyjąć, choroba nowotworowa nieubłaganie postępowała. Ostre fale bólu tylko na krótki czas głuszyła morfina. Ale przyjął.

Gość, szczupły, wysoki, drobnokościsty, chociaż mógł liczyć najwyżej 45 lat, przypominał Janowi postać z dalekiej przeszłości. Przedstawił się jako Nicholas Darlington i zaczął bez dłuższych wstępów.

— Dziękuję, że zgodził się pan mnie wysłuchać. Sądzę, że dysponuję odpowiedziami na wiele kwestii, które nie przestawały pana nurtować od lat. Domyślam się jak bardzo zadręczał się pan pytaniem, kto złamał panu karierę, kto za pomocą fałszywki przekreślił dorobek waszej komórki przy MI 6, przyczynił się do śmierci Sikorskiego i w efekcie do tego, że świat po drugiej wojnie wygląda jak wygląda? Dziś mogę to panu powiedzieć.

— Kim Philby — ubiegł jego informację ojciec.

— Skąd pan wie? — przybysz był wyraźnie zdumiony.

— Domyślałem się tego od lat. Już w trakcie wojny pojawiały się podejrzenia co do jego osoby. Niestety, zbyt wielu ważnych ludzi go chroniło. Niedługo po mojej dymisji awansował podobno na szefa komórki kontrwywiadu zajmującej się Rosją. Dowiedziałem się o tym od przyjaciela. Przeraziło mnie to. Byłem już w Stanach, zajmowałem się czym innym, ale wysyłałem do kierownictwa SIS anonimowe sygnały na temat moich podejrzeń i wyniki moich poszukiwań. Chyba nikt nie potraktował ich serio. Próbowałem zwracać się do Amerykanów... Zero zainteresowania.

— Bez przesady. Pańskie uwagi analizowano z całą starannością. Od 1951 roku, kiedy dzięki naszym naciskom zwolniono Philby'ego ze służby, nie bardzo mógł szkodzić Zachodowi...

— Ale nigdy nie został złapany?

Darlington westchnął.

— Minister Macmillan, późniejszy premier, sprawił, że w 1956 roku przywrócono drania do pracy w SIS. Na szczęście z ograniczonymi kompetencjami. Dostał podrzędną placówkę w Bejrucie. Po ucieczce na Zachód Anatolija Golicyna stało się jasne, że Kim był trzecim obok Burgessa i Macleana ruskim „kretem" w MI 6. I de facto przyznał się do tego swemu zwierzchnikowi. Ten jednak, zamiast go zatrzymać albo po prostu rozwalić na miejscu, pojechał po instrukcje do Londynu. W międzyczasie KGB wywiozło Kima z Libanu pod pokładem statku „Dołmatow" i dostarczyło do Odessy, gdzie powitano go niczym zwycięskiego wodza wracającego do ojczyzny. Piękne, prawda?

— I pan mi to wszystko mówi? Przecież zgaduję, że te informacje mają klauzulę *top secret*. Robi to pan dlatego, że wkrótce umrę?

— Sprawa Philby'ego została zamknięta. A trochę prawdy panu się należy. Poza tym mam pewne rodzinne zobowiązania.

Kiedy nazajutrz przyjechał Maciej, jego ojciec zwierzył mu się, że już od pierwszej chwili rozpoznał swego gościa.

— Jestem pewien. Nicholas Darlington to był Mikołaj Dobrolubow. Malutki chłopiec, którego udało się w porę wywieźć ze Związku Radzieckiego. Dzięki Ci, Boże. Koło się zamknęło. Mogę spokojnie odejść.

Nasz pradziadek umarł w parę miesięcy później. Na pogrzeb przybył Nicholas Darlington z żoną, piękną kobietą z domieszką indiańskiej krwi, w mocno zaawansowanej ciąży. Wymienili z dziadkiem numery telefonów i adresy. Nick mieszkał w miejscowości Fort Meade w stanie Maryland. Przypadkowo tuż obok mieściła się najbardziej tajemnicza z tajnych instytucji USA — Agencja Bezpieczeństwa Narodowego (NSA).

Dziadek nie przypuszczał wówczas, żeby jeszcze kiedykolwiek mieli się spotkać. Jednak mylił się (podobnie jak mylił się jego ojciec, mówiąc o zamknięciu historycznej pętli). Dramatyczna przeszłość miała jeszcze nieraz zaciążyć nad przyszłością. Również naszą.

VII

ZASTAWIAMY PUŁAPKĘ

Adam wtargnął do mego pokoju, zanim zdążyłam do końca sprawdzić, czy Chang ukrył się pod łóżkiem, w szafie, czy jednak definitywnie się ulotnił? Mój braciszek był niesłychanie wzburzony.

— Co ty sobie wyobrażasz, Baśka! — wołał, zaglądając we wszystkie wcześniej zlustrowane przeze mnie miejsca. — Kim ty jesteś, żeby pierwszej nocy w Hongkongu pójść do łóżka z nieznajomym Azjatą?

— Do jakiego łóżka? — Próbowałam udawać obrażoną niewinność. — Co za bzdury wygadujesz, Adasiu! I gdzie tu widzisz Azjatę?

— Sharffer zadzwonił do mnie pięć minut temu i zasugerował szybką interwencję, zanim będzie za późno.

Teraz wybuchnęłam na dobre:

— Chrzaniony Danny DeVito dla ubogich! Co go obchodzą moje sprawy? Niech tę troskliwość zachowa dla kogo innego!

Adam uniósł stojącą na stole szklankę Changa i wysączył resztkę niedopitego przez niego drinka. Potem skrzywił się z obrzydzeniem, jakby przyszło mu wypić cykutę.

— Nie jesteśmy na wczasach erotycznych, siostrzyczko. Mamy do wykonania niebezpieczną misję. Każdy popełniony błąd może nas drogo kosztować. A nie ma nic gorszego, niż zakochać się podczas takiej akcji w partnerze.

— Kto mówi o miłości?

W ogóle mnie nie słuchał. Ciągnął swoje.

— A jeśli chodzi ci o czysty seks, jeśli nie możesz wytrzymać, znajdziemy ci przyjemny lokal dla pań. Ale ja cię za dobrze znam, żebyś poszła na takie proste rozwiązanie.

„Co prawda, to prawda. Oglądając «Emmanuelle» czy «Historię O», gdzie laseczki figlowały ze sobą albo z kilkoma facetami naraz, zawsze chciało mi się rzygać. Zero podniecenia!".

— Idź spać, wytrzeźwiej — kontynuował mój brat, strażnik moralności. — Poza tym, co ty wiesz o tym żółtku? To tylko wynajęty prywatny detektyw. Człowiek od brudnych sprawek, którego dzieli od nas przepaść kulturowa i mentalna. Czy wiesz, że Chińczycy pochodzą od innej małpy?

— To rasistowska teza!

— I mają małe fiuty!

— Rzecz gustu. „Małe jest lepsze, bo nie uwiera!" (złota myśl Lucy).

— A poza tym, mieliśmy zachowywać ostrożność i konspirację. Jakim prawem przyprowadziłaś go do naszego hotelu?

Ten argument był celny.

— No dobra. — Spuściłam z tonu. — Przyznaję: Masz rację! A teraz pozwolisz mi iść spać?

— Jak najbardziej, dobranoc.

Wspominałam już chyba parokrotnie — nie miewam snów. Tym razem moja podświadomość zrobiła wyjątek. Przyśnił mi się Sebastian. Jak najbardziej realny. Bliski, czuły, zakochany... Biegliśmy od przystanku na alei Stanów Zjednoczonych w środku dnia — dookoła mnóstwo przechodniów, dzieciaki na jakimś trzepaku — i w tym szaleńczym biegu zrzucaliśmy z siebie odzież. Pod moim segmentem nie zostało nam praktycznie nic. I wtedy zorientowałam się, że Sebastian jest kobietą.

Ranek w najmniejszym stopniu nie przypominał nocy. Ja byłam ospała, jak to na kacu, Adam powściągliwy, a Chińczyk wytworny, stonowany, w najmniejszym stopniu nie nawiązywał do zdarzeń poprzedniego wieczoru. Formuła „ty", która narodziła się samorzutnie podczas opróżniania minibaru, gdzieś się ulotniła i powróciło staroświeckie: *Yes, madame!* Co się tyczy Sharffera, swoim zwyczajem nie dołączył do drużyny. Czułem jednak, że ma nas na oku. Może wybrał się na szczyt któregoś z drapaczy chmur i stamtąd lornetował naszą ekspedycję.

Motorówka odbiła od brzegu, kierując się w stronę Lantyau Island. Oprócz naszej trójki znajdował się na niej jedynie stary szyper, jak twierdził Joséph Conrad, niemówiący po angielsku, w dodatku prawie ślepy i głuchy.

— To jak mu się udało przeżyć w Hongkongu?

— Nawiał z Chin Ludowych, a sternikiem jest niezrównanym.

Zresztą, nawet gdyby rozumiał naszą mowę, hałas silnika skutecznie uniemożliwiał podsłuch. Sunęliśmy więc po równej, ciemnogranatowej tafli, mając wokół panoramę gór i wieżowców strzelających jak przysadziste pędy jakichś egzotycznych roślin.

— Planujemy polowanie z przynętą — oświadczył mój brat. — Mamy poważne powody, aby sądzić, że proceder porywania jednostek uzdolnionych paranormalnie, ze szczególnymi predyspozycjami do odblokowywania pamięci genetycznej, jest stosowany przez ludzi Dawidowa od lat, przynajmniej od czasu porwania naszego ojca. Ofiary tych porwań trafiają do bazy 1347, koło Birobidżanu. Zamierzamy upiec dwie pieczenie przy jednym ogniu. Sprawić, że podstawiony przez nas człowiek zostanie porwany przez ludzi Dawidowa. Dokona tam rozpoznania...

— I przepadnie na zawsze — mruknęłam. A Chińczyk tylko kiwnął głową.

— To nie takie proste. Błąd, który popełnią porywacze, polegać będzie na tym, że pewni swej bezkarności porwą obywatela USA, myśląc, że nim nie jest.

Ich krok zmusi do działania rząd amerykański. Zażądają wyjaśnień od Rosji, zechcą wysłać kontrolę do ośrodka. My, oczywiście, będziemy monitorować i dokumentować porwanie, a równocześnie pan Chang postara się o dostarczenie dowodów, że ofiarę rzeczywiście przetransportowano do bazy.

— Rozumiem, że wcześniej mam pomóc w przygotowaniu wam tej zasadzki — zauważył domyślnie Chang.

— Niezupełnie. Liczymy, że pomoże nam pan w jej zatrzaśnięciu. Ponieważ trudno przewidzieć, kiedy dojdzie do porwania, rozpoczniemy zarzucanie przynęty w ciągu paru dni. Już dziś powinien pan udać się do Autonomicznego Obwodu Żydowskiego, aby być gotowym w odpowiednim momencie, czyli kiedy dostanie pan od nas sygnał o porwaniu. Trzeba wziąć pod obserwację lądowisko w tajdze. Będziemy potrzebowali potwierdzenia, że ofiara została przetransportowana do bazy. A wtedy tym kłopotem zajmie się już dyplomacja, ewentualnie armia Stanów Zjednoczonych.

— A jeśli się nie uda? Jeśli przeciwnik wyczuje, że to zasadzka?

— Postaramy się, żeby nie wyczuł. Przynęta będzie wyjątkowo łakoma.

— W porządku — na przekór tym spolegliwym słowom w głosie Changa pojawiła się nuta zawodu, że to nie on został przewidziany na głównego rozgrywającego. — Muszę jednak zawczasu wiedzieć przynajmniej, jak będzie wyglądać ów porwany, aby go zweryfikować.

— Zdjęcie może pan dostać już teraz — Adam sięgnął do kieszeni. Ponieważ zaglądałam mu przez ramię, zauważyłam i rozpoznałam twarz „przynęty". Zaskoczenie było duże.

— Jak na wyjątkowe zdolności paranormalne, wygląda dość zwyczajnie — w głosie Josépha Conrada pojawiło się powątpiewanie.

— A jak miałby wyglądać, mieć spiczaste uszy i antenkę na głowie? Jeśli obejrzałby pan wszystkie zdjęcia ostatnio porwanych, to każdy z nich sprawia wrażenie chodzącej przeciętności.

— Rozumiem. To jednak nie umniejsza moich obaw. Z tego, co wiemy, nasi przeciwnicy są ostrożni i inteligentni.

— Dziadek pomyślał o wszystkim. Od pewnego czasu w tajnych mailach do swych przyjaciół wspominał o nowym, genialnie uzdolnionym osobniku. Przesyłał wyniki testów, encefalogramów mózgu, a także retrospekcji sennych wspomnień o niezwykłym stopniu przenikliwości. Oczywiście, czynił to ze świadomością, że jego maile są przeglądane przez obcą agenturę, ergo, prędzej czy później trafią do Dawidowa. Do tej pory chronił tożsamość „badanego obiektu", za parę dni wypuści go w świat, postawi w sytuacji, gdy porwanie stanie się łatwe.

Na miejscu Chińczyka domagałabym się większej liczby szczegółów, ale Chang, jeśli nawet nie czuł się w pełni usatysfakcjonowany, nie dał tego po sobie poznać.

— Pozostaje kwestia komunikacji — rzekł Adam. — Dziadek zapewniał, że zaproponuje nam pan jakiś system łączności... Jak będziemy przekazywać sobie informacje?

— Pomyślałem o tym — Chang otworzył torbę i wyjął z niej dwa aparaty, nieco tylko dłuższe i cięższe.

— Co to jest?

— Telefon satelitarny z przystawką szyfrującą. Może też służyć jako aparat fotograficzny, dyktafon, przystawka łącząca komputer z siecią...

— Sprzedają takie w Hongkongu?

— Powiedzmy, że mam zaopatrzenie z dobrego źródła — uśmiechnął się Joséph Conrad. — Zresztą wszystko jest kwestią ceny. Nie kryję, pewne dodatki zainstalowałem sam. Elektronika to moje hobby.

Instynktownie dotknęłam złotego smoka.

Rozmawialiśmy jeszcze kwadrans, po czym Chang polecił szyprowi zawrócić. Po chińsku zabrzmiało to jak trzy kaszlnięcia. Ale stary marynarz spełnił bezzwłocznie polecenie, łódź położyła się na burtę i wykonała zwrot. Na mój gust wycieczka była za krótka.

W Hongkongu zabawiliśmy jeszcze dwa dni. W tym czasie z Changiem już się nie spotkałam. Zastanawiałam się, czy włącza czasem swój lokalizator i myśli o mnie. Skądinąd poniechałam samotnych wypadów z hotelu. Prawdopodobnie „ponadnormatywny Chińczyk" wyruszył już w długą i niebezpieczną drogę do Rosji. Poznałam za to więcej szczegółów operacji.

Nasz „obiekt szczególny", zwany także „przynętą" miał odwiedzić wybitnego indyjskiego badacza zjawisk paranormalnych Davida Surubati. Nie musiał zresztą w tym celu podróżować do Indii. Profesor Surubati wynajmował na stałe dom na Boracay, wedle przewodnika, który kupiłam na lotnisku, najbardziej romantycznej z filipińskich wysepek. Mieliśmy tam przybyć, każde z osobna, mając do spełnienia różne zdania. Z Ameryki oprócz „wabika" miał dolecieć Leśniewski z Dorotą. Po co dziadkowi potrzebny był aż taki tłum, nie mogłam dociec. Koordynację przedsięwzięcia pozostawiliśmy Sharfferowi, w końcu jedynemu w naszym gronie fachowcowi. Mieliśmy obserwować, ale nie przeszkadzać porywaczom, bo to mogłoby jedynie prowadzić do niepotrzebnych ofiar. Zresztą nasz plan zakładał, że w pierwszym stadium działania wrogów odniosą sukces.

— A jeśli nie podejmą próby? — pytałam Adama.

— Moim zdaniem zmarnowaliby doskonałą okazję. Z pewnością wiedzą, że z Filipin nasza „przynęta" ma wrócić prosto do Stanów, gdzie będzie dla nich praktycznie nieosiągalna.

Następnego dnia z Hongkongu, zgodnie z wcześniejszym planem, przyleciałam do Manili, a stamtąd po pięciogodzinnym oczekiwaniu, w trakcie którego dołączył do mnie podróżujący via Tajpej Adam, udaliśmy się do Catlican, miasteczka położonego na północnym krańcu wyspy Panay. Na Boracay nie było lotniska i jedyny transport odbywał się drogą morską. W dosłownym tego słowa znaczeniu. Stateczki nie dobijały bowiem do brzegu. Przed hotelami nie było żadnego pomostu ani mola. Tubylcy zabierali nasze bagaże i brnąc po pas w wodzie, kierowali się ku brzegowi. Mężczyźni szli w ich ślady, a kobiety były po prostu brane na barana. Na piaszczystej plaży czekały beżowo-złociste tubylki nakładające nowo przybyłym, zgodnie z obyczajem przejętym z Hawajów, wieńce na szyje. Towarzyszyły temu propozycje powitalnych drinków.

Zakwaterowano nas razem z Adamem w hotelu „Waling-Waling". Tuż przy plaży, na wprost malowniczej skałki Willis Rock z figurką Matki Boskiej (Filipiny, jak by nie było, kraj arcychrześcijański). Na tę miniwysepkę w czasie przypływu można było popłynąć, w trakcie odpływu dawało się dojść suchą stopą, jeśli ktoś nie brzydził się zielonkawego kożucha wodorostów. Każdego ranka służba hotelowa pieczołowicie czyściła plażę, ale towarzyskie rośliny co noc powracały. Następnego dnia przyleciał Sharffer, który zaliczył znacznie dłuższą drogę, z noclegiem w mieście Ho Shi Mingha włącznie. Sobowtór Danny'ego DeVito nie spotkał się z nami osobiście, a jedynie przekazał, że już jest i że zamieszkał w hotelu „Bamboo Beach Resort", położonym bliżej centrum wyspy.

Trzy dni po nas do sąsiedniego hotelu „Sea Wind" — na plaży trudno nawet było zauważyć granice między nami — wprowadził się Wiktor Leśniewski z żoną i towarzyszący im w charakterze przynęty „robaczek". Całkiem pokaźny „robaczek" i absolutnie dobrowolny. I co najważniejsze, od lat bezgraniczne oddany profesorowi Kamienieckiemu. W dodatku, o czym Dawidow nie miał prawa wiedzieć, ponieważ rzecz utrzymywano w najgłębszej tajemnicy — od dwóch tygodni pełnoprawny obywatel amerykański — czarnoskóry Raul Sanchez.

~~~

Gdyby nie czyhające zewsząd niebezpieczeństwa, można by pomyśleć, że dziadek zafundował nam i naszym przyjaciołom szampańskie wakacje. Kajmany, Boracay, baśniowe zakątki ze wspaniałą kuchnią i znakomitymi miejscami do nurkowania. A co jeszcze zaplanował? Spacerek po tajdze czy tundrze? Wolałam nie myśleć.

Leśniewscy, oprócz przynęty w postaci Sancheza, przywieźli same dobre wiadomości. Poprawa zdrowia dziadka była wręcz zaskakująca. Do tego stopnia, że w dniu ich wyjazdu Grażyna mogła zabrać starszego pana ze szpitala i wynajętym samolotem przewieźć do Miami, gdzie na północ od centrum miasta, wśród ogrodów, parków i rezydencji podobnych sobie zamożnych emerytów, miał swoją willę z wierną służącą Juanitą.

Obszerny, solidnie wybudowany dom od szpitala dzieliły zaledwie trzy minuty jazdy, od katolickiej parafii („Gdybym nagle potrzebował księdza" — zauważał na poły ironicznie dziadek) jeszcze mniej. Rezydencję w Key West, w której swego czasu odwiedzał go Adam, sprzedał bez większego żalu, mając dosyć napraw po kolejnych huraganach, a szczególnie po „Katrinie", która zerwała dach i połamała co ładniejsze palmy.

— Jest tak zapalony do naszego przedsięwzięcia, że gdyby nie Juanita, która zagroziła, że przywiąże go do łóżka, poleciałby razem z nami — powiedziała Dorota.

Mówiąc szczerze, nie byłam zadowolona z ich przybycia. Znaczy, nie miałam nic przeciwko Wiktorowi, choć na mój gust był zdecydowanie za mało rozrywkowy, jednak jego Dorota działała mi na nerwy. I nie chodzi o to, że pochodziła z jakiegoś podkarpackiego zadupia i robiła wszystko, żeby w skróconym tempie nabrać cech damy i swobody, jaką normalnie daje parę pokoleń inteligencji pracującej. To nawet mogłoby mi imponować. Nie mogłam patrzeć na cierpienia mego brata.

Adam, choć starał się to ukrywać, był w niej najwyraźniej zakochany. I to beznadziejnie. Niemy zachwyt nie szedł w parze z zamiarem odbicia żony Leśniewskiemu. To nie wchodziło w grę. Po pierwsze, ze względu na chorobliwą lojalność mego brata, po drugie, z racji autentycznej miłości panującej w stadle Leśniewskich. Dorotka była nie do wyjęcia. Przynajmniej w dającej się przewidzieć przyszłości. Pozostawała zatem cicha adoracja i poczucie głębokiego niespełnienia.

Nie powiem, po aferze z Katiuchą parę razy usiłowałam zainteresować Adama którąś z moich młodszych koleżanek. W „Polkablu" nie brakowało dupeczek chętnych i gotowych ulec młodemu doktorowi, oczywiście pod warunkiem, że nie zechce rozmawiać z nimi o trzeciej wojnie punickiej czy procesach odpryskowych w latach 50. Sęk w tym, że żadna nie wzbudziła zainteresowania Adama.

Na Boracay również nie brakowało pięknych dziewcząt. Recepcjonistki, a jeszcze bardziej masażystki z pewnością nie pogardziłyby dodatkowym zarobkiem za pracę w nadgodzinach z sympatycznym Europejczykiem. Próbowałam coś namotać, tym bardziej że Adam, wykreowany przez dziadka na przywódcę naszej grupy, wykazywał więcej pewności siebie niż dawniej. Sęk w tym, że pewność ta nie dotyczyła kobiet. Powłóczystych spojrzeń autochtonek jakby nie zauważał, uśmiechy ignorował, a na masaż nie dał się namówić. Jego sprawa!

Jeśli idzie o mnie, następne dni upłynęły mi leniwie, żeby nie powiedzieć ospale. Boracay nie oferowało zbyt wielu szlaków spacerowych, praktycznie miało jedną ulicę biegnącą wzdłuż plaży, na której trudno było zrobić pięć kroków i nie być nagabywanym przez kierowców elektrycznych wózków, stanowiących tutaj właściwie jedyny mechaniczny środek komunikacji. Bazar też nie oferował specjalnie ciekawych rzeczy. To, co było ładne, stanowiło jedynie podróbki dwa razy droższe niż oryginały na Bali. Można więc było się jedynie moczyć w wodzie zbyt płytkiej, żeby pływać, chyba że ktoś miał siłę i cierpliwość iść kilkaset metrów w głąb morza. Bardziej atrakcyjne było korzystanie z usług masażystek rezydujących przy białych łożach pod baldachimem, chłodzonych wietrzykiem dmącym od morza. Najbardziej leniwym pozostawała plaża i rozkosze kulinarne.

Jak mogłam, starałam się odrzucać pokusy podniebienia. Ale ile czasu można się masować. Przeważnie więc szłam plażą tak daleko, jak tylko dało się zajść, wstępowałam gdzieś na drinka i wracałam. Tyle że trochę wolniej. I nic się nie działo. Do czasu.

Pewnego dnia o zmierzchu sączyłam miejscowy koktajl w barze „U Jonasza", kiedy jakichś dwóch gówniarzy, na oko zamożnych Arabusów, na których moja jasna cera i jeszcze bardziej rozjaśnione włosy wywarły widać porażające wrażenie, zaczęło czynić mi, jakby to określił mój dziadek „natarczywe awanse". Być może wzięli mnie za jedną z hurys, samoodtwarzalnych dziewic, czekających na prawowiernego muzułmanina w raju. W każdym razie, nie bacząc na moją niechęć do integracji, uparcie proponowali mi a to drinka, a to spacer pod księżycem. Jeden przysiadł się i nawet usiłował mnie obmacać. Wstałam, położyłam pieniądze na ladzie (barman jakby zapadł się pod ziemię) i wyszłam. Napaleni „synowie szejka" nie rezygnowali. Trzeba trafu, wszystkie taksówki gdzieś zniknęły. Chciało mi się płakać, tym bardziej że wyższy, o cerze porowatej jak pumeks, przypominającej trochę lico Muammara Kaddafiego, chwycił mnie pod ramię. I wtedy pojawił się wybawca. Wysoki, szczupły i umiarkowanie młody. Ale też niestary. Mimo lekko szpakowatych skroni mógł mieć najwyżej czterdziestkę. Nie sprawiał wrażenia wprawionego w ulicznych bójkach mięśniaka. A jednak nie przestraszył się młodych byczków ociekających testosteronem.

Nie znam arabskiego, więc mogę najwyżej wyobrazić sobie przebieg ich konwersacji. Wydaje mi się, że w dowolnym przekładzie na polski brzmiała mniej więcej tak:

— Wydaje mi się, chłopcy, że naprzykrzacie się tej damie.

— Pierdol się, dziadu!

— Obawiam się, że to niemożliwe i jak najuniżeniej proszę was o oddalenie się stąd.

— O w mordę jeża! Chcesz oberwać!?

To, co rozegrało się później, było raczej pozbawione tekstu. Do mnie dotarło ledwie parę efektów i wyrazów dźwiękonaśladowczych. Nie zauważyłam specjalnie zamaszystych ruchów ze strony odzianego w szorty i bawełnianą koszulkę mężczyzny. A jednak... Jeden z napastników zawył i zgiął się wpół, drugi wystartował bykiem, ale zręczny unik szpakowatego sprawił, że „porowaty" minął mężczyznę i walnął głową w kolczaste zarośla. Dla pewności mój wybawca zbliżył się do próbującego powstać z kolan faceta i, słowo daję, naprawdę delikatnie uderzył lamentującego oburącz w uszy. W tym momencie drugi z podrywaczy, z bojowym wrzaskiem rycerzy proroka, ponownie ruszył na niego, ale został powstrzymany. Rozległ się trzask. Nie mam pojęcia, czy taki właśnie odgłos wydaje pękający nadgarstek. Być może. W każdym razie było po walce.

— Czy mogę odprowadzić panią do hotelu? — mężczyzna zwrócił się do mnie po angielsku. — Lepiej nie czekać, aż komuś przyjdzie ochota wezwać policję. Mogłoby się okazać, że to my rzuciliśmy się na tych sympatycznych młodzieńców.

— Na dzisiaj mam dość spacerów, wolałabym taksówkę.

— Jasna sprawa — mój wybawca wyciągnął z kieszeni komórkę i zanim zdołałam mu podziękować, na drodze pojawił się elektryczny wózek.

Ciągle oszołomiona wybełkotałam krótkie „dziękuję". Wózek ruszył. Dopiero po paru minutach zorientowałam się, że jadę w przeciwnym kierunku do właściwego.

— Stop! — zawołałam — do hotelu „Waling-Waling", proszę.

Kierowca spełnił moje polecenie bez ociągania się. Wreszcie uspokoiłam się. I natychmiast zdenerwowałam, tyle że czym innym: „Ależ idiotka z ciebie! — ochrzaniałam się w myślach. — Właśnie poznałaś człowieka, o jakim marzyłaś całe życie. Rycerza z bajki, który stanął w obronie twojej czci i cnoty. Zupełnie bezinteresownie. A ty nawet nie wiesz, jak się nazywa, ani gdzie mieszka?".

Patrząc na ciemnawą ulicę, zobaczyłam naraz szlachetną sylwetkę mego wybawcy, idącego skrajem drogi. Nadal rozmawiał przez komórkę.

Poprosiłam o zwolnienie. Zastanawiałam się, jak zagadać, i doszłam o wniosku, że przecież można zaproponować, że go podrzucimy.

Zrównaliśmy się z mym rycerzem. Już otwierałam usta, gdy usłyszałam dwa słowa wypowiedziane trochę głośniejszym tonem:

„*Wsio w pariadkie*".

Trąciłam w ramię kierowcę i gestem nakazałam mu, by przyspieszył.

„Ja to mam szczęście!".

W hotelowym lobby zastałam Adama, który wyraźnie na mnie czekał.

— Słuchaj — powiedział właściwym dla siebie tonem

nieznoszącym sprzeciwu. — Mam dość bezczynności. Chcemy jutro wybrać się ponurkować.

— Znaczy kto?

— Wiktor, Dorota, ja, Sanchez...

— Przecież Sanchez ma być porwany?

— Jednak nie może przez cały czas zachowywać się jak kandydat na porwanego. I tak jest piekielnie znudzony swoją rolą, dwa razy dziennie chodzi na badania do profesora Surubati i obaj z Hindusem muszą odgrywać komedię z tymi lipnymi testami, licząc, że ktoś to podsłucha...

— Jeśli są podsłuchiwani, to ludzie Dawidowa musieli się już zorientować, że to mistyfikacja!

— Nie za bardzo. Doświadczenia dają znakomite i prawdziwe wyniki.

— Jak to?

— Bo ja w nich uczestniczę. I to są moje wyniki.

Kiwnęłam głową. I zaczęłam pytać o plany *divingu*.

— Gdzie chcecie nurkować? W tej płytkiej zupie?

— Nie żartuj! Firma o nazwie „Lapu-Lapu Diving Center" oferuje coś naprawdę niezwykłego. Rok temu u wybrzeży Panay, to ta duża wyspa, na której lądowaliśmy, odkryto wrak pasażerskiego statku, jednego z tych, którymi po ataku Japończyków usiłowano ewakuować przedstawicieli miejscowej elity do Australii. Trafiony bombami lotniczymi poszedł na dno w styczniu 1942 roku. Mimo że w znacznej mierze rozszabrowany, zachował się podobno w fantastycznym stanie.

— Głęboko leży?

— Gdzieś między 28. a 44. metrem. Damy radę! Kiedy wspomniałem o moich planach Sanchezowi, po prostu wpadł w zachwyt. Pytanie tylko, czy w to wchodzisz?

— Naturalnie.

— No to idź spać i więcej nie pij! Łódź przypływa po nas o siódmej rano.

VIII

...I SAMI W NIĄ WPADAMY

Zanim druga wojna światowa dotarła do południowo-wschodniej Azji, „Król Alfons" (imię to w krajach byłego imperium hiszpańskiego nie budzi tak frywolnych skojarzeń, jak w Polsce) był statkiem pasażerskim, transportującym ludzi na trasach między wyspami Luzon, Cebu i Mindanao. Rola, która mu przypadła zimą roku 1942, była tyle dramatyczna, co krótka. Może gdyby owego dnia panowała gorsza widoczność albo gdyby udało się minąć równik, załoga i pasażerowie znaleźliby się poza zasięgiem maszyn japońskich, z których większość atakowała w tym czasie Singapur, Hongkong i inne cele na Dalekim Wschodzie lub nie wróciła jeszcze z wyprawy na Pearl Harbor. Bomby, które trafiły w śródokręcie „Króla Alfonsa", wyrwały dwa potężne otwory, którymi woda błyskawicznie wdarła się do ładowni. Nie zdążono spuścić szalup ratunkowych, zresztą i tak było ich za mało. Nie nadano również sygnału SOS, bomby zniszczyły maszt radiowy i zabiły radiooperatora. Jednostka zatonęła w kilka minut i tylko nielicznym rozbitkom udało się ujść z życiem, a i tak większa część z nich stała się łupem rekinów lub zaginęła w oceanie. Pojedynczych szczęśliwców w ciągu następnej doby wyłowiły łodzie rybackie. Ponieważ prądy zniosły ich daleko od miejsca katastrofy, wrak przez całe lata mylnie lokalizowano, na dużo większej głębokości uniemożliwiającej penetrację. W ogólnym zamieszaniu zatopienie „Króla Alfonsa", na którego pokładach płynęli głównie podrzędni urzędnicy, wojskowi i trochę tubylczego personelu z ambasad, poszło w zapomnienie. Zresztą nastały lata okupacji japońskiej, a po wojnie, jeśli ktokolwiek szukał wraka, to nie tam, gdzie powinien. I dopiero, całkiem niedawno, analiza zdjęć satelitarnych ujawniła mroczną podłużną bryłę stali, na wpół zagrzebaną w mule na skraju morskiego szelfu.

Trzy godziny zajęła nam podróż do celu. Wypłynęliśmy o czasie, łódź pruła wodę w niesamowitym tempie, a przecież nie przybyliśmy pierwsi. Nad wrakiem zdążyły już zacumować dwa inne nieduże stateczki przystosowane do *divingu*, z charakterystycznymi, srebrzystymi rzędami butli na pokładzie. Po drodze dowiedziałam się, że nazwa firmy — „Lapu-Lapu Diving Center", którą początkowo brałam za onomatopeję, określającą chlapanie się w wodzie lub inną mniej przyzwoitą czynność, odwołuje się do realnej postaci historycznej. Lapu-Lapu, jak opowiadał erudyta Leśniewski, był to znakomity wódz z wyspy Mactan, który osobiście zabił Magellana, kładąc kres jego podróży dookoła świata.

— Czy potem go zjadł? — zapytałam. Obaj moi historycy twierdzili, że nie, ale czy mogłam im wierzyć? Zresztą Adam wydawał się tego poranka senny i rozkojarzony. Twierdził, że całą noc nękały go głupie sny, których nie potrafił zinterpretować.

— Co to były za sny?

Ociągał się z odpowiedzią. Nalegałam. Niechętnie wyznał, że śnił mu się ojciec. A ściślej mówiąc, wyłącznie jego głos wymyślający mu od bezrozumnych gówniarzy w sposób, jaki nigdy dotąd tego nie robił.

— Może chciał cię przed czymś ostrzec? — podsunęłam.

— Gdyby chciał, to by ostrzegł. Poza tym to nie wszystko. Zaczęły się we mnie odzywać, możliwe, że jest to skutek tych wszystkich testów, które odbyłem u profesora Surubati, urwane i pozbawione przyczynowego związku wspomnienia sprzed wielu pokoleń. Dotąd nigdy czegoś takiego nie przeżywałem. Przypomina to wizytę w wielkim, ciemnym, zagraconym magazynie, kiedy promień latarki na chybił trafił wyrywa z mroku, jakieś kształty, obrazy, wspomnienia. Wszystkie okropne: katastrofy, klęski, rzezie...

— Możesz powiedzieć coś konkretniejszego?

— Nie jestem w nastroju, żeby opowiadać! Ale wyobraź sobie taki „rodzinny" album dokumentujący setki, a może tysiące dramatycznych chwil z przeszłości, poczynając od prehistorii.

— To fascynujące!

— Gdyby dało się kontrolować, zapewne. Tyle że ja nie mam żadnego wpływu na to, co wyświetli ta „latarka". Obrazy zmieniały się jak szalone, jedne wypierały drugie. Odurzał mnie zapach krwi, a woda wdzierała się do płuc.

— Jaka woda? Przyśniły ci się wspomnienia praszczura Noego z czasów potopu?

— Powiedziałem woda? Sorry. Miałem na myśli krew. Mnóstwo krwi... I co ciekawe, krew była całkowicie czarna i pachniała ropą naftową...

— Hej, gaduły! Nie słyszeliście? — nad uchem zabrzmiał głos Doroty. — Instruktor wzywa nas na *dive briefing*.

— Już idziemy!

Zgodnie z regułami sztuki nurkowania miejscowy instruktor, o bogobojnym i bardzo na Filipinach popularnym imieniu Jesus, zrobił nam krótki wykład na temat tego, co może nas czekać pod wodą. Narysował schemat wraku „Króla Alfonsa", leżącego ukośnie na skraju szelfu. Wskazał kierunek prądu, szlak eksploracji i ważniejsze punkty, których nie powinniśmy przegapić. Następnie w porozumieniu z Sanchezem podzielił naszą ekipę na dwie grupki, biorąc pod uwagę poziom doświadczeń nurkowych. Ja z Leśniewskimi, pod okiem Filipińczyka, miałam po obejrzeniu rufy i fragmentów śródokręcia wypłynąć, pozostawiając znajdujący się na mniejszej głębokości dziób na następne nurkowanie. (Jedna z zasad *divingu* głosi, że kolejne zanurzenia tego samego dnia powinny być coraz płytsze). Dwaj nasi bardziej doświadczeni panowie mieli zacząć od wraku luksusowego samochodu, którego eksplozja wyrzuciła poza burtę, a dopiero potem wypłynąć nam na spotkanie.

Sanchez osobiście pomógł nam przy zakładaniu ekwipunku i jakby nie dowierzał Jesusowi, sprawdził, czy mamy napompowane kamizelki, czy zawory na butlach są prawidłowo odkręcone, czyli na trzy czwarte. Klepnął każdego i życzył powodzenia: „Niech Jezus będzie z wami!".

Siadłam na krawędzi burty, nałożyłam płetwy, wsunęłam do ust regulator, jedną ręką docisnęłam maskę, drugą przygarnęłam rezerwowy regulator i latarkę, przechyliłam się do tyłu...

Hoop!

Zawsze, kiedy lecę w tej pozycji, obawiam się, że to, na co spadnę, może nie okazać się wodą. Ale i tym razem była to wyłącznie woda. Mokra i w pierwszym zetknięciu — chłodna. Poszłam pod powierzchnią, ale zaraz wypłynęłam, szybko cofając się od burty, aby zrobić miejsce następnym nurkom. Wyjęłam z ust regulator, przechodząc na tradycyjną rurkę. Nie miałam ochoty tracić ani grama powietrza przed głębokim zanurzeniem. Po chwili byliśmy w komplecie. Gestami pokazaliśmy Filipińczykowi, że wszystko OK. A on dał sygnał — na dół!

Wypuściłam powietrze z kamizelki i zaczęłam dość szybko opadać w głębinę.

Może trochę za szybko. Na moment poczułam lekki ból w uszach, jednak ruchy żuchwą i przełknięcie śliny pomogły mi wyrównać ciśnienie. Rzuciłam okiem na mych partnerów. Zdecydowanie wysforowałam się na czoło. Dorota była tuż za mną. Ale Wiktor musiał mieć jakiś drobny problem, bo widziałem, jak poprzez maskę zaciska palce na nosie, usiłując zapewne przedmuchać uszy. Jesus natychmiast podpłynął do niego. Widocznie mu pomógł, bo zaraz do nas dołączyli i mogliśmy kontynuować opadanie. Wkrótce ukazało się dno porośnięte morską trawą. Od jego tła odcinał się ciemny podłużny kształt, którego rozmiarów nie sposób było ogarnąć wzrokiem. Wrak! Równocześnie z każdym kolejnym metrem robiło się ciemniej. I chłodniej. Zawsze przy głębszym nurkowaniu nie mogłam oprzeć się zdumieniu, obserwując stałą utratę barw. W pierwszej kolejności znikały czerwienie, złocistości, zieleń... Dopływając do rufy „Króla Alfonsa" mieliśmy przed sobą świat kojarzący się z letnim zmierzchem lub przypominający obraz ze starej fotografii. Wrak robił wrażenie. Dotąd przeważnie nurkowałam przy jednostkach zatapianych niedawno, specjalnie dla rozrywki płetwonurków, zdezelowanych promach lub niesprawnych kutrach, które nie zdążyły jeszcze skorodować, porosnąć ukwiałami, gąbkami ani dziesiątkami gatunków koralowca, tą patyną podwodnego świata. „Król Alfons" porażał swym autentyzmem. I to nie tylko ze względu na obfitość nowych, słonowodnych mieszkańców. Na moją wyobraźnię oddziaływało raczej wspomnienie tych wszystkich nieszczęśników, dla których pasażerski parowiec okazał się grobem. Wyobrażałam sobie koszmarne chwile sprzed pół wieku, tłum nieboraków przerażonych najpierw widokiem bombowców i zapędzonych pod pokład, a następnie rozpaczliwie próbujących wydostać się z kajut, przygważdżanych pędem wody, szukających kamizelek ratunkowych, łodzi, współpasażerów... Czy w ostatnich swoich chwilach wzywali katolickiego Boga, czy też ginęli owładnięci jedynie zwierzęcym, nieznającym kresu strachem? Minęliśmy nieźle zachowany tył kadłuba, na którym można było jeszcze dojrzeć parę liter z dawnej dumnej nazwy. Na pokładzie ujrzałam resztki, wstawionych zapewne w ostatniej chwili, działek przeciwlotniczych (na niewiele się zdały). Armatki uległy kompletnej korozji, po prostu roztopiły się i wyglądały teraz jak kupa smoły. Instruktor wskazał otwór po nieistniejących drzwiach, zapalił latarkę i jako pierwszy wpłynął do wnętrza kadłuba. Poszliśmy w jego ślady. Już po chwili miałam dosyć, kiedy nieomal otarła się o mnie ogromna ośmiornica, wypłoszona ze swego matecznika. Jej błoniaste ciało poruszało się z niebywałą gracją, w świetle naszych latarek zmieniała kolory jak kameleon. Okropnie żałowałam, że w odróżnieniu od Sancheza czy Adama nie mam noża przytroczonego do łydki. Co zrobię, jeśli oplotą mnie ramiona potwora i przyssą się przyssawki? Zdaje się jednak, że ośmiornica była równie przestraszona co ja i nie miała najmniejszego zamiaru się przysysać. Płynęliśmy dalej, pomiędzy kabinami, dopływając do bezpośredniej strefy uderzenia, gdzie w obliczu pogiętych blach i resztek połamanych schodów trudno było odtworzyć sobie pierwotny wygląd statku.

Cały czas bałam się, że natrafimy na zwłoki, w końcu zginęło tu paręset osób, mimo że już wcześniej Adam pocieszył mnie, że wskutek działalności krabów, ryb i innych padlinożerców trafić możemy jedynie na buty. Z jakiegoś powodu buty marynarzy nie interesowały nikogo. Może nie docierali tu Ruscy?

Znów zrobiło się jaśniej. Wypłynęliśmy na otwartą przestrzeń. Z przodu zamajaczyły sylwetki nurków z innej grupy, kierujących się już ku powierzchni.

Instruktor podpłynął i sprawdził nasze manometry. W kilkanaście minut skotłowałam dwie trzecie powietrza z butli. Ale przy tej głębokości nie było to nic dziwnego. Zapas, który na płyciźnie wystarczyłby na półtorej godziny nurkowania, poniżej trzydziestego metra zużywa się szybciej niż papier toaletowy w damskiej ubikacji. Jesus skierował oba kciuki do góry, pokazując, że mamy zacząć wypływać. Wolno, spokojnie, bez dopuszczania powietrza do kamizelek, co mogłoby się skończyć wystrzeleniem w górę na podobieństwo korka i chorobą dekompresyjną. Wypływaliśmy więc po lekkim skosie, sunąc wśród gapiących się na nas ryb, ponad zniszczonymi kominami, mijając drapak pogruchotanego masztu, na którym bujnie rozmnożone ukwiały przypominały chorągiewki sygnalizacyjne, cały czas dążąc ku powierzchni wyglądającej od dołu jak sklepienie kryształowego pałacu.

Ostrzegawczy pisk komputerka na mym przegubie dowodził, że wypływałam za szybko. Próbując zwolnić, wypuściłam resztę powietrza. Jesus znalazł się koło mnie. Spokojnie! Pokazał poniżej stępki naszego statku, którego cień na wodzie nagle stał się widoczny, wiszącą butlę, obciążaną ołowianymi ciężarkami, zapas ratunkowy dla tych, co nie zachowali dość rozwagi i wypływali na resztkach powietrza. Albo i bez niego.

Nie chcąc dać się wynieść na powierzchnię, przywarłam do tej butli i odczekałam przepisowe trzy minuty, potrzebny na wydalenie azotu z naczyń włoskowatych. Komputer wskazał wreszcie „no decompresion time", więc pokazałam instruktorowi, że wszystko w porządku, i wypłynęłam.

Cóż za odmienny świat! Nasz stateczek kołysał się w oślepiających promieniach słońca. Jedna z łodzi „parkujących" wcześniej obok nas, już odpłynęła, ale właśnie cumowały dwie następne. Jesus pierwszy wyskoczył na pokład. Potem wychylił się, zabrał ode mnie płetwy, ciężki pas balastowy, następnie butlę razem z kamizelką. Później zajął się Dorotą i Wiktorem. Dla relaksu opłynęłam dwa razy stateczek, a następnie wyskoczyłam na pokład. Wysunęłam się jedynie z górnej części mokrej pianki. Powinnam rozebrać się cała, ale nie chciało mi się — tym bardziej że było ciepło, bezwietrznie, a ja zdążyłam już przywyknąć do morskiej soli. Zresztą za godzinę czekało nas drugie, zapewne równie emocjonujące nurkowanie. Szyper przyniósł słodką wodę i postawił przed nami michę świeżych owoców. Zgłodniała — wyjechałam, nie zdążywszy nawet zjeść śniadania — rzuciłam się na te ananasy, melony, winogrona...

Nie dziw, że ledwie zaspokoiłam pierwszy głód, zaraz zachciało mi się spać. Wyciągnęłam się na ławce. Przymknęłam oczy. Boże kochany, jaki ten świat może być piękny, nawet gdy jest się starzejącym singlem.

Ale nie dane mi było się zdrzemnąć na dłużej. Podszedł do mnie Wiktor.

— Coś długo nie wypływają — powiedział z nieskrywanym niepokojem w głosie.

Otworzyłam oczy i popatrzyłam na zegarek. Rzeczywiście Upłynęło już 45 minut od początku naszego zanurzenia. Przy tych głębokościach — sporo! Zauważyłam, że porządnie zdenerwowany Jesus zakłada ponownie kombinezon i montuje regulatory na butli. Do pomocy wezwał z drugiego stateczku kolegę instruktora, na odmianę noszącego imię Mario.

— Idziemy z wami! — zawołałam.

— Zostańcie na pokładzie — przekonywał Filipińczyk.

— Nie ma mowy! — solidarnie wsparli mnie Wiktor z Dorotą.

Po chwili znów byliśmy pod wodą. Tym razem jednak Jesus nie schodził tak głęboko, jak poprzednio. Niczym ptak drapieżny, lustrujący swój rewir w poszukiwaniu zdobyczy, posuwał się dość wysoko ponad pokładem „Króla Alfonsa". Koło rufy zobaczyłam szóstkę, może piątkę nurków. Ale to nie byli nasi. Trzymali się razem i żaden nie miał pomarańczowych płetw jak Sanchez.

Jesus dopłynął do dziobu i zatrzymał się. Ręką wskazywał coś w dole. Podpłynęłam bliżej niego i również zobaczyłam pęcherzyki wydobywające się spod pokładu. Ktoś tam był. Zanurkowaliśmy w kolejną mroczną dziurę. Na szczęście Jesus nie zapomniał latarki. W ciemnym pomieszczeniu dostrzegłam człowieka wiszącego przy samej ścianie. Delikatny ruch pomarańczowych płetw wskazywał, że żyje i cierpliwie czeka na ratunek. Ale dlaczego nie ruszał się z miejsca? Snop światła wyłonił rękę przykutą błyszczącymi kajdankami do jakiegoś wspornika. Ten był mocno nadpiłowany, ale wciąż się trzymał, uniemożliwiając uwolnienie ręki. Sanchez zauważywszy naszą obecność wskazał nóż, który musiał wysunąć mu się z dłoni i leżał metr poniżej, na podłodze. Podałam mu, a Jesus wydobył swój, zaopatrzony w solidną piłkę. Starczyło pół minuty, by ręka został oswobodzona. W tymczasie Mario podał zapasowy regulator doprowadzający powietrze z jego butli. Zobaczyłam, że Raul zaciągnął się głęboko. Jego manometr wskazywał kompletne zero. Przybyliśmy w ostatniej chwili!

Rozejrzałam się po pomieszczeniu. Oprócz Raula i nas nie było tu nikogo.

A gdzie Adam? Co tu w ogóle się stało?

Próbowałam nakreślić wielki znak zapytania. Sanchez odpowiedział gestem (zaciśnięta pięść!) wskazującym na niebezpieczeństwo i nakazał nam wypływać... Czyżby we wraku pojawił się rekin? Ale jaki rekin przykuwa swoje ofiary kajdankami?

W trakcie przymusowego postoju na piątym metrze wszystko w mojej głowie zaczęło się składać. I były to puzzle przerażające. Niestety, moje najgorsze obawy potwierdził Sanchez, kiedy tylko weszliśmy na pokład.

Napastnicy czekali na nich przy samochodzie leżącym obok „Króla Alfonsa". Było ich czterech, dwóch od razu pochwyciło Adama, grożąc przecięciem przewodu doprowadzającego powietrze.

— Natychmiast pociągnęli go w górę — opowiadał Kubańczyk. — A ja nie mogłem nic zrobić. Trzeci z tych łotrów, który cały czas groził wycelowaną w moją pierś kuszą, zmusił mnie, bym dopłynął do tej ładowni, gdzie jego kumpel niczym sprawny policjant przykuł mnie do wspornika. Nie mam pojęcia, dlaczego mnie nie zabili od razu. I dlaczego porwano pana Podlaskiego, a nie mnie?

— Obawiam się — powiedział Leśniewski — że zostaliśmy przechytrzeni. Ludzie Dawidowa musieli jakoś się dowiedzieć, że nie Raul, a Adam jest osobą, z której mogliby mieć pożytek. Jeśli tak, to udało im się załatwić nas dubeltowo! Nie tylko udaremnili naszą akcję, ale zyskali nowy cenny eksponat w swojej kolekcji jednostek obdarzonych nadzwyczajnymi uzdolnieniami.

Po statku, który niedawno cumował obok nas, nie było śladu. Nawet plamki na horyzoncie. Marynarze z sąsiedniej jednostki nie zauważyli nic podejrzanego na jego pokładzie, zresztą zajęci swoimi pasażerami nie mieli czasu, by się przypatrywać. W dodatku łódź prawdopodobnych porywaczy ustawiła się tak, aby ewentualny załadunek czego- lub kogokolwiek na opuszczaną z tyłu platformę znalazł się poza zasięgiem wzroku sąsiadów.

— Zaskoczyło nas jedno — powiedział jeden z nich. — Dlaczego łódź, z dość odległego Culasi, w dodatku z firmy, której nie znamy, odpłynęła po jednym i w dodatku bardzo krótkim nurkowaniu, skoro w okolicy nie ma innego miejsca wartego zanurzenia.

Wiktor, który jako jedyny nie zapomniał o zabraniu satelitarnego telefonu, zadzwonił do Sharffera. Tima po prostu zatkało, ale kiedy minął szok, obiecał, że weźmie na siebie zawiadomienie policji i straży przybrzeżnej. Obiecał też nawiązać kontakt z naszym dziadkiem, a także porozumieć się z Changiem.

— Tyle że co to może dać? — zastanawialiśmy się z Leśniewskimi. — Nawet jeśli zyskamy potwierdzenie, że mój brat dotarł na lądowisko w Birobidżanie, użytek z tego będziemy mogli zrobić niewielki, potężna Rosja wyśmieje każdy protest lub żądanie rządu polskiego.

Toteż kiedy powracająca łódź cięła wśród rozbryzgów piany połyskliwą powierzchnię morza Sulu, mogłam tylko siedzieć w kącie kabiny i ryczeć jak bóbr, którego w dodatku rozbolały zęby.

Do wieczora trwały nasze przesłuchania na policji. Oczywiście, nikt z ekipy nawet nie pisnął o prawdziwych celach pobytu na Boracay ani o planach naszej operacji, koncentrując się wyłącznie na przebiegu zdarzeń i ewentualnych sprawcach. Miejscowym władzom, żyjącym z turystyki, szalenie zależało na wyjaśnieniu dramatycznego zdarzenia. Tym bardziej że dotąd nie spotkali się z podobną sprawą. Owszem, zdarzały się kradzieże, nawet rozboje, ale bez zejść śmiertelnych. W południowej części Filipin ekstremiści islamscy uciekali się do porwań, najczęściej dla okupu, ale tu, w centralnych regionach archipelagu nie odnotowano podobnych incydentów.

Niestety, nic nie wskazywało na to, że cokolwiek uda im się wyjaśnić. Łódka, która towarzyszyła nam podczas nurkowań, przybyła znikąd i rozpłynęła się w niebycie. Firma z Culasi, pod którą się podszywała, zaprzeczyła istnieniu tej jednostki, a także wysłaniu dziś kogokolwiek w stronę wraka. Co ciekawe, do szybkiej, choć nie najmłodszej łodzi nie przyznawała się żadna ze szkół *divingu* z Boracay i Panay. Naturalnie mogła przybyć z dalszej odległości, ale to wskazywałoby, że atak był całkowicie przypadkowy. W końcu do poprzedniego wieczora nikt z nas nie wiedział, że wybierzemy się nurkować, ani tym bardziej gdzie. Adam udał się do „Lapu-Lapu Diving Center" około dziewiętnastej. Potwierdził nasz wyjazd o godzinie 22. Jesus i jego starszy brat Alvaro (szef firmy) przysięgali na wszystkie świętości, że nikogo nie informowali o planowanej wyprawie.

— Ale jeśli ofiara — tłumaczyli nam policjanci — wybrana została na chybił trafił, nie wchodziło w grę porwanie dla okupu. Rozpatrywali możliwość pochwycenia Adama w celu kradzieży organów.

Odpowiadaliśmy, że krótkowidz Podlaski, posiadacz platfusa i słabych nerek był bardzo średnim materiałem dla łowców przeszczepów.

Inna sprawa — hipotezy miejscowej policji nie bardzo nas interesowały. Mieliśmy swoją, prawie stuprocentową, toteż bardziej zależało nam na działaniach. Trudno byłoby twierdzić, że ich nie podjęto. Miejscowe władze robiły wszystko, co było w ich mocy. Wzmożono kontrolę lotnisk i portów. Gdyby usiłowano wywieźć tą drogą Adama z Filipin — porywacze napotkaliby naprawdę spore trudności. Jednak nie pojawił się najmniejszy sygnał, że próbowali.

Tymczasem tuż przed zmierzchem dotarła wiadomość, że koło wyspy Panay znaleziono resztki stateczku, który uległ katastrofie. Niedopalone szczątki unoszące się na wodzie wskazywały na silną eksplozję i pożar. Na 90 procent była to poszukiwana łódka. Tylko co stało się z załogą, porywaczami, Adamem?

Wracałam do hotelu w najwyższym stopniu zrozpaczona. Obok lęku o los brata równie przerażająca była myśl: co ja powiem Grażynie?

Na wysokości baru „U Jonasza" przyszła mi do głowy pewna myśl:

— Wysadźcie mnie tu na chwilę! — poprosiłam Sancheza i Leśniewskiego. — I zaczekajcie spokojnie w tej rikszy.

Podeszłam do barmana. Dyżurował ten sam krępy tubylec, co wczorajszego wieczoru.

— Pamięta mnie pan?

Filipińczyk wybałuszył swoje skośne oczy, ale nic nie powiedział.

— Wypiłam u pana trzy drinki. — Szybko sięgnął po szklaneczkę i zaczął mi nalewać, ale powstrzymałam go.

— Dziś nie piję. Wczoraj trochę przeholowałam i trudno się dziwić, że zaczęło się dowalać do mnie dwóch gówniarzy.

— Niczego nie widziałem! — zapewnił barman.

— Wiem, że pan niczego nie widział, bo gdy zaczęło się robić gorąco, wszyscy po prostu schowaliście się na zapleczu. Na szczęście w mojej obronie wystąpił nagle jakiś mężczyzna, szczupły, wysoki...

— Powiedziałem, że nic nie wiem i niczego nie widziałem.

Wyciągnęłam studolarówkę i zmięłam mu ją przed nosem, tak jakbym usiłowała wycisnąć z niej wartość dodatkową.

— Chcę się z zobaczyć z tym gościem, podziękować mu osobiście...

Załapał. Napalona panienka szuka swego wybawcy. Łapczywie chwycił banknot i schował do kieszeni.

— Rzadko tu wpada. Ale chyba mieszka w „Boracay Regency". Nie jestem pewien...

— No to proszę się dowiedzieć. Zapłacę ekstra.

Przełknął ślinę. I uśmiechnął się wyraźnie rozluźniony.

— Chyba to nie będzie potrzebne, bo właśnie tu idzie.

Rzeczywiście, mój rycerz przystojniaczek wyłonił się z cienia jak ruska baba z drugiej baby i był wyraźnie zaskoczony moją obecnością przy barze. Musiał zdziwić się jeszcze bardziej, kiedy podbiegłam do niego i zaczęłam bez opamiętanie grzmocić go piąstkami, wrzeszcząc po polsku:

— Ty porywaczu, ty skurwysynu, ty rusku!

Sanchez i Wiktor z Dorotą, którzy wysiedli z elektrycznej taksówki, przyglądali się mojej furii w milczeniu.

Atakowany przeczekał ją. A kiedy pierwszy impet osłabł, uśmiechnął się wyrozumiale.

— Jest pani bardzo nerwową osobą, panno Barbaro. Dziadek dużo mi o pani opowiadał. Ale powiem szczerze, chyba nie docenił.

— Mój dziadek? — z osłupienia przestałam go bić.

— Profesor Maciej Kamieniecki. Współpracujemy ze sobą od lat, można nawet powiedzieć, że od trzech pokoleń. Zdaje się, że wczoraj popełniłem poważny błąd, nie przedstawiając się pani. Proszę pozwolić mi to naprawić. Jestem Nick Darlington junior. Dla przyjaciół doceniających dbałość o etniczne korzenie — Nikołaj Dobrolubow II.

IX

ODMIENNE STANY ŚWIADOMOŚCI

Nigdy nie przepadałam za historią. Szczerze mówiąc, w szkole nienawidziłam jej serdecznie, na równi z chemią organiczną. Inna sprawa, że jako małolata nie przepadałam za żadną ze szkolnych dyscyplin, może z wyjątkiem WF, z którego byłam zwolniona, i angielskiego — profesor Bodziak, ksywka „Bond", był zabójczo przystojny. Nawet kiedy zmądrzałam, nie potrafiłam pojąć, co tak bardzo pociąga Adama w dziejach ludzi, którzy dawno nie żyją, i skąd ten zapał do spraw, po których nawet smród wywietrzał? Nie kręciło mnie to za grosz. W Łazienkach zwracałam uwagę wyłącznie na ryby w stawie, w Zamku Królewskim na parkiety, a w Wenecji na urodę gondolierów. Przeważnie imigrantów z Albanii. Nawet kiedy nieco zmądrzałam, obejrzałam trochę filmów, a Adam wmusił we mnie parę książek, nie nabrałam szczególnej sympatii do przeszłości, czego najlepszym dowodem są moje lufy w indeksie z nieszczęsnego kulturoznawstwa.

Dopiero te wakacje i pamiętnik Macieja Kamienieckiego dokonały przewartościowań w mojej głowie... Może dlatego, że to, o czym teraz czytałam, dotyczyło nas osobiście i rzutowało na nasze losy. Wspomnienia mego dziadka dość radykalnie zmieniły moje nastawienie. Historia okazała się czymś żywym, przekazywanym z pokolenia na pokolenia, niezależnie od naszej woli, jak dziedziczny pieprzyk czy habsburska warga. Choć moja pamięć genetyczna śpi, czasami, zwłaszcza kiedy się napiję, zaczynam wyobrażać sobie te miliony, ba miliardy osobników, którzy od początku świata spotykali się (i dymali), żeby wyprodukować taki średnio udany model jak ja. Jaki to hałas i ile energii!... Wydaje mi się, że niekiedy dostrzegam wokół cienie tych wszystkich facetów i kobiet w śmiesznych ubraniach (lub bez), że czuję w komórkach ich bóle, tęsknoty i upojenia...

Nie wiem, jak wytłumaczę to Lucy, że od pewnego czasu los jakiegoś mego dalekiego antenata jest mi równie bliski jak mały paluszek lewej nogi poddawany pedicure. (Inna sprawa, że dla Lucy słowo „antenat" oznacza zapewne montażystę anten satelitarnych). Tylko czy mogę się jej przyznać, jak bardzo bym chciała, żeby moje dzieci, wnuki, praprawnuki — będę je miała, jeśli nie da się inaczej, to po pięćdziesiątce załatwię je sobie in vitro! — pamiętały, że gdzieś kiedyś na początku XXI wieku żyła sobie taka Baśka, głupia dziewczynka, która w trzydziestym trzecim roku swego życia zaczęła mądrzeć.

A skoro wspomniałam o pamiętnikach dziadka, chyba podkreślałam już, że nie opisują one rodzinnej genealogii linearnie dzień po dniu, tylko koncentrują się na najbardziej istotnych momentach, z których ja dodatkowo wybieram tylko to, co potrzebne jest do zrozumienia obecnych zdarzeń.

No, więc trzecia część tych memuarów dotyczyła końcówki lat 60., owych szalonych lat, które zmieniły Amerykę, „bezpowrotnie" — jak uważa lewica lub „na stanowczo zbyt długi czas" — jak próbują się pocieszać konserwatyści.

Naraz spokojne uczelnie i uniwersyteckie campusy znalazły się w oku libertyńskiego cyklonu czy raczej setki cyklonów składających się na jeden wir, który pochłonął starą Amerykę...

Dziadek, przywiązany do rosyjskiego porzekadła *z żyru biesitsa*, napisał, że młodzieżowa rewolta dzieci Marksa i coca-coli wzięła się z paru elementów — demograficznego wyżu, dobrobytu i konsumpcyjnego stylu życia, który właśnie ogarnął USA, oraz rosnącej mocy telewizji, która w polityce, w miejsce racjonalnej gry ścierających się poglądów, wprowadziła pierwiastek emocjonalny. Wybory zaczęli wygrywać młodsi, wyżsi, przystojniejsi. A wkrótce idee i osobowości sprzedawano jak proszki do prania.

Noblista introwertyk, jeśli nie pobierał nauk u współczesnego retora, nie miał szans w zderzeniu z kurwiszczem o mentalności sprzedawczyni z McDonalda, za to dysponującym medialną charyzmą. (Nixon przegrał o włos prezydenturę z Kennedym, bo jak wiadomo, przed wejściem na wizję nie dał się upudrować i na debacie się spocił).

Jeszcze rok temu za podobne sformułowania skoczyłabym dziadkowi do gardła, dziś, kiedy po moich doświadczeniach z Polkablem przejrzałam na oczy (nic nie robi tak dobrze jak solidny łomot), z bólem byłej postępówki muszę przyznać temu białemu, szowinistycznemu, heteroseksualnemu starcowi rację.

Pisał Maciej Kamieniecki:

„Czwarta władza, nie wiem, czy i na ile sterowana przez jakieś mroczne siły zewnętrzne, poczuła się w tym czasie hegemonem zdolnym kształtować historię. Jedna umiejętnie sfotografowana, zapłakana wietnamska dziewczynka znaczyła dla nastrojów w kraju, ergo przyszłości wojny w Indochinach, więcej niż trzy orędzia prezydenta i pięć raportów Kolegium Połączonych Szefów Sztabów. Protesty wylały się na ulice, ponieważ pokazywała to telewizja. Kto ruszyłby się z domu, gdyby trwała nadal era radia? Nie wiem, dla kogo pracowali szlachetni i bezinteresowni obrońcy wolności — Bob Woodward i Carl Bernstein z «Washington

Post». W każdym razie dla wrogów Ameryki zrobili więcej niż zjednoczeni wspólnotą nienawiści wszyscy przeciwnicy USA razem. W newralgicznym momencie dziejowym media obaliły Nixona, przy okazji wpędzając Indochiny w łapy komunistów, co zaowocowało wyrżnięciem jednej trzeciej mieszkańców Kambodży. Ale nigdy nie wzięły za to odpowiedzialności. Co gorsza, przy okazji «walki z patologiami Watergate» rozmontowano specsłużby, podkopując zaufanie społeczeństwa do nich, co pokutuje do dziś we wszystkich idiotycznych powieściach i filmach akcji, gdzie głównym wrogiem Stanów Zjednoczonych są ci, którzy ich bronią.

Aberracja powinna być łatwa do zdemaskowania, a jednak lewackie manipulacje trafiały znakomicie do pokolenia urodzonego po wojnie, które — przekładając wykwintny styl dziadka na współczesną polszczyznę — chciało żyć, bawić się, pieprzyć z kim się chce i kiedy chce, bez zahamowań swych bogobojnych rodziców i bez oglądania się na konsekwencje. (Zresztą jedyne wyobrażalne dla tych młodych ludzi konsekwencje wyeliminowała pigułka antykoncepcyjna). To wówczas miliony tylnych siedzeń samochodów spłynęły obficie krwią dziewiczą. Cnotę uznano za coś *démodé*, a czystość stała się pojęciem wyłącznie higienicznym. W dodatku pokolenie dzieci kwiatów dość miało dyrdymałów wapniaków o D-day w Normandii czy wojnie w Korei. Wietnam był dla nich brudnym konfliktem o nic. Rosyjskie niebezpieczeństwo realizowane za pomocą taktyki salami, wskutek której wolny świat tracił kolejne kraje na rzecz kacapskiej wersji komunistycznej utopii, wydawały się równie nierealne, jak przygody Kaczora Donalda. Czasami żałuję nawet, że naszym milusińskim nie było dane zasmakować sowieckiego systemu — narzekał Kamieniecki. Macie pojęcie, co by to było, gdyby pewnego dnia mieszkańcy Los Angeles czy Chicago zobaczyli wkraczających do miasta Czerwonych Khmerów (jak w Phnom Penh)? Zresztą po co Khmerzy, wystarczyliby czerwonoarmiści, by nie przejść takiej szkoły przetrwania.

Darlington twierdził, że w katastrofie o nazwie Wietnam nie bez winy było nasze przywództwo polityczne. Wojna szybka, jednoznaczna, prowadzona przez zawodowców, którym jasno mówi się: «Wróćcie do domu dzień po tym, jak zwyciężycie», mogła przynieść efekty. Praktyka wysyłania do Azji kolejnych roczników wydelikaconych dzieciaków zdemoralizowała miliony. Część z nich wróciła chlubnie w trumnach, ale zdecydowana większość — pokrzywiona, znerwicowana, garnąca się ku używkom.

Rewolucja — pisał mój dziadek — która spadła na nasz spokojny nowoangielski uniwersytet, miała parę wymiarów. Groteskowy, polegający na tym, że młodzież paliła marihuanę i staniki, domagając się wolnej miłości, i ten rzeczywiście groźny, który najłatwiej określić słowem «śmierć autorytetom». «Zabrania się zabraniać!». Hasła godności studenta i jego równości z profesorem de facto uniemożliwiały proces dydaktyczny, obłędnie rozumiana afirmatywność wobec mniejszości narodowych generowała sytuację, w której dzieła Williama Szekspira były tyle samo warte co brednie jakiejś zaćpanej półanalfabetki, białej inaczej, która właśnie zeszła z drzewa. «Nie ma jednej prawdy. Wszystko jest względne. Każdy ma rację». Dokąd podobne hasła miały nas zaprowadzić?

Nieraz zadawałem sobie pytanie, czy wszyscy poza mną zwariowali? Podejrzewam, że w tamtych czasach, mimo że demonstracje lub orgie typu Woodstock były bardziej spektakularne, znakomita większość ludzi zachowała zdrowy rozsadek. Tyle że wolała się z nim nie wychylać".

Dziadek nie był tchórzem. Nie ugiął się i nie podwinął ogona pod siebie przed rozgorączkowanymi gówniarzami usiłującymi zrobić kibel z jego gabinetu. Odmówił samokrytyki przed radą wydziału. Wygłaszał niezależne sądy, a nawet próbował wydawać publikacje dalece niepoprawne i zdaniem pewnej zidiociałej z powodu chronicznego seksualnego nie-zaspokojenia feministki — rasistowskie. W efekcie on, jeden z najlepszych profesorów w dziejach zasłużonej uczelni, zna-lazł się na bruku.

Ale sam się prosił. Jego teoria „stymulacji kompensacyj-nej", tłumacząca wiele pozornie niezrozumiałych zachowań kontrreakcją na nieuświadomione urazy z dzieciństwa, mogła być jeszcze przyjęta przez naukowy *main stream*, jednak dal-sze uwagi o konieczności przymusu i autorytetu w procesie socjalizacji dziecka — trąciły czystą herezją. Artykuł o psy-chiczno-kulturowych, a nie genetycznych uwarunkowaniach homoseksualizmu (dziadek uznawał pederastię za wyleczal-ną jednostkę chorobową) skutkował przypięciem mu doży-wotniej łaty homofoba. A głośna publiczna polemika z guru amerykańskiego lewactwa Noamem Chomskym na temat „Kategorii prawdy w archetypie cywilizacyjnym", w której z proroka postępu wylazł zacietrzewiony dyletant, pogrążyła naszego dziadka w piekle przeznaczonym dla antysemitów.

Dzięki Bogu, miał z czego żyć — kapitał zgromadzony przez Jana Kamienieckiego pomnażał się sam, szybciej niż ktokolwiek mógłby nadążyć z jego wydawaniem, jednak Maciejowi nie chodziło o pieniądze i przyjemności. Bardzo źle znosił bezczynność. W dodatku jako typowy mózgowiec uznał, że szaleństwo, z którym przegrał, jest zjawiskiem god-nym zbadania. Zbiorowe aberracje milionów głów domagały się wyjaśnienia. Na ile w generowaniu ludzkich postaw od-grywały rolę afrodyzjaki typu władza, bunt, poczucie wspól-noty, na ile rzeczywiste narkotyki? — pytał w liście do przy-jaciela z Uniwerytetu Columbia. Aliści przyjaciel udzielił od-powiedzi, zanim jeszcze otrzymał przesyłkę, okręcając sobie łeb foliową torbą i zaciskając pętlę.

Trudno się dziwić, że nasz dziadek odpowiedzi na swoje pytania postanowił szukać u źródeł (najchętniej Amazonki bądź Orinoko). Z tego powodu, w połowie 1969 roku, idąc wzorem Darwina i Humboldta, którzy inspiracji dla swych teorii szukali w plenerze, znalazł się na pokładzie parowca podążającego w górę legendarnej rzeki Orinoko. O części rezultatów naukowych tej podróży może przekonać się każdy pilny czytelnik prasy naukowej. Poza tym profesor Kamieniecki opublikował parę ważnych książek. Między innymi o roli narkotyków w dezintegracji osobowości i o trwałych odkształceniach charakterologicznych, będących następstwem nałogu. Jednak prawdziwe dzieło jego życia było znane jedynie nielicznym.

„Z wysokości *tepui*, jednego z licznych płaskowyżów w wenezuelskim interiorze, zielona selwa przypomina spokojne morze. Jest bezkresna i jednostajna, nie widać rzek, dróg i ścieżek, jeśli nawet są. Daremnie za pomocą najmocniejszej nawet lornetki próbujesz wypatrzeć jakieś zwierzę. Czasami zmatowiały od wilgoci błękit przetnie sylwetka szybującego sępa. Legendy krążą o skarbach, które skrywa ten kożuch puszczy, o zaginionych miastach, z których jakieś może okazać się osławionym Eldorado, o porzuconych kopalniach diamentów, czekających na swego odkrywcę, wreszcie o tajemniczych zwierzętach z odległych epok geologicznych, które jakoby przetrwały w najdzikszych zakamarkach lądu — plejzozaurach, mastodontach czy nawet małpoludach.

Tajemnicze płaskowyże (najsłynniejszy z nich, Sierra Roraima, posłużył sir Arthurowi Conan Doyle'owi za scenerię słynnego *Świata zaginionego*) są przeważnie bezludne, wedle Indian zamieszkują je złe duchy, zwane *canaima*, którym lepiej nie wchodzić w drogę. Sęk w tym, że ja właśnie chciałem poznać takiego ducha. Towarzyszył mi Jorge, rezolutny Metys z Angostury, zwanej obecnie Ciudad Bolivar, oraz pełnokrwisty Indianin José, z osady Morganito, po hiszpańsku mówiący marnie, ale za to znający doskonale miejscowe narzecza i obyczaje. José sam był synem szamana, ale z bliżej niejasnych przyczyn wolał pogranicze cywilizacji białego człowieka z jego wynalazkami, kobietami i rumem.

W tamtych czasach podróż w głąb dziewiczego interioru wymagała czasu i sporo wytrzymałości. Nie było dróg (teraz też jest ich niewiele), lotnisk i właściwie jedynym pewnym środkiem komunikacji pozostawała rzeka. Pod warunkiem że aktualnie nie wyschła, co zdarzało się rzadko, albo nie wezbrała ponad miarę, niszcząc wszystko, co napotkała na swojej drodze. Początkowo podążałem w górę Orinoko starym wysłużonym parowcem, ale po osiągnięciu Puerto Ayacucho, mieściny na granicy z Kolumbią, dalsza podróż ze względu na skały i porohy stała się niemożliwa. W Ayacucho dołączył wspomniany już José, który wynajął dwie łodzie i wioślarzy. Przez następnych parę dni posuwaliśmy się, to płynąc, to brodząc i przeciągając pirogi po kamieniach. Jorge, który odbył już parę podobnych ekspedycji, obiecywał doprowadzić mnie do celu, a celem był oryginalny szaman jednego z tych nielicznych plemion, które kontakty z cywilizacją białych ludzi ograniczały do niezbędnego minimum. Nie jestem bezkrytyczny — do podań, mitów i fantastycznych konfabulacji mam stosunek ostrożny. Atoli w przeciwieństwie do wielu utytułowanych kolegów nie dezawuuję ich z góry i nie potępiam ich bez zastanowienia w czambuł. Więcej powiem! Uważam, że w każdej legendzie kryje się jakieś jądro prawdy. (A czasami nawet dwa — to moje BP). O tubylczych narkotykach wiedziałem sporo. Egzotyczna do niedawna koka zalewała właśnie rynek amerykański, wypierając marihuanę i rywalizując z najnowszym cudem farmakologii — LSD. Od pewnego czasu znany był także skład chemiczny legendarnej kurary i innych trujących alkaloidów.

Czego więc szukałem w tych niegościnnych ostępach,

wspinając się dwa dni po urwisku pełnym jadowitych węży, wielkich pająków ptaszników i wszelkiego robactwa? Uczciwie muszę przyznać, im wdrapywaliśmy się wyżej, było go mniej. Chciałem dokonać weryfikacji pewnej legendy, która nie dawała mi spokoju. Sporo słyszałem o stanach, w jakie wprawiali się tubylczy szamani, i o niezwykłych doznaniach, jakie stawały się ich udziałem. Czy było to sprytne oszustwo, czy też naprawdę udawało im się podróżować w czasie, docierać do własnej przeszłości, wykorzystując mapy zawarte w ich kodzie genetycznym? Traktowanie wszystkiego, co wymyka się oficjalnej nauce, jako bajek jest bardzo wygodne. Ale czy twórcze?

Nocowaliśmy w hamakach z moskitierami, wsłuchując się w muzykę nocy, wściekłe wrzaski wyjców i szatańców, małpek ponoć maleńkich, ale wydających dźwięki godne tyranozaura (podobnie bywa z niedużymi kobietkami). Dużo rzadziej docierał do naszych uszu ryk jaguara.

Osiągnąwszy wreszcie szczyt — równinę porośniętą dużo rzadszą roślinnością, zwaną przez miejscowych *sabaną*, z niewielkim zapadliskiem w środku, wypełnionym przez mały stawek otoczony przez skały o dziwacznych kształtach, przypominających skamieniałe potwory — rozglądać się począłem za tubylcami. Jakimiś chałupami, choćby ścieżką. W końcu nie ściągnęły nas tu osobliwości przyrody. Jednak nie dostrzegłem nawet najmniejszego śladu ludzi.

José wskazał miejsce, w którym mieliśmy złożyć przygotowane dary z obowiązkowymi lusterkami, siekierkami i tkaniną. Potem nakazał wycofać się do obozu założonego w pobliżu krawędzi *tepui*.

Kiedy rano wróciliśmy na miejsce — dary zniknęły. Nie zdążyłem ucieszyć się tym faktem, kiedy nagle, jak spod ziemi, otoczył nas krąg dzikich, prawie nagich ludzi z dmuchawkami w rękach, o groźnych, pomalowanych twarzach, wydających jeszcze groźniejsze okrzyki, które, jak utrzymywał José, a tłumaczył mi Jorge, świadczyły o daleko posuniętej życzliwości. Daj Boże!

Jak się później dowiedziałem, bractwo mieszkało w jaskiniach i przybywało tu okresowo na jakieś obchody związane z inicjacją i płodnością. José twierdził, że mamy szczęście, ponieważ autochtoni gotowi są dopuścić nas do swych obrzędów (duchy przodków wyraziły ponoć zgodę), a nawet podzielić się z nami tym, co mają, z kobietami włącznie. Byłem wzruszony, choć prawdę powiedziawszy, żadna z krępych i okrutnie brudnych Indianek nie przypadła mi do gustu.

Co do szamana, suchy i pokręcony jak faworek, wydawał się mieć tysiąc lat. Z hakiem. José twierdził, że jest wyjątkowym fachowcem w swej dziedzinie. Potrafił leczyć choroby, sprowadzać deszcz, przepowiadać przyszłość, ale także wspominać przeszłość.

— Wiedział, że przybędziesz — poinformował José po krótkiej wymianie zdań z czarownikiem.

— I co w związku z tym?

— Zgodnie z wolą bogów otworzy przed tobą to, co zazwyczaj jest zamknięte.

— Będę mu wielce zobowiązany.

Wieczorem zaczęła się uczta — w jadłospisie była małpina (podobno lepsze jest jedynie mięsko ludzkie ze świeżego uboju) i pieczony tapir. Prawdziwa ceremonia zaczęła się dopiero z zapadnięciem zmierzchu. Posmarowano mnie osobliwie śmierdzącym paskudztwem i wdmuchnięto do nosa jakiś proszek, który błyskawicznie zaparł mi dech. Potem podano mi tykwę z napojem, niewątpliwie alkoholowym, w smaku przypominającym sfermentowaną cziczę. Szaman wręczył mi fajkę — jednak to, co się w niej tliło, nie miało zapachu tytoniu. Raczej starych skarpetek.

— Nie zaciągaj się! — usłyszałem ostrzegawczy szept Jorge.

Nie miałem zamiaru. Już wcześnie José poradził mi, abym

niezależnie od tego, co mi zaproponują, aplikował sobie najwyżej po pół porcji. Oszczędzałem się więc, próbując nie tracić samokontroli. Tymczasem w moje uszy coraz natrętniej wdzierała się muzyka, piszczałki, bębny wybijające rytm, a nade wszystko grzechotki. Może słuch mi się wyostrzał, a może Indianie zaczęli grać głośniej. Tubylcy zgromadzeni wokół ognia powstali i zaczęli tańczyć, wydając dźwięki, które trudno było nazwać śpiewem. Ale może tak właśnie wyglądała przedhistoryczna La Scala.

Przyśpieszyli, wirujące, spocone ciała nabrały zdumiewającego pędu, kolory zlewać się poczęły i nakładać na siebie, jak w źle zsynchronizowanych barwnych kliszach. Chyba nawet te pół porcji stanowiło zbyt wiele. Najpierw mój żołądek podjechał w górę, ale potem raptownie opuścił się na dół, wydało mi się, że tracę przytomność, serce mi staje, a mięśnie wiotczeją, ale już po chwili otrzymałem potężny zastrzyk energii. «Zabierzcie mnie stąd!» — chciałem zawołać, niestety, żadne słowo nie mogło wydostać się z moich ust. Nagle po prostu wyszedłem z siebie. Wypłynąłem z ciała, które osunęło się bezwładnie na posłanie z liści. Zadziwiony przyjrzałem się własnym wytrzeszczonym oczom i ustom rozwartym w niemym krzyku, potem uniosłem się wyżej i obejrzałem cały indiański krąg z niesamowitej perspektywy. Moja wyzwolona z cielesności dusza zatoczyła łuk, dotarła ponad krawędź *tepui*. Na moment zawisła między odległą, ciemną ziemią a rozgwieżdżonym niebem. «Czy tak wygląda śmierć? — pytałem sam siebie. — Czemu w takim razie nie widzę duchów?». Ale nie miałem czasu na zastanowienie ani mózgu, który mógł się tym zająć. Zanurkowałem w skalną ścianę, tak jakby była utworzona z wody, nie z wapienia, mimo mroku zorientowałem się, że lecę w dół, tak jakbym wpadł w studnię. Leciałem więc sztolnią, pełną rozgałęziających się korytarzy. Czy byłem sam? Momentami wydawało mi się, że pod woalem ciemności rozpoznaję jakieś twarze, postacie w strojach z dawno minionych epok. W uszach nadal dźwięczał mi rytm i opętańcze grzechotki. Jorge tłumaczył mi później, że stanowiły one niesłychanie ważną nić czy raczej smycz utrzymującą moją duszę na rozsądnej uwięzi. Bez tego mógłbym runąć gdzieś w przepaść bez czasu, zatracić się w niej i nigdy nie powrócić. Z kolei José przyznał się, że widywał ludzi, którzy zerwali ową wież.

— Są, panie, niczym żywe trupy — mówił, gestykulując niczym marionetka — gadają językami, których dziś nikt już nie rozumie, widzą duchy i przeważnie nie potrafią odnaleźć się w normalnym świecie. Zazwyczaj szybko umierają.

Opadłem już naprawdę nisko. I wtedy, jakby ktoś obrócił klepsydrę. Góra stała się dołem, dół górą, a ja wyleciałem na powietrze. Niebo było to samo, jednak las... Ogromne drzewa, przypominające paprocie, gigantyczne skrzypy... Skąd ja to znałem? Jura, kreda, trias? Gdzie są w takim razie dinozaury? Ale ciekawość przesłonił strach. Gwałtownie zapragnąłem wrócić. Machając rękami, starałem się zakłócić swój lot. Coś niecoś się udało. Rytm się zgubił, muzyka zapętliła. Jak kapotujący samolot zacząłem przewracać się, koziołkować. Usłyszałem swój krzyk dochodzący spoza światów. I spadła na mnie ciemność.

Obudziłem się po dwóch dniach z gigantycznym kacem. Szaman i jego ekipa zniknęli. Kiedy słaby, ale ciągle podekscytowany opowiadałem o swych wrażeniach, José i Jorge śmiali się, twierdząc, że czasami bywa gorzej. Że na kolejnych poziomach świadomości można zetknąć się z jeszcze bardziej dojmującymi wrażeniami.

— A jakie mogą być te następne wrażenia? — pytałem.

— Rozmowy ze zmarłymi — odpowiadali. — Odnajdywanie się w ciałach własnych przodków sprzed lat. A najwybitniejsi szamani potrafią podróżować do wybranych chwil z przeszłości własnej rodziny.

— Bywają i tacy — opowiadał Jorge — którzy widzieli przybycie Pizzara. Po powrocie rysowali obrazy dawno wymarłych zwierząt, chociaż nie mają pojęcia o paleontologii i nigdy nie byli w muzeum historii naturalnej.

— A ty byłeś w takim muzeum? — spytałem zaskoczony erudycją mojego tłumacza.

— Widziałem przewodnik.

Przypomniałem sobie rewelacje na temat kolekcji kamieni z peruwiańskiego miasta Ica, będących własnością niejakiego doktora Cabrery. Entuzjazm Dänikena i namiętne zastrzeżenia krytyków oskarżających potomka konkwistadorów o produkcję falsyfikatów.

— Skoro wiesz tyle na temat prehistorii — powiedziałem do przewodnika — powinieneś sobie zdawać sprawę, że podobne wspomnienia na temat dinozaurów, nawet zakładając istnienie pamięci genetycznej, przekazywanej z pokolenia na pokolenia, są po prostu niemożliwe. Zostało dowiedzione, że pierwsi ludzie pojawili się na kontynencie amerykańskim jakieś 25-30 tysięcy lat przed Chrystusem. Dinozaurów nie było tu już od dobrego miliona lat.

— Toteż oni obserwowali te potwory nie jako ludzie.

— A jako kto?

Wskazał na Joségo. Ten zagdakał coś w swoim narzeczu.

— Parę lat temu opowiadał mu jeden szaman, że był w trakcie takiego spotkania niewielkim stworzeniem wielkości szczura i pamięta jedynie strach i smak pożeranych jajek, świeżo złożonych przez samice tych potworów.

— Dobre jajka — potwierdził po hiszpańsku José, który musiał rozumieć piąte przez dziesiąte z naszej rozmowy.

Zaniemówiłem. Być może Indianie byli parą naciągaczy i jeszcze lepszych gawędziarzy, ale jeśli przekazywali mi prawdę — oznaczało to, że pamięć genetyczna może zawierać wspomnienia wcześniejsze niż nasz ludzki rodowód. Wyznam, iż ta myśl dręczyła mnie latami i powstrzymywała mnie przed publikacją. Czy nie był to bowiem dowód na istnienie ewolucji i śmiertelny cios zadany kreacjonistom broniącym wiary w boski plan stworzenia?

Po latach pewien znakomity teolog, dziś jeden z najważniejszych ludzi w Watykanie, wytłumaczył mi, że nie ma najmniejszej sprzeczności między teorią ewolucji a wiarą w Boga. Przyjęcie koncepcji, że różnicowanie się istot żywych to trwający ewolucyjny proces, w najmniejszym stopniu nie przeszkadza wierzyć, że ktoś taki proces zapoczątkował, ustalił jego reguły i w odpowiednim momencie korygował... A nawet tę wiarę wzmacnia.

W prowincji Amazonas spędziłem trzy miesiące. Spotkałem jeszcze wielu szamanów, zażywałem różnych środków halucynogennych, choć może z mniej szokującymi rezultatami.

Moje wycieczki w czasie przypominały obrazy ze snów — zdarzyło mi się oglądać dwór w Kamieniewie w stanie świetności, nim zmogła go bolszewicka pożoga, ale przecież znałem ten fronton z fotografii. Jednak obraz chińskiej altany, który mi się wówczas objawił, znalazłem dopiero 20 lat później na jakimś szkicu, więc jak mogłem ją wyśnić? I czy tylko śniłem, kiedy jako mój dziadek prężyłem się przed Aleksandrem II, carem Wszech Rosji? A te przeróżne detale z rodzinnych pogrzebów, chrzcin i wesel pełnych ludzi, których nigdy nie widziałem, a których witałem z imienia bądź tytułu. Skąd wiedziałem, że konna szarża husarii wśród mokradeł to Beresteczko?... Połtawa już mi się nie przyśniła. Wszystko jednak trwało zbyt krótko, by móc zapamiętać, zanalizować, zweryfikować. Czy podróżowałem po zasobach własnej, latami nagromadzonej pamięci, czy też sięgałem do tego, co zapamiętały moje chromosomy? Jak miałem uzyskać pewność? Jak można sprawdzić, czy szamanom naprawdę udawało się kontrolować podróże do własnej przeszłości? Jaką rolę odgrywał narkotyk, jaką rytmiczna muzyka, jaką wreszcie zespolony wspólnymi emocjami krąg ludzi o zbliżonych predyspozycjach?

Mnożyły się znaki zapytania, hipotezy, wątpliwości. Czasem zagrożenia. Jak w wiosce pod granicą kolumbijską, w której usiłowaliśmy niechcący złamać jakieś tabu, wzbudzając wielki gniew tubylców. I wycofywaliśmy się pod gradem strzał.

— Tylko nas straszyli — utrzymywał José — jakby chcieli zabić, to by zabili.

Wreszcie na pewnej odległej wysepce, wśród bagnisk rzeki Casiquiare, dotarliśmy do szamana szamanów. Osobnik ten, o wzroku przenikliwym jak promień lasera, był ostatnim członkiem swego plemienia, które przed wiekami przywędrowało jakoby z południowego Peru. Podobno szukało go wielu, ale kapryśny był, dawał się znaleźć raz na parę lat. Skusił go pozostawiony przez nas na drzewie rożek z solą, towarem w tym regionie cenniejszym od złota.

Z wątłej postaci emanowała duma i jakaś niezwykła pewność siebie. Nie zdziwiło go, że przemierzyłem pół świata, żeby z nim porozmawiać. Sam nie był niczego ciekaw, tak jakby nie opuszczając swego mokradła, wiedział wszystko o całym kosmosie. Wytłumaczył mi na przykład, że słynne rysunki na płaskowyżu w Nazca (choć sam termin Nazca był mu nieznany) stanowiły wspomnienie lotów odbywanych w stanie transu. Mimo groźnego wyglądu Indianin miał w sobie wiele łagodności i pogodę starego Sokratesa, który pogodził się z nieuchronnym.

— Nadchodzi wasz świat, gringo — mówił wolno, robiąc duże pauzy umożliwiające mym przewodnikom podwójne tłumaczenie. — Świat, w którym ogłoszone będzie, że nie ma bogów, nie ma duchów, nie ma przyszłości ani przeszłości. Nie zazdroszczę wam. Wasze przebudzenie będzie straszliwsze, niż możecie przypuszczać.

— Widziałeś to?

Starzec uśmiechnął się, błyskając swymi niebywale dobrze zachowanymi zębami.

— Widzę to co noc. A zacznie się, gdy demon z piasku wyśle ptaki żelazne naprzeciw dwóm wieżom.

Przez 30 lat, aż do 11 września 2001 roku, zastanawiałem się, co mogą znaczyć te słowa.

Zapytałbym o więcej kwestii, ale w pewnym momencie, kiedy sięgnąłem po aparat fotograficzny, szaman zniknął. Jak? Nie wiem. W jednej chwili był, w drugiej już go nie było. Zapadł się pod ziemię, ukrył w zaroślach?

— Duchy czasami nie lubią, gdy się mówi zbyt wiele — skomentował José.

Być może zabawiłbym w tej dziczy dłużej, gdyby moi przyjaciele nie donieśli mi, że w El Peligro, miejscu, w którym rzeka Casiquiare dokonuje zaskakującego manewru, łącząc wody dwóch rzek Orinoko i Rio Negro, umiera jakiś gringo. Z opowieści tubylców wynikało, że był naukowcem jak ja.

Niezwłocznie pośpieszyłem z pomocą. Jak Stanley do doktora Livingstone'a. Jednak nie dane było nam, za przykładem tamtych dżentelmenów, wymienić uprzejmości podczas spotkania. Przebywający w indiańskiej chacie biały, dość jeszcze młody człowiek, któremu szopa ciemnych włosów i skołtuniona broda nadawały wygląd małpoluda, był nieprzytomny. Wokół jego barłogu unosił się zapach postępującej gangreny. Podobno po wywrotce łodzi, w której stracił leki, pieniądze, radiostację i przewodnika, musiał stoczyć walkę z rosłym kajmanem, który okropnie poszarpał mu nogę.

Nie zastanawiałem się długo. Potrzebna była pomoc fachowa. Zaaplikowałem nieborakowi zastrzyki z antybiotyku, zapakowałem w koce i przeniosłem do łodzi. Mając do wyboru Wenezuelę i bliższą Brazylię, wybrałem tę drugą.

Wybór był słuszny, trzy dni później dotarliśmy do São Gabriel, katolickiej misji nad brzegiem Rio Negro, gdzie jeden z księży był z wykształcenia chirurgiem.

Po krótkim badaniu pacjenta, który gorączkował i wydawał się na skraju śmierci, zaproponował amputację.

— To już ostatnia chwila! — twierdził. — Noga do kolana i tak jest stracona.

Chory pogrążony w malignie nie zabierał głosu. Zdecydowałem za niego.

Ksiądz chirurg przystąpił do dzieła.

Po dwóch godzinach wyszedł do mnie, ukończywszy pomyślnie, jak twierdził, operację.

— Czy wie pan, że pański przyjaciel to Żyd? — zapytał wyraźnie poruszony.

— Podobnie jak Jezus Chrystus — odparłem z uśmiechem. — Mam nadzieję, że się wyliże.

— Jak Bóg pozwoli.

Misyjny szpitalik odwiedziłem ponownie po dwóch dniach. Pacjent był już całkowicie przytomny.

— *Spasiba, spasiba!* — powtarzał, łapiąc mnie za ręce.

Dopiero teraz zdałem sobie sprawę, że uratowany był Rosjaninem. Wcześniej nie byłem w stanie zrozumieć poliglotycznego bełkotu dobywającego się z jego ust. Jak się okazało, Iwan był naukowcem jak ja. I podobnie jak ja zajmował się wpływem narkotyków i ekstatycznych obrzędów na mózg. Choć do równie niezwykłych szamanów jak ja nie dotarł. Zgodziłem się towarzyszyć mu w podróży do Manaus, gdzie, jak mówił, miał nadzieję na spotkanie z przyjaciółmi.

— Nigdy nie zapomnę panu tego, co dla mnie uczynił — powtarzał.

«Z amputacją nogi włącznie» — pomyślałem.

Najbardziej zaskoczyło mnie jego nazwisko. Dawidow. Iwan Mojsiejewicz Dawidow. Ponieważ nigdy nie owijam spraw w bawełnę, zapytałem wprost.

— Ma pan coś wspólnego z bankierem Mojżeszem Dawidowem?

— To mój ojciec. A pan nie jest przypadkiem synem Jana Kamienieckiego? Ojciec mi opowiadał, jak poznał pana i pańskiego przyjaciela arystokratę w pociągu do Genewy, na początku pierwszej wojny światowej.

Nie bardzo wiedziałem, co odpowiedzieć. Z relacji Nicka Darlingtona wynikało, że stary mego nowego przyjaciela był nie lada kanalią. Dlatego poprzestałem na krótkim potwierdzeniu.

— Tak, wspominał mi również o spotkaniu na wykładzie profesora Junga.

Iwan chyba zauważył moje zmieszanie, bo powiedział bardzo szybko:

— Tata już od dawna nie żyje. Ciężkie miał życie, oddał swoje najlepsze lata socjalistycznej wizji lepszego świata, a co go w zamian spotkało? Był represjonowany podczas wielkiej czystki, spędził szmat czasu w stalinowskim łagrze.

«A więc odkupił swe łajdactwo — pomyślałem. — Dobre i to».

Potem już nie wracaliśmy do tematu, mieliśmy wystarczająco wiele wspólnych zainteresowań. Iwan, umysł niewątpliwie wybitny i otwarty, z pogardą wyrażał się o osobnikach w rodzaju Łysenki. Ideologia sowiecka stanowiła dla niego wewnątrzkrajowy ornament, do którego nigdy nie przywiązywał wagi. Wiem, że bardzo zainteresowały go moje hipotezy na temat pamięci genetycznej. Sam pracował nad podobnymi zagadnieniami, badając je w aspekcie procesów uczenia się. ZSRR było niezłym poligonem, w którym łatwo było o materiał do badań.

— Czy pan wie, że sieroty po arystokratach szybciej uczą się francuskiego od swoich rówieśników, a dzieci represjonowanych działaczy komunistycznych przyswajają *Manifest* Marksa trzy razy szybciej niż pochodzące z innych rodzin? — opowiadał. — Oczywiście w czasach stalinowskich takie poglądy były wysoce niepoprawne. Mój mistrz, profesor Łuria, osobiście podpadł Łysence, który twierdził, że genetyka jest fałszywą nauką, a tropienie pamięci genetycznej to próba zadania śmiertelnego ciosu idei stworzenia «człowieka radzieckiego». Utrzymywał, że człowiek jest produktem środowiska i nauczania, nie genów. Naturalnie w tym sporze Stalin aprobował tezy Trofima Łysenki.

Po tygodniowej podróży rozstaliśmy się w Manaus, mieście kauczukowego boomu, gdzie żółtobrunatne wody Amazonki łączą się z ciemnym nurtem Rio Negro. Na Dawidowa czekało dwóch fagasów o kwadratowych twarzach przypominających granitową kostkę, którą wybrukowane jest podwórze na Łubiance, w najmniejszym stopniu nie wyglądających na pracowników naukowych, ale wówczas naiwnie rozumowałem, że widać w sowieckiej ambasadzie nie mają innych pracowników.

Obiecaliśmy wymieniać się informacjami na temat naszych badań. Ja wróciłem do Stanów, on poleciał do Moskwy via Paryż, gdzie jacyś wybitni protetycy mieli zająć się kikutem jego nogi".

Jakiś bardzo mądry cynik powiedział, że żaden dobry uczynek nie może ujść bezkarnie. Nasz dziadek miał się o tym dowiedzieć dopiero po pewnym czasie.

Podobnie jak o tym, że życiorys Dawidowa miał w sobie tyle z biografii dysydenta, co oprawca z ofiary, której krwią się pobrudził. Stary Mosze Izaakowicz, człowiek niewątpliwe dużej inteligencji, za to całkowicie wyprany z zasad, był skrupulatnym skarbnikiem rewolucji. Nie przeszkadzało mu to mieć własnego (i to sporego) majątku za granicą, na co starzy bolszewicy zgrzytali zębami, ale musieli się zgodzić, póki służyło to sprawie. Bankier nie był sknerą, kiedy chodziło o fundusze dla operacji specjalnych, współfinansowanie komórek Kominternu, nadto miał niezwykły talent do przenikania granic, wykorzystywania do swych przedsięwzięć możliwości legalnych, półlegalnych i nielegalnych. W parze ze zdolnościami finansisty szła znajomość ludzi i układów. Niezwykle czuły barometro-sejsmograf, umieszczony (zapewne) gdzieś na wysokości serca i portfela, zawczasu informował Mojżesza Izaakowicza o zmianach pogody. Był przyjacielem towarzysza Trockiego, ale w odpowiednim momencie postawił na towarzysza Stalina. Poźniej robił doskonałe interesy z Gienrichem Jagodą, ludowym komisarzem spraw wewnętrznych. Chudy współplemieniec chwalił sobie prezenty z funduszu specjalnego, ale starczyło, by wokół szewca z Łodzi zaczęło robić się nieświeżo, i już Dawidow poszukał sobie innego patrona. Był nim kolejny zwierzchnik sowieckiej bezpieki — Nikołaj Jeżow. „Krwawy Kurdupel" mierzący wszystkiego 153 centymetry, który posłał więcej ludzi na tamten świat w ciągu roku niż Dzierżyński przez lat pięć, polubił „Kasjera", a jeszcze bardziej środki, których ten mu dostarczał. W Rosji szalała wielka czystka, niezmordowanie pracowały trójki sędziowskie, czarne suki zabierały ludzi z domu, a strzał w tył głowy zastępował najczęściej ostatnie słowo skazańca. Dawidow jednak żył spokojnie, cieszył się atrakcyjną żoną, młodym bystrym synem i perspektywą pogodnej starości. Czy ten błogostan go uśpił? W każdym razie z jakiegoś powodu nie dostrzegł zapowiedzi katastrofy. Może nastąpiła zbyt prędko. Jeżow, tak jak jego poprzednik został zepchnięty na boczny tor, rozpił się, a znajomość z nim przestała być jakąkolwiek gwarancją bezpieczeństwa. Czyżby Dawidow nie docenił operatywności Berii, a może uwierzył słowom Stalina? Zaproszony na jedno z przyjęć do willi w Kuncewie miał przyjemność rozmawiać dłużej z gospodarzem na tematy pieniądza i ekonomii. To znaczy Stalin mówił, a Dawidow milczał lub przytakiwał, chociaż już po kilku zdaniach zorientował się, że przy takiej „fachowości" nawet budka warzywna prowadzona przez „Górskiego Orła" musiałaby splajtować. Ale socjalistyczne imperia przecież nie plajtują... Na odchodnym Stalin uściskał go serdecznie, kończąc życzeniami zdrowia i znamiennym zdaniem: „Tacy ludzie jak wy będą potrzebni nam zawsze!".

Kiedy dumny, z wielkim nabożeństwem powtarzał ten cytat żonie, Tamara skomentowała dość szczerze: „Bucharinowi na ostatnim spotkaniu powiedział to samo".

Dawidowa przeszedł dreszcz, ale nic nie mógł zrobić. Wkrótce odstawka Jeżowa stała się faktem. Zdymisjonowano go w listopadzie 1938 roku. Dla ostatniej sprzątaczki na Łubiance stało się jasne, kto będzie kozłem ofiarnym szaleństw wodza narodu — które coraz głośniej nazywano jeżowszczyzną. A Mojżesz Izaakiewicz? Liczył na wyjazd na jakąś placówkę, ale się przeliczył.

Dostał za to awans na osobistego doradcę szefa NKWD, zachował gabinet i sekretarkę (trzymaną chyba tylko po to, żeby go kontrolować), jednak przez rok nie udało mu się dostać do Berii. Żył, urzędował, czując się absolutnie nikomu niepotrzebny... Ludzie z danego personelu gdzieś poznikali. Telefony milczały. Przyjaciele się odsunęli. Ze względu na wojnę, która ogarnęła burżuazyjną Europę, utracił swój bezcenny przywilej podróżowania, wieńczony nieodmiennie wizytą w zaprzyjaźnionym banku w Szwajcarii. Najgorsze były noce. Nie mogąc spać, czekał na dzwonek, który mógłby wyjaśnić jego sytuację. Na telefon od Stalina, przywracający bankiera do łask lub łomot buciorów na schodach. Ktoś inny spróbowałby ucieczki, choćby i na Sybir (*szyroka strana nasza radnaja*), ktoś inny mógłby wziąć służbowy pistolet i rozwiązać rzecz po męsku. Strach „Kasjera" nie pozwolił mu nawet na realne rozważanie którejś z tych opcji.

Trudno się dziwić młodej i pięknej Tamarze, że sama postanowiła działać. Liczne przykłady z najbliższego otoczenia upewniły ją, że upadek, aresztowanie i egzekucja głowy rodziny jest wstępem do rozprawy z całą resztą familii. Znała los dzieci Tuchaczewskiego, tragedię żon traconych bolszewików. Była młoda, piękna i nie chciała powędrować do łagru ani tym bardziej dopuścić, by jej żywy jak rtęć i zdolny jak sam Einstein syn skończył w domu sierot pod twardą ręką jakiegoś domorosłego Makarenki.

Poruszyła wszystkie stare znajomości, odnalazła zatarte ścieżki i cudem jakimś trafiła na jedną z dacz Ławrientija Berii. Jej uroda osiągnęła apogeum, odrobina dręczącej ją goryczy dodała ciału szlifu szlachetności. Nie relacjonowała nikomu odbytej tam rozmowy. Ale znając radzieckiego Himmlera (jak w Jałcie przedstawiał go Rooseveltowi sam Gospodarz), Beria nie odrzucił poczęstunku, a ponieważ później spotykali się jeszcze parę razy, było jasne, że erotoman czekista zasmakował w tym deserze.

Patrząc z drugiej strony, wyglądało to mniej smacznie, Tamara Dawidowa w trakcie seksualnej gimnastyki złożyła sążnisty donos na swojego męża, oskarżając go ni mniej, ni więcej, o szpiegowanie na rzecz światowego imperializmu i konszachty z „białymi", trockistami i faszystami, czego najlepszym dowodem było umożliwienie ucieczki znanemu białogwardyjskiemu potworowi Olegowi Dobrolubowowi. Na tym tle systematyczne okradanie kasy rewolucji było przewiną doprawdy drobną.

Mosze Izaakowicz został aresztowany już następnej nocy. Jego proces był cichy i krótki, a wyrok, w stosunku do potwornych zarzutów — 15 lat łagru — zadziwiająco niski. Być może sam Stalin uznał, że szkoda likwidować człowieka, który jeszcze może się przydać. I przydał się. W 1945 roku zwolniony ze zsyłki stał się jedną z prominentnych person zajmujących się planową grabieżą podbitych Niemiec, by po dwóch latach przejść na zasłużoną emeryturę. Tamara przyjęła go na swe cokolwiek zużyte łono tak, jakby nic się nie stało. Synek — Iwan Mojsiejewicz zdążył w tym czasie zrobić studia, chlubnie, choć na tyłach, służyć ojczyźnie jako lekarz sztabu armii. Później dostał przydział na Kreml. Czyli skończyło się dobrze. Tam przypadek, a może przeznaczenie zatknęło go z Łurią i Konorskim. Zaintersowanie mózgiem i psychologią wyniósł jeszcze z domu. Przy wszystkich swych łajdactwach stary Dawidow był dobrym ojcem, od najmłodszych lat starającym się rozbudzać zainteresowania u syna. Zapewne marzył, że Iwan osiagnie więcej niż on. Stare kontakty pomogły i wkrótce po zakończeniu wojny Iwan dostał przydział na Kreml. Czyli można powiedzieć, że wszystko skończyło się dobrze.

Ale nie całkiem. Kiedy na przełomie 1952-53 roku wybuchła paranoiczna „sprawa lekarzy" i młody Dawidow został aresztowany wraz z innymi „jewrejskimi mordercami w lekarskich kitlach" nastającymi na życie i zdrowie towarzysza Stalina, serce „Kasjera" nie wytrzymało. Umarł, jak przystało na komunistę, we własnym domu, na sedesie, z płachtą „Prawdy" kurczowo zaciśniętą w rękach. Nie dane mu było dożyć ani śmierci „słoneczka ludzkości", ani rozstrzelania „szpiega Churchilla" — Ławrientija Berii. Z rehabilitacji lekarzy skorzystał za to Iwan. Otworzyły się przed nim perspektywy naukowe. Dostał stanowisko na uniwersytecie moskiewskim, a równocześnie otrzymał etat niejawny w sekcji medycznej KGB.

—

„Z Manaus poleciałem z powrotem do Ameryki. W liście od mojej przyjaciółki Sharon (a więc dziadzio miewał jakieś przyjaciółki dbające o jego interesy) dostałem informację, że ktoś ważny pilnie poszukiwał ze mną kontaktu. Tym kimś ważnym okazał się Darlington. Umówiliśmy się na spotkanie w Waszyngtonie. Rozmowa miała być nieoficjalna.

Wbrew moim oczekiwaniom do restauracyjki w Georgetown Nicholas przybył sam. Wypytywał się o wrażenia z podróży. Zaciekawiło go spotkanie z Dawidowem, ale pozostawił je bez komentarza. Nie poruszył też najważniejszej kwestii. Po co chciał się zobaczyć?

— Odłóżmy to na deser — odpowiedział tajemniczo, gdy wreszcie go o to zapytałem.

Deser spożyliśmy w prywatnym mieszkaniu. Choć ze względu na ubóstwo sprzętów nie wyglądało ono na lokal zamieszkały. Mieściło się w zwyczajnej, nieco zapuszczonej kamienicy parę przecznic od Pentagonu.

— Wiem o twoich akademickich kłopotach i ostracyzmie środowiska — powiedział. — Cóż, nonkonformizm w latach owczego pędu kosztuje. Ale nie dajemy się. — Stary (domyśliłem się, że ma na myśli prezydenta Nixona) dał właśnie zielone światło na stworzenie niewielkiej grupki naukowców, którzy zajęliby się, używając określania klasyków SF, zjawiskami niewytłumaczalnymi.

— Rozumiem, małe zielone ludziki, potwory z głębin, obcy ukryci w ludzkich skafandrach? — ożywiłem się. — Zawsze byłem ciekaw, czy naprawdę się tym zajmujecie, czy to jedynie złośliwe plotki?

Darlington nie odpowiedział wprost.

— Zimna wojna, choć werbalnie zakończona, trwa, toczy się na wielu frontach. Jeśli pewnymi sprawami interesują się nasi konkurenci (znamienne, że nie użył żadnego mocniejszego określenia typu czerwoni, wrogowie itp.), czego najlepszym przykładem jest twoje spotkanie z panem Dawidowem, nie możemy być od nich gorsi. Być może pełne zrozumienie funkcjonowania mózgu, dotarcie do wspomnianej przez ciebie pamięci genetycznej pozwoli inaczej spojrzeć na świat.

— Nie będę pracował dla CIA! — przerwałem.

— Nie reprezentuję tej firmy! — odparł. — I nie myślę tu o żadnych uniwersalnych żołnierzach, z wszczepionymi chipami, którymi centrala steruje na polu walki za pomocą konsolety. Chodzi nam o badania bardziej podstawowe. Jestem głęboko przekonany, że to nasze widzenie świata, nasz model demokracji oparty na tradycji chrześcijańskiej, który bolszewicy odrzucili, ma wyższość, ponieważ odwołuje się do prawdy.

— A prawda nas wyzwoli? — mruknąłem.

Nie zauważył mojej ironii.

— Chcemy, żebyś szukał prawdy o nas, ludziach. A jeśli na samym krańcu odnajdziesz Boga, tym lepiej. O fundusze się nie martw. Powstaje fundacja, która zapewni bazę działania Instytutowi Badań Neurologicznych... — tu zawiesił głos i dorzucił — ...nad odmiennymi stanami świadomości. Zajmuje się tym kilku uczniów profesora Konorskiego, którego chyba znasz?

Pokręciłem głową.

— Muszę odmówić. Mam pewne zasady, Nick.

Nie krył swego rozczarowania.

— Mam nadzieję, że zmienisz zdanie.

A potem przyszła afera Watergate, obalono Nixona, rosyjski stan posiadania powiększył się o Angolę, Mozambik, Afganistan... Konorski zmarł. Podobno jego śmierć przyśpieszyło storpedowanie przez sowieckich agentów wpływu Nagrody Nobla, której bliski był jak niewielu Polaków. Udało mi się dowiedzieć, że swoją paskudną rolę odegrał Kuternoga Dawidow. W dość sprytny sposób wychwalając przeszłe osiągniecia Konorskiego, de facto oskarżył go o uprawianie paranauki. Rozpuszczono też pogłoski, że zaintersowania pamięcią genetyczną u Konorskiego są podbudowane jego osobistymi przekonaniami o istnieniu ras mniej lub bardziej uzdolnionych. Tego dla sztokholmskiego gremium było za wiele. Kandydatura padła. W USA koncepcje badań nad pamięcią genetyczną, zda się, bezpowrotnie zarzucono.

Na szczęście wtrąciła się sama Opatrzność. Wybrano Polaka na papieża, dwa lata później wybuchła w Polsce «Solidarność», a ja odwiedziłem ojczyznę po raz pierwszy od Powstania. Spacerowałem po Starówce, schodziłem cały Żolibórz, przypominając sobie, gdzie stały barykady, którędy biegły okopy i usiłowałem znaleźć dom, w którym pierwszy i ostatni raz kochałem się z Różyczką, oraz willę niemieckiego oficera, w której widzieliśmy się po raz pierwszy... Nie znalazłem! Mimo wszystko to było zupełnie inne miasto. Młode, dzięki plakatom «Solidarności» żywe, ale nie moje. Nasz dom też odbudowano w jakimś paskudnym bieda-stylu. Chyba nie potrafiłbym tu wrócić na stałe.

Parę dni po mym powrocie do Stanów, w południe, kiedy gruchnęła wiadomość o zamachu na Jana Pawła II, ogłuszony siedziałem, gapiąc się w telewizor, Darlington zadzwonił do mnie jeszcze raz. Z upoważnienia prezydenta Reagana ponowił propozycję. Nie mogłem odmówić".

Do informacji zawartych w pamiętnikach mego dziadka mogę dorzucić dziś to, co sama wyciągnęłam z Nicka Darlingtona. Nicholas I wychował się w Stanach w rodzinach zastępczych. Z Olegiem Dobrolubowem spotkał się wszystkiego pięć razy. W tym dwa spotkania odbyły się jeszcze w Rosji. Nawet po przybyciu w 1926 roku do USA jego ojcu nie dane było zakosztować życia rodzinnego. Siepacze wysłani z Rosji tropili go z równą zawziętością jak Trockiego. Nie chciał narażać syna, ale nie mógł z nim ostatecznie zerwać. Oprócz trzech krótkich wspólnych wakacji przez kilkanaście lat prowadzili stałą, obfitą korespondencję. Mały Dobrolubow, zanim jeszcze poszedł do college'u, nauczył się doskonale wszystkich metod konspiracyjnej łączności. Szyfrów, kamuflażu, gubienia ewentualnego ogona. Okazał się dobrym uczniem. Rosjanie nigdy go nie namierzyli. Pod nazwiskiem White żył spokojnie na amerykańskiej prowincji. Śmierć ojca wszystko zmieniła. Na ochotnika wstąpił do wojska, walczył na Dalekim Wschodzie, gdzie zgłosił się do wywiadu wojskowego. W 1946 roku, wkrótce po słynnym przemówieniu Churchilla w Fulton, kiedy świadomość opadnięcia „żelaznej kurtyny" zaczęła z wolna docierać do amerykańskich elit, zaproponowano mu pracę w tajnych służbach. Nienawiść do bolszewizmu i wdzięczność do nowej ojczyzny, która go przygarnęła i pozwoliła rozwinąć talenty, zachował do kresu swych dni i przekazał te uczucia synowi.

X

WYPRAWA
DO HIPERBOREI

Nicholas Darlington II...!

Prawdopodobnie widok kota w butach palącego fajkę nie zaskoczyłby mnie bardziej niż deklaracja mojego przystojniaczka. Dłuższą chwilę poruszałam ustami jak ryba, która nie wie, co powiedzieć, a zresztą i tak nie umie mówić. Na szczęście ciężar dalszej rozmowy przejęli Leśniewscy i Sanchez, który dokonał prezentacji reszty naszego zespołu.

— Musimy porozmawiać — powiedział i wszyscy zgodzili się z jego sugestią. — Tylko gdzie?

Darlington na miejsce narady zaproponował swój hotel („Boracay Regency") i pokój, który jak twierdził, jest w pełni bezpieczny.

— Zresztą będziemy ustalać fakty, a nie planować operację — powiedział, przyglądając się uważnie, szczególnie Dorocie. — Czy jesteśmy w komplecie?

Pytanie przezwyciężyło stupor, w który popadłam. Przypomniałam sobie o Timie i natychmiast do niego zatelefonowałam. Moim zdaniem po porwaniu Adama jego dalsze ukrywanie się nie miało sensu.

Darlington wezwał kolejny wózek i zaproponował, bym wsiadła razem z nim.

— Wolę z kolegami — odpaliłam bez namysłu.

W milczeniu skinął głową, zastanawiając się zapewne, dlaczego nadal jestem taka wściekła. Ja wiedziałam, ale to jedynie pogłębiało moją złość.

„Czy ty zawsze musisz traktować każde ciacho rentgenem?" — zwykła gderać moja przyjaciółka Lucy, kiedy zbyt długo zachowywałam daleko posuniętą rezerwę wobec jakiegoś interesującego faceta, zamiast pozwolić sobie na chwileczkę zapomnienia. Tu nadmienię, że termin „ciacho" w tych czasach (a przynajmniej w czasach, kiedy pracowałam w Polkablu) był synonimem atrakcyjnego (termin „wypasiony" jest już passé) samca.

— Muszę być ostrożna! — tłumaczyłam cierpliwie, mając w pamięci wszystkie dotychczasowe porażki. Nadto całkiem niedawno dowiedziałam się od biegłej w naukowych nowinkach Grażyny, że o ile mężczyzna kwadrans po zakończonym seksie może już nie pamiętać, z kim go uprawiał i czy w ogóle uprawiał, u kobiety nawet niezobowiązujący numerek z kolegą z pracy wyzwala ogromną ilość wazopresyny i oksytocyny, hormonów odpowiedzialnych za przywiązanie. Samiec otrzepuje się i idzie dalej, a ty ani się obejrzysz, popadasz w tragiczne uzależnienie!

Mój stosunek do Nicka Darlingtona można nazwać niechęcią od pierwszego wejrzenia. Niechęcią podyktowaną, co tu ukrywać, strachem. Szczupły, lekko szpakowaty arystokrata — intelektualista, o sprawności Bonda, delikatności zegarmistrza i takcie świętej pamięci profesor Kamyczka z „Przekroju", do którego często odwoływała się moja mama (ja nie wiem, kto zacz), samym swoim istnieniem stanowił dla mnie potworne zagrożenie. Za bardzo przypominał model, do którego tęsknią wszystkie kobiety, model o nazwie George Clooney, który niczym wzorzec metra powinien spoczywać w szklanym pudle w mieście Hollywood pod Los Angeles. Tyle że prawdziwy Clooney jest kabotynem i politycznym dupkiem, o predylekcji do wszelkiej maści lewactwa (a ja ostatnio za lewusami nie przepadam), natomiast wnuk Olega Dobrolubowa oprócz wszystkich na pierwszy rzut oka widocznych przymiotów był jeszcze mądry. Tym gorzej! Jak miałam się nie zdenerwować? Tacy faceci, jeśli pojawią się na drodze przyzwoitej dziewczyny, no może niezupełnie przyzwoitej, ale takiej, która zachowała resztki przyzwoitości, to chodzące nieszczęście.

Inna sprawa, czy jest do pomyślenia, by ktoś w rodzaju Clooney'a zwrócił uwagę na taką myszowatą przeciętność jak ja?

Jak się prędko okazało, pobyt Darlingtona na Filipinach nie był przypadkowy. Chociaż Sanchez ani Sharffer nie mieli pojęcia o jego istnieniu, Nick II od początku uczestniczył w operacji „Robaczek", ale wiedział o tym tylko Adam. Zgodnie jednak z zasadami konspiracji, nie nawiązali bezpośredniego kontaktu.

Kim był ten mężczyzna, na którego widok miękną nogi małolatom, a ich matkom puszczają pod naporem ciała zamki błyskawiczne? Podejrzewam, że łatwiej byłoby powiedzieć, kim nie był.

Sam, wypytywany w tej materii, stwierdził, że nie pracuje w FBI, CIA, DEA ani w wywiadzie wojskowym. Ponieważ na liście zabrakło NSA (słynnej Agencji Bezpieczeństwa Narodowego), w której przez lata pracował jego ojciec, nasuwał się wniosek, że służba w pewnych instytucjach może być dziedziczna. Istnieje jeszcze ewentualność, że pracował bezpośrednio na rzecz połączonego dowództwa specsłużb, które prezydent powołał po 11 września. Znacznie później, kiedy go próbowałam mocniej przycisnąć do muru na temat jego służbowego przydziału, odpowiedział mi pół żartem, pół serio.

— Mogę powiedzieć ci wszystko, tylko potem musiałbym cię zabić.

Nadto, wyraźnie zaznaczył to już na pierwszym spotkaniu, pytanie o jego sprawy zawodowe nie ma sensu, albowiem aktualnie przebywa na urlopie i jedyna firma, dla której teraz pracuje, nazywa się „Maciej Kamieniecki and Co.".

Nicholas zajmował w „Boracay Regency" obszerny, narożny apartament na drugim piętrze (zgodnie z przepisami wysokość wszystkich hoteli na wyspie ograniczona była rozmiarami sąsiadujących z nimi palm. Zabudowania nie mogły być wyższe). Sąsiedni pokój, wedle jego zapewnień, był pusty. Na wszelki wypadek Darlington opuścił zasłony na okna, rozłączył telefon, za to włączył radio i telewizor. Wcześniej zamówił do pokoju kolację i drinki. Chwilę po nas pojawił się Sharffer, wzbudzając wielkie zdumienie Sancheza, który nie miał pojęcia o obecności detektywa na wyspie. Tim był z powodu swego ujawnienia wściekły, co jednak nie przeszkadzało mu rzucić się na napoje i zakąski. Jak twierdził, zdążył się skontaktować z moim z dziadkiem. Podobno starszy pan nie tylko dzielnie zniósł informację o porwaniu wnuka, ale zdecydowanie potwierdził wiarygodność Darlingtona i, co zabolało Tima szczególnie, namaścił go na nowego przywódcę naszej ekipy.

Potem zreferował mu sytuację powstałą po porwaniu Adama, wierny raz przyjętym zasadom nie wspomniał naturalnie o swoich parapsychologicznych zdolnościach. Dla całej grupy, z wyjątkiem mnie, był zwykłym amerykańskim prywatnym detektywem i długoletnim współpracownikiem dziadka.

— Wiemy z grubsza, co się stało — podsumował. — Nie ulega dla mnie wątpliwości, że musiano obserwować nas od chwili przybycia na Boracay, chociaż ja, mimo że jestem zawodowcem, śladów tej inwigilacji nie dostrzegłem.

— Ani ja — powiedział Darlington.

— Zapewne jakimś sposobem przejrzeli nasz plan i obrócili go na swoją korzyść.

Pytanie tylko, jak to zrobili? Jest parę tropów. Ja zacząłbym od sprawdzenia tego Hindusa, profesora Surubati.

— Nigdy nie miałem do niego zaufania — powiedział Sanchez — po pierwsze, to okropny nudziarz...

— Dobry agent powinien wydawać się nudny — zauważył Nicholas.

— Wydaje mi się — przerwałam im — że dużo ważniejsze od ustalenia winnych jest zdobycie informacji, gdzie są teraz porywacze i mój brat! Nie można im pozwolić, żeby opuścili Filipiny.

— Ależ z pewnością już to zrobili — powiedział Tim, niwecząc moje nadzieje. — Zniszczona łódź dowodzi, że przesiadka, czy raczej ewakuacja nastąpiła na pełnym morzu. W grę wchodzą trzy możliwości. Hydroplan, łódź podwodna albo jakiś statek. Osobiście skłaniałbym się ku trzeciej ewentualności. Hydroplan jest zbyt znaczny i ma ograniczony zasięg działania, łódź podwodna oznaczałaby współuczestnictwo instytucji rządowych. To musi być statek! Aktualnie z pewnością przebywający daleko od filipińskich wód terytorialnych

Pobladłam i Sharffer chyba to zauważył.

— Taka ewentualność ma jednak swoją dobrą stronę — rzekł uspokajająco. — Jeśli punktem docelowym porywaczy jest Birobidżan, upłynie sporo czasu, zanim się tam znajdą.

— W takim razie, co zrobimy? — Sanchez wyraźnie rwał się do działania.

— Za wcześnie, by o tym mówić — powiedział Nick. — Na szczęście, jak zauważył Tim, mamy czas. Mnóstwo czasu. A przy okazji, gratuluję. Pan Sharffer doskonale odtworzył przebieg wypadków.

— Odtworzył? — zdziwił się Tim. — A pan może wie, jak to się odbyło, z pierwszej ręki?

— W pewnym sensie. Mój kolega z pracy przypadkowo miał ostatnio dostęp do monitoringu satelitarnego. Poprosiłem go o zdjęcia ze wskazanej części morza Sulu z minionych kilku godzin. Bardzo się postarał. — To mówiąc, wyciągnął z szafki plik wydruków komputerowych. — Mam słabą drukarkę i papier kiepski, ale cokolwiek widać...

— *Per Dios!* — cmoknął Sanchez z podziwem.

Sekwencja kilkunastu zdjęć ukazywała najpierw samotną łódź fałszywych divingowców, potem frachtowiec, idący kursem nieomal kolizyjnym do niej. Następnie mogliśmy zobaczyć, jak obie jednostki nieomal się sczepiły. Na jednym ze zdjęć z biciem serca zobaczyłam podłużny kształt, wciągany na pokład. Mieli Adama! Mój Boże, naprawdę go mieli! Pokaz fotografii kończyły obrazki z detonacji łódki i pożaru jej szczątków.

— Frachtowiec nazywa się „Jekaterynburg", na cześć miasta, w którym zabito cara z rodziną (za komuny nosił nazwę „Swierdłowsk"), i płynie z Dżakarty — powiedział Darlington.

— Mam nadzieję, że uda się załatwić kontrolę i przeszukanie w pierwszym porcie, do którego wpłynie — powiedział Tim. — Dziś nawet Wietnamce liczą się z Wujem Samem.

— Sęk w tym, że pierwszym portem, do którego planuje zawinąć, jest dopiero Władywostok — zgasił go Nicholas. — Według planu ma to nastąpić za osiem dni.

— Kupa czasu — powiedziała Dorota.

— Dlatego zgadzam się z sugestią pana Darlingtona, żeby nie działać na łapu-capu — rzekł Leśniewski. — Przemyślmy jeszcze raz sytuację i zastanówmy się, co robić.

— Jeszcze raz skontaktuję się z panem profesorem — obiecał Tim. — Ale może umówimy się na jutro. Powiedzmy na dziewiątą.

— Wolelibyśmy bliżej południa — powiedziała Dorota, rozkosznie uśmiechając się do męża.

— Niech będzie o jedenastej — zgodził się Darlington.

Wszyscy wstali, a ja podeszłam do Amerykanina. Nie wiem, dlaczego tak waliło moje serce.

— Strasznie przepraszam, za ten mój atak, ale myślałam...

— Że facet rozmawiający po rosyjsku musi być co najmniej funkcjonariuszem SMERSZ-u? Poprawne rozumowanie, choć tak się składa, że jeśli idzie o sowiecką formację „smiert' szpionam", znajdowałem się zawsze po drugiej stronie lufy. Jednak to ja powinienem przeprosić za dezinformację. Po prostu, żeby nie wyjść z wprawy, rozmowy z moimi współpracownikami odbywam w ich rodzimych językach.

— Mam nadzieję, że nie bolało? — kontynuowałam swe przeprosiny.

— O niczym innym nie marzę, żeby tak być bity przez całe życie — odparł.

„I jeszcze kpi ze mnie" — pomyślałam wściekła, że w ogóle zaczęłam tę rozmowę. Na szczęście zauważyłam, że z wyjściem z pokoju ociąga się również Sharffer. Opuściłam więc pomieszczenie, ale wychodząc, zdążyłam jeszcze usłyszeć:

— Jeśli można, Nick, chciałbym zamienić z tobą kilka słów...

W powrotnej drodze do hotelu towarzyszył mi Sanchez. Trudno zresztą nazwać jego obecność towarzyszeniem. Czarne ciało idealnie zlewało się z panującymi ciemnościami. Jedynie mrok po stronie, z której szedł, był jakby cieplejszy.

— Bardzo ci współczuję — powiedział miękko. — Wiem, co to znaczy, bo sam też straciłem brata.

— Nie wiedziałam.

— A właściwie brata i dwie siostry. Naszą tratwę zniosło aż ku Bahamom i z dwudziestu uciekinierów, którzy opuścili kubański raj, przeżyłem tylko ja.

Mimowolnie przytuliłam się do niego. Potężna muskulatura dawała ogromne poczucie bezpieczeństwa. Pomyślałam sobie, że dziewczyna, która z nim jest bliżej, musi się czuć jak malutka, biała laleczka... Objął mnie swym ramieniem.

Zbliżając się do hotelu, usłyszałam muzykę. Na plaży przed „Waling-Waling" płonęły pochodnie i rozchodziły się smakowite zapachy. No tak, od wczoraj zapowiadano „wieczór tropikalny!". Przy nakrytych białymi obrusami stoliczkach goście hotelowi oddawali się obżarstwu. Dwie pary tańczyły. Siedliśmy przy stoliku nad samym morzem. Natychmiast pojawił się kelner i nalał nam wina, zaraz potem Sanchez przyniósł dla siebie i dla mnie kopiaste talerze pełne miejscowych specjałów z samoobsługowego bufetu. Ale nie miałam apetytu. Co innego alkohol. W naszej butelce błyskawicznie ukazało się dno. „Czy ty ostatnio nie za dużo pijesz, dziewczyno?".

Tymczasem muzyka zmieniła się. Nerwowy rytm samby zastąpiła tęskna posuwistość argentyńskiego tanga. Od stołów podniosło się kilka par.

— Zatańczymy? — zapytał Raul.

W każdej innej sytuacji zawołałabym: „Z ochotą", teraz jednak stanął mi przed oczami obraz mego brata. Nie wiem, dlaczego wyglądał jak topielec, był siny i opuchnięty.

— Nie, nie! — zawołałam, wyrwałam się Sanchezowi i pobiegłam do pokoju. Dzięki Bogu, nie próbował mi przeszkodzić.

━━━

Noc przespałam jak zabita, bez majaczeń, zwidów czy proroczych snów.

Ranek, a zwłaszcza waga hotelowa, według której schudłam dwa kilogramy, nastroiły mnie optymistyczniej. Poza tym zarówno Darlington, jak Sharffer emanowali taką pewnością siebie, iż zaczęłam wierzyć w szybkie odzyskanie brata.

Kolejną naradę odbyliśmy na odludnym odcinku plaży,

300 metrów na północ od hotelu „Waling-Waling", dokąd pobiegliśmy w kostiumach plażowych. Szum łamiących się fal wykluczał podsłuch, a nasze skąpe stroje uniemożliwiały podrzucenie komukolwiek aparatury podsłuchowej.

Nick przedstawił plan, niewątpliwie uzgodniony z dziadkiem. I zapewne z Timem Sharfferem. Już wtedy wyraźnie zaczął się rysować podział naszej małej grupki na lepiej i gorzej poinformowanych. W dodatku ta różnica miała się jeszcze pogłębić.

— Musimy się podzielić — powiedział Amerykanin. — Państwo Leśniewscy mogą spędzić tu jeszcze dwa dni, po czym powrócą do Stanów i zameldują się w Miami.

— Dlaczego? — usta Doroty skrzywiły się w podkówkę jak u skrzywdzonego dziecka.

— Nic więcej nie mogę powiedzieć poza tym, że czeka państwa ważne, odpowiedzialne zadanie.

— A my? — dopytywałam się niecierpliwie.

— Powinniśmy jak najszybciej dostać się do Birobidżanu — odpowiedział. — Będzie dobrze, jeśli znajdziemy się na miejscu, zanim dostarczą tam Podlaskiego.

— A gdy już się tam znajdziecie, to co zrobicie? Odbijecie Adama? — pytała Dorota.

— Nie jesteśmy komandem „Foki". Dobrze jednak, jeśli zdobędziemy dowody, że pan Podlaski tam jest.

— Jeśli Rosjanie wam na to pozwolą — powątpiewał Wiktor. — Możecie przecież nie dostać wiz.

— Gdybyśmy złożyli podanie, ujawniając prawdziwy cel naszej wizyty, odmowa byłaby pewna. Ale przecież żaden z nas nie zgłosi ochoty wizytowania Republiki Żydowskiej i bazy 1347 w szczególności. Za to wykupienie czterech biletów na romantyczną, wielodniową podróż koleją transsyberyjską Władywostok–Moskwa nie powinno wzbudzić podejrzeń. Będziemy mieli do dyspozycji cały przedział sypialny. Tyle że podczas podczas postoju w Birobidżanie pociąg opuści niespostrzeżenie męska część ekipy. Pani Barbara, jak długo się da, będzie symulować, że jesteśmy w komplecie i nie opuszczamy przedziału.

— A co potem? — dopytywał się Sanchez.

— Na ten temat porozmawiamy na miejscu.

Sądząc po tym, jak radośnie Dorota z Wiktorem pobiegli poszukać ochłody wśród fal, można było wyciągnąć wniosek, że nie martwili się nowymi zadaniami. Sama chętnie bym się z nimi zamieniła. Zauważyłam, że Sanchez udał się za nimi, a Nick skierował w stronę drogi. W efekcie do hotelu wracaliśmy we dwójkę z Timem.

— Nie podoba mi się to coraz bardziej — marudził Sharffer. — Mówimy o naszych zamierzeniach otwartym tekstem, przedstawiamy plany, tak jakby nie istniała pewna ewentualność, która od chwili porwania Adama nie daje mi spać.

— O jakiej ewentualności pan mówi?

— Że w naszej małej, sympatycznej grupce ukrywa się zdrajca.

Spacer po plaży okazał się praktycznym pożegnaniem z Boracay. Po lunchu rozstaliśmy się z Leśniewskimi.

— Jestem pewna, że uda się wam wyciągnąć Adama — powiedziała Dorota, całując mnie serdecznie.

— Lubisz go? — zapytałam, zbyt późno gryząc się w język.

— Imponuje mi jego wiedza, inteligencja... — odparła.

Wiktor uścisnął mnie bez słowa. Doprowadzili nas na skraj plaży, gdzie tubylcy z naszymi bagażami już brodzili w kierunku statku.

Kiedy znalazłam się na pokładzie, odwróciłam się, by im pomachać. Stojąc pod palmą, objęci, byli tak młodzi, tak piękni i tak szczęśliwi, że nie mogłam pojąć, dlaczego nagle poczułam w sercu dziwne, chłodne ukłucie. Skąd przyszło mi do głowy, że być może nie zobaczymy się więcej?

Jeszcze raz zapytałam Nicka, czy może mi powiedzieć, jakie to ważne zadanie dostali.

— Nie zostałem poinformowany — odparł. — Może Tim wie coś więcej.

Dałam spokój, próby wyciągnięcia czegokolwiek od Sharffera przypominały rozmowę dziada z obrazem.

W pół godziny łódź przewiozła nas na wyspę Panay, skąd polecieliśmy z powrotem do Manili. Znaleźliśmy tam nierzucający się szczególnie w oczy hotel ("Oxford Suites"), położony w centrum dzielnicy rozrywek i czerwonych latarń w kształcie serduszek. Jednak było zbyt późno, żeby skorzystać z rozrywkowej oferty.

Nie powiem, cały czas pilnie obserwowałam Nicka, z precyzją jubilera usiłując znaleźć skazę na diamencie. Skazy nie znalazłam, chyba że za taką uznać pewne podobieństwo do aktorusa, który przed laty miał mi pomóc w przyjęciu mnie do szkoły teatralnej. Jak chyba wspominałam, przeszłam pozytywnie jedynie część wstępną egzaminu, na kozetce w jego garsonierze. Skojarzenie nie należało do najmilszych, tamten facet również w łóżku zachowywał się jak olimpijski bożek, łaskawie zniżający się do poziomu ziemianek. Ot, taki Zeus nawiedzający Ledę pod postacią łabędzia. Inna sprawa, że gdybym drugi raz miała przechodzić to samo, wolałabym prawdziwego łabędzia.

Zauważyłam na szczęście różnicę, Nicholas II wyniosły nie był, to znaczy starał się nie być. Jest w ludziach ze starej arystokracji coś takiego, co mimo całej kultury i dyskrecji wielmoży przypomina parweniuszowi, że jest parweniuszem i powinien znać swoje miejsce w szyku.

Następnego dnia od rana przystąpiliśmy do działania. O ile wizę chińską udało się przedłużyć od ręki — w drodze do Władywostoku musieliśmy przesiadać się w Hongkongu i w Harbinie — z rosyjską nie poszło nam tak łatwo. A właściwie w ogóle nie poszło.

Tygodniowy termin oczekiwania, w dodatku bez pewności, czy zapadnie decyzja pozytywna, bardzo komplikował nasze plany. Darlington porozumiał się z Changiem, zdradzając przy okazji, że obaj panowie współpracowali od dawna. Joséph Conrad zaproponował nam przelot do Chin kontynentalnych, utrzymując, że ma znajomości w rosyjskim konsulacie w Harbinie i jeśli da się cokolwiek przyśpieszyć (za pomocą nieśmiertelnej „wziątki"), to tylko tam.

Żałowałam, że zdążyliśmy ledwie rzucić okiem na Manilę, miasto pełne kontrastów — wieżowców i zasobnych rezydencji oraz enklaw przerażającej nędzy. Najbardziej wstrząsający był widok tłumu bezdomnych rozkładających na noc swe legowiska na torach kolejowych („Przynajmniej w miarę równo i sucho" — powiedział Tim). Osobiście na ich miejscu jednak bałabym się, że może nadejść jakiś opóźniony ekspres. Udało się nam również wpaść na egzotyczny chiński cmentarz, przypominający elegancką dzielnicę jednorodzinnych domków, gdzie w marmurowych minipałacykach Chińczycy zwykli biesiadować w cieniu grobów swoich przodków, wierząc, że szacunek okazywany zmarłym gwarantuje dobre życie i pomyślność dla żywych.

— Nie należy się za bardzo dziwić tym praktykom — skomentował Darlington. — To taka orientalna odmiana wschodnioeuropejskich dziadów.

Potem nastąpił wieczorny lot do Hongkongu, sporo godzin spędzonych na fotelach w ogromnym nieprzytulnym terminalu, i wreszcie rano kolejny lot. Miałam prawo czuć się jak zdzezelowana stewardessa.

Do Harbina dolecieliśmy nazajutrz koło południa. Joséph Conrad oczekiwał nas na lotnisku. Nie miał zbyt zadowolonej miny.

— Chyba nic się nie da przyśpieszyć — powiedział. — Ci pieprzeni ruscy biurokraci twierdzą, że procedura musi trwać tydzień i ani dnia krócej.

— Co w takim razie możemy zrobić? — zapytałam.

— Czekać!

— Ale to oznacza, że Adam znajdzie się w Birobidżanie przed nami.

— Niestety — Chińczyk bezradnie rozłożył ręce. — Jedyne, co mogę wam zaproponować, to wykorzystanie czasu oczekiwania na zwiedzanie Mandżurii. A są tu rzeczy naprawdę godne zobaczenia. Zaczekajcie przed terminalem, pójdę po samochód.

Po kilkunastu minutach przyprowadził duży i wygodny wóz nieznanej mi marki, pojechaliśmy nim do konsulatu, ale Chang zaparkował go w bocznej uliczce i ostatni odcinek drogi pokonaliśmy pieszo („na wszelki wypadek gdyby ktoś chciał nas obserwować"). W konsulacie złożyliśmy wszystkie kwestionariusze i fotografie, uiszczając odpowiednią opłatę.

Po wyjściu z gmachu Chang znów zaprosił nas do samochodu i oddalił się prędko, zerkając co jakiś czas do tyłu, czy ktoś przypadkiem za nami nie jedzie.

Jeśli to byli agenci na rowerach, to szybko ich zgubiliśmy.

— Przyjaciel ma dom za miastem, tam się zatrzymamy — wyjaśnił Joséph Conrad. — Uprzedzam, że może to trochę potrwać.

— Nie szkodzi...

Zmęczona, prawie natychmiast zasnęłam. Obudziłam się, gdy samochód podskoczył mocniej na jakimś wertepie. Zauważyłam, że w tym czasie zdążył zapaść zmierzch. Popatrzyłam na zegarek. Jechaliśmy piątą godzinę!

— Dość daleko mieszka ten twój przyjaciel — mruknęłam.

— Wybaczcie drobne kłamstewko — odparł Chang — ale nie jedziemy do żadnego przyjaciela.

— A dokąd? — z tylnego siedzenia zabrzmiał chrapliwy głos Tima.

— Do Rosji! Uzgodniłem ze starszym panem, że powiem wam o tym dopiero w drodze.

— I jak nas tam wpuszczą? Przecież nie mamy wiz! — zaniepokoił się Sanchez.

— Mam nadzieję, że dostaniemy się tam bez nich — w głosie Changa pobrzmiewał niezmącony spokój.

— Czyste szaleństwo! — prychnął Kubańczyk. — Ruscy pogranicznicy nie mają poczucia humoru.

— Możemy jeszcze zawrócić — kierowca zwolnił — albo jeśli ktoś z państwa chce wysiąść...

— Nie będziemy zawracać! — zdecydowałam.

— Muszę was zapewnić, że wariant z samowolnym opuszczeniem pociągu byłby diablo ryzykowny — powiedział, przyspieszając ponownie. — Łatwiej jest przekroczyć zieloną granicę, niż niepostrzeżenie wysiąść z transsyberyjskiego ekspresu.

Nick, jak przystało na praktycznego Amerykanina, zadał tylko jedno pytanie:

— Ile mamy do przejechania?

— Jakieś tysiąc kilometrów — odparł Chang — z hakiem.

Jechaliśmy całą noc, a następnie większość dnia, podróż wydawała się nie mieć końca, tym bardziej że za miejscowością Fujin zjechaliśmy na jakieś boczne, dziurawe drogi. Tylko raz zatrzymał nas patrol uzbrojonych Chińczyków, ale krótka wymiana zdań z Changiem sprawiła, że żaden nie zajrzał nawet do wnętrza.

Joséph Conrad opowiadał, że szlak ten (w paru wariantach) przemierzał wielokrotnie i nigdy nie miał najmniejszych trudności. Bez przemytu ludzie po rosyjskiej stronie umarliby z głodu, toteż władza musiała przymykać oczy na to, co tu się dzieje.

— Jest ustalona wysokość łapówek i jeśli klienci są wypłacalni, nikt nie przeszkadza w obrocie ludzi, towarów ani idei — zakończył.

— Ale nawet najgłupszy pogranicznik zauważy, że nie jesteśmy Chińczykami — powiedziałam.

— Dlatego postaramy się z nimi w ogóle nie spotkać. Wszystko zależy od pogody. Módlcie się o wielki deszcz, a najlepiej od razu o burzę.

Nie musieliśmy błagać Opatrzności zbyt długo. Ołowiane chmury zbierały się od rana. Po południu pokropiło, a im bliżej zmierzchu, wielka burza z każdą chwilą stawała się coraz bardziej prawdopodobna.

Z braku innych zajęć Tim Sharffer, który wreszcie odzyskał lepszy humor, opowiadał mi o różnych paranormalnych zdarzeniach z własnej kariery „podsłuchiwacza snów", a ja ostrożnie obserwowałam Darlingtona. Denerwował mnie, fakt — ale nie sposób było nie zachwycać się jego rękami. Ileż wieków genetycznej sublimacji musiało sprawić, że dłonie zyskały doskonałość proszącą się o ołówek Michała Anioła czy Leonarda. Szczupłe, ale nie słabe, o długich palcach, jednak nieprzypominających omdlewających paluszków anioła... Zauważyłam, że nie było na nich ani śladu obrączki. Czy to możliwe, by do tego wieku facet uchował się w stanie wolnym?...

„Przestań śnić na jawie, kobito! Jeśli aż tak pilnie potrzeba ci chłopa, to zajmij się Murzynem albo Chińczykiem. Może się skuszą".

Dobrze po południu, w jakiejś wiosce, sprawiającej wrażenie wymarłej, Chang nieoczekiwanie skręcił z drogi i wjechał samochodem prosto do zagrody tutejszego rolnika.

— Wysiadamy — powiedział, czy raczej zakomenderował.

Miejscowy Chińczyk czekał z obiadem, na który złożył się rosół z najstarszej kury świata, może zresztą był to jakiś wykopany z wiecznej zmarzliny okaz archeopteryksa, ale nie wybrzydzaliśmy. Ostra przyprawa zabiła wszelki smak, a nawet częściowo smród.

Na dworze było parno, duszno, gorąco. Grzechot błyskawicy przyjęliśmy jako zapowiedź zmiany na lepsze.

— Idziemy! — powiedział Chang, wstając od stołu. — Proponuję rozebrać się do podkoszulków, a ubrania schować do plastikowych toreb.

— Ale zaraz może lunąć! — zaoponowałam.

— Właśnie dlatego. I tak błyskawicznie przemokniemy, a dobrze będzie móc potem przebrać się w coś suchego. Poza tym ten ciepły deszcz jest naszym najlepszym sojusznikiem. Kiedy leje jak z cebra, monitoring optyczny nad Amurem praktycznie przestaje istnieć, a elektroniczny... Ktoś po ruskiej stronie wziął w łapę sporo pieniędzy, aby po silniejszym uderzeniu pioruna wyłączyć aparaturę na pół godziny... Więc, jak mówiłem, ubrania owijamy folią i wkładamy do plecaków... Do roboty!

Zaraz za domem rozciągał się ogródek, potem ścieżka, a właściwie wąski tunel wśród gęstej roślinności. Zapewne ten przesmyk był niewidoczny nawet dla najczulszego samolotu zwiadowczego. Zielony korytarz urywał się mniej więcej po kilkuset metrach. Przed nami ujawniło się nieomal pionowe urwisko, a dalej toczył swe wezbrane wody potężny Amur; widać było rozliczne wyspy, łachy śnieżnobiałego piachu i wreszcie, daleko, po drugiej stronie, ścianę lasu na niskim brzegu.

Jednak nie mieliśmy czasu na długotrwałą obserwację pejzażu. Tuż koło nas walnęło jak z Car Puszki (Sharffer aż się przeżegnał) i zaraz lunęło potężnie, a kurtyna wody ograniczyła widoczność do kilkudziesięciu metrów.

— Schodzimy! — powiedział Joséph Conrad. Tak jakby miało to być zejście ze stopnia tramwaju, a nie pokonanie kilkunastometrowej ściany.

Chciałam zapytać jak, ale nie zdążyłam. Naraz pojawiło się mnóstwo żółtoskórych hobbitów, którzy nie wiedzieć skąd wyciągnęli drewniane drabiny, tworząc błyskawicznie konstrukcję, moim zdaniem doskonałą dla kandydatów na samobójców, ale wedle Changa wystarczająco stabilną. Zresztą mieliśmy trzymać się liny.

W nieustającym prysznicu, walącym z energią setek armatek wodnych służących rozpędzaniu demonstracji, zleźliśmy na dół. Całą drogę przekonana byłam, że zaraz spadnę, toteż gdy znalazłam się na brzegu, miałam kompletnie miękkie nogi. Poniżej urwiska, koło resztek jakichś fortyfikacji, przypominających o dawnych konfliktach granicznych potężnych sąsiadów, czekały dwie łodzie i grupka autochtonów z tobołami i dziećmi, którzy przyglądali się nam z najwyższą podejrzliwością.

Spodziewałam się przeprawy za pomocą wioseł, ale okazało się, że łodzie przemytników, mimo iż wyglądały jakby pochodziły z czasów Czyngis-chana; zaopatrzone były w spalinowe silniki, w dodatku doskonale wytłumione. Jak widać, praktyczni kitajcy zorganizowali tu prawdziwą kontrabandę na skalę przemysłową.

Nick wytwornie podał mi rękę i pomógł zasiąść na ławeczce, tak jakby zapraszał mnie do swej loży w operze. Deszcz nie ustawał ani na sekundę, a pioruny spadały jak gruszki. Przemieniłam się zmokłą kurę, ale nie było czasu zajmować się urodą. Z każdą chwilą robiło się ciemniej.

Odbiliśmy od brzegu. Przed nami nie widać było niczego poza ścianą wody.

Sharffer znów się przeżegnał. Mimo swego agnostycznego podejścia do obrzędów religijnych poszłam w jego ślady.

XI

SAME ZASKOCZENIA

Ani przeprawa przez Amur, ani pierwsze kroki na ziemi rosyjskiej nie dostarczyły większych emocji. Burza nie wywróciła łodzi. Nie wykryły nas żadne graniczne ustrojstwa. Na lądzie nie czekały psy ani konni pogranicznicy. Bez żadnych przeszkód łódź wpłynęła w odnogę wielkiej rzeki. Wysadzono nas w modrzewiowym lasku, gdzie już czekała furka, która przewiozła nas kilkanaście kilometrów w głąb lądu. Dalej mieliśmy bardziej luksusowy środek komunikacji. Traktor z otwartą przyczepą. Deszcz nie ustawał ani na chwilę. Tymczasem zapadł zmierzch, więc w kompletnych ciemnościach, po co najmniej dwóch godzinach podróży, przemoczonych i zziębniętych (koce, które znalazły się na furce, też były mokre jak ścierki), dowieziono nas do zapuszczonego domostwa w głębi lasu. Po drodze nikt z tubylców nie zadawał żadnych pytań. Jedyne co zauważyłam, obserwując Changa, to zwitki banknotów przechodzące z ręki do ręki.

Byłam przekonana, że przynajmniej dla mnie wycieczka skończy się ciężkim zapaleniem płuc. Na szczęście mieszkaniec domu — z wyglądu wypisz wymaluj Lew Tołstoj z czasu pobytu w Jasnej Polanie — był przygotowany na naszą reanimację. Dostaliśmy, ja jako pierwsza, miski z gorącą wodą do wymoczenia nóg, a dodatkowo każdy po tęgim stakanie miejscowego samogonu.

Już po paru minutach było nam gorąco. A w zmienionej, suchej odzieży nawet za gorąco. Dom był stary, pozbawiony światła, kiedyś działał tu podobno agregat prądotwórczy, ale ostatnio się popsuł. Pozostawały naftówki. Poza „starikiem" Mykołą, który szybko gdzieś się ukrył, w budynku, zdecydowanie za obszernym jak na jedną osobę, nikt nie mieszkał. Trzy pokoje zostały poprzydzielane w ten sposób, że najmniejszy miał przypaść mnie, a z pozostałych dwóch — Sharffer miał spać z Darlingtonem w jednym, a Murzyn z Chińczykiem w drugim.

Nikomu jednak nie śpieszno było do łóżka, zwłaszcza że Chang na moje pytanie: „Czy mogą być tu pluskwy?", odparł: „Z pewnością. Ale proszę się nimi nie przejmować".

Piliśmy więc (leczniczo!) samogon. Smakował nieźle, chociaż śmierdział jak zaraza, a Tim zabawiał nas sztuczkami karcianymi, odgadując bezbłędnie zakryte karty.

— Wolałbym nie grać z tobą na pieniądze — powiedział Nick.

Niechcący wywołał temat. Zarówno Sanchez, jak i Chang lubili pokera. I już po chwili zaczęły śmigać karty i rosnąć stosy papierków zastępujących banknoty.

Sharffer chciał się dołączyć do gry, twierdząc, że nie będzie wykorzystywał swoich zdolności, ale mimo to nie został dopuszczony do stolika. Zaufanie ma swoje granice! Co do mnie — nigdy nie lubiłam gier hazardowych, zwłaszcza na pieniądze, zadowoliłam się więc rolą kibica.

Podobno przy kartach wychodzi prawdziwy charakter człowieka. Lucy twierdzi, że kochanka można poznać najlepiej po tym, jak prowadzi samochód i jak zachowuje się podczas gry.

Przyglądałam się więc tej trójce mężczyzn (Tima nie brałam po uwagę), snując rozmaite domysły na ich temat. Sanchez grał brawurowo jak latynoski macho. Blefował na potęgę, startując na przykład z dwoma parami przeciwko oczywistej trójce, cieszył się, kiedy wygrywał, ale trzeba przyznać, żartował także, gdy przegrywał. Chińczyk preferował styl azjatycki — kamienna twarz, precyzja, ostrożność, a co jakiś czas gwałtowny, bezkompromisowy atak.

Amerykanin grał ze swobodą arystokraty utracjusza, tak jakby nie przejmował się, czy zwycięży, czy nie. Szybko zorientowałam się, że to jednak pozory. Dowodu dostarczały kwitki z wypisanymi kwotami, jakoś dziwnie szybko przepływające na jego ćwiartkę stołu.

Sharffer nieszczęśliwy, że nie może się dołączyć, krążył wokół stołu jak głodny sęp, próbując zaglądać w karty graczy, ale ci twardo trzymali je przy orderach.

Tylko po co chciał zaglądać, skoro mógł je odgadnąć i bez tego?

Alkohol rozgrzewał wszystkich coraz bardziej i Sanchez zaproponował, żeby podnieść podstawową stawkę. Z dolara do dziesięciu.

— To my nie gramy symboliczne? — zdziwił się Joséph Conrad.

— Symbolicznie to nie jest żadna gra — obruszył się Murzyn. — To są prawdziwe weksle. Rozliczenie nastąpi w momencie dotarcia do pierwszego banku.

— Na razie przegrywasz — kąśliwie zauważył Chang.

— Ale się odegram!

I rzeczywiście, zaraz potem dostał karetę z ręki, przy której ful Nicka wart był tyle, ile piasek na Saharze. Chińczyk wycofał się wcześniej.

Wygrana uskrzydliła Sancheza. Ale na krótko. Pieniądze znowu zaczęły wracać do Darlingtona.

Coraz bardziej pijana, zaczęłam sobie roić, że stawką w grze nie są wcale pieniądze albo raczej nie wyłącznie pieniądze, tylko ja. Że wygrywający zgarnie mnie z całą pulą. Jednak wypity samogon zrobił swoje i ani się zorientowałam, jak odpadłam od towarzystwa.

Co było dalej? Jak przez mgłę pamiętam czyjeś silne ramiona. Ktoś wziął mnie z ławy, na której zasnęłam, zaniósł do sypialni... Kto to był? Nie mam pojęcia. Na pewno mężczyzna. W pijanym widzie wydawało mi się, że to Sebastian (choć ten gnojek nie dałby rady wziąć moich słodkich 70 i pół kilograma na ręce).

— Będziemy się kochali? — wymamrotałam jak kretynka.

Niosący mnie nie odpowiedział. Ułożył na posłaniu, po czym jego usta musnęły mój policzek. Ale nie byłam w stanie stwierdzić, czy są to wywinięte wargi Sancheza, wąskie Changa czy wykwintne Nicholasa. Poczułam jeszcze, że ktoś po ojcowsku nakrywa mnie kocem. I wychodzi. Kretyn!

Zapadłam w głęboki sen. Ale krótki. Było jeszcze ciemno, kiedy ocknęłam się z obolałą głową, potwornie spragniona. Leżałam, zastanawiając się, czy wystarczy mi sił, aby wstać i powlec się do kuchenki, gdzie był kran.

Nieoczekiwanie poczułam powiew wiatru, jakby ktoś otworzył zewnętrzne drzwi, wywołując przeciąg.

Uniosłam się i zaczęłam nasłuchiwać. Gdzieś zgrzytnął zamek, zaskrzypiała podłoga...

„Daj spokój, idiotko — strofowałam się. — Pewnie gospodarz wstał, oporządzić inwentarz".

Zapaliłam naftówkę i chwiejąc się na nogach wyszłam do stołowego. Panowie dawno skończyli grę, jednak zapach papierosów wypalonych przez Changa i Tima nadal wisiał w powietrzu. Łyknęłam wody z kranu, a potem skierowałam się ku drzwiom zewnętrznym. Nie były zamknięte. Ale gdy kucnęłam z lampą, zobaczyłam świeże ślady błota na linoleum. Kończyły się na wycieraczce. Dalej było sucho.

Ktoś niedawno musiał wejść z dworu, a następnie wytrzeć nogi i zdjąć buty. Ale kto? Butów nigdzie nie zostawił.

Przypomniało mi się zdanie Sharffera o możliwej obecności w naszym gronie zdrajcy. Szłam, nasłuchując. Drzwi do obu pokojów panów były pootwierane. Oddechy równe, co rusz któryś chrapał. Pusto było w wygódce, spiżarni. Drzwi do piwnicy zamknięto na klucz. Wróciłam do pokoju, besztając się w myślach.

„A może któremuś z twoich kolegów po alkoholu zrobiło się duszno albo poszedł puścić pawia, a ty doszukujesz się Bóg wie czego, kobieto?".

Zaczęłam na nowo zasypiać, kiedy uderzyła mnie inna myśl: „Jeśli któryś z panów wyszedł się przewietrzyć, z jakiego powodu, kiedy zaglądałaś do ich pokojów, udawał, że śpi? Bał się, że go uwiodę?".

Ale nim odpowiedziałam na tę kwestię, znów należałam wyłącznie do Morfeusza.

Rankiem przestało wreszcie padać. Ponure otoczenie zmieniło się w kipiący świeżą zielenią las. Mężczyźni jeszcze spali, jedynie Mykoła (nasz podobny do Tołstoja gospodarz) kręcił się po obejściu. Postanowiłam zrobić sobie mały spacerek. Okazało się, że chałupa nie leży na zupełnym pustkowiu, jak mi się wieczorem wydawało, po przejściu paruset metrów las się przerzedził, pojawiły się poletka, za nimi wieś, domy zbudowane z bali, niewielki sklep, lśniąca nowością cerkiewka... Jednak kiedy po obejściach odezwały się liczne psy, a jakiś dzieciak, który wylazł spoza opłotków, zaczął mi się natarczywie przyglądać, zawróciłam, mocno z siebie niezadowolona. Właśnie złamałam zasadę konspiracji. Na szczęście moi panowie jeszcze nie wstali. Myślami wracałam do nocnego incydentu, toteż pilnie szukałam odcisków stóp na błotnistej ścieżce. Ale było ich mnóstwo, w tym najwięcej śladów olbrzymich gumiaków Mykoły, które zadeptywały wszystko. Jedno było dla mnie jasne: ktokolwiek nocą opuszczał dom, mógł bez trudu dojść do wsi i przekazać

informacje o nas i zawrócić, a wszystko razem nie zabrało-
by mu więcej niż pół godziny. Kiedy za szopą zobaczyłam
zabłocony rower, taka wersja stała się jeszcze bardziej prawdopodobna.

Powiem szczerze, co najmniej do południa spodziewałam
się, że nadjedzie parę kompanii milicji i otoczy dom. Jednak
nie nastąpiło nic takiego.

Inny problem, który krążył po moim skacowanym mózgu,
dotyczył tajemniczego dżentelmena, który zaopiekował się
mną, położył do łóżka i pocałował. Miałam nadzieję, że nie
był to Sharffer.

Dzień ciągnął się powoli jak ślimak wchodzący po schodach. Według Changa mieliśmy czekać na potwierdzenie, że
Adam dotarł już do Władywostoku, a potem zająć pozycje,
aby dokumentować porwanie. Każdy z nas miał kupiony
w Hongkongu dobry, mały cyfrowy aparat, zdolny robić zdjęcia w każdej sytuacji (również w nocy). Jaki użytek zamierzał uczynić z tego później nasz dziadek, nie miałam pojęcia.
Ale jak rozkaz to rozkaz!

Po obiedzie (ziemniaki z kwaśnym mlekiem) postanowiłam pójść na spacer, w las. Problemem było znalezienie sobie towarzystwa. Miałam czterech mężczyzn do wyboru... Po
prostu zapytałam.

— Czy ktoś nie ma ochoty się przejść?

Odzew ze strony Changa i Nicka był natychmiastowy.
Sanchez, ciągle bardzo skacowany, nie wyglądał na amatora
czegokolwiek, a już przechadzek po lesie szczególnie.

Poszliśmy więc w trójkę.

Chang okazał się doskonałym przewodnikiem. Na lasach
znał się, jakby był gajowym. Dla mnie drzewo jest po prostu
drzewem — Chińczyk o każdym mógł opowiedzieć mnóstwo
ciekawych rzeczy. Z kakofonii dźwięków, jakie wydaje knie-
ja, potrafił wyłowić głosy ptaków i nazwać każdego po imieniu. Wiedział, co może kryć się w jakiej norce i która ścieżka

jest dziełem ludzi, a którą wydeptała zwierzyna, podążająca do wodopoju.

Darlington przeważnie milczał i rozgadał się dopiero nad potokiem, opowiadając, jak kiedyś z ojcem wybrał się na kanadyjskie pstrągi.

— Nigdy nie łowiłam ryb — odparłam szczerze.

— A polowałaś? — zapytał Nick.

Żachnęłam się, twierdząc, że polowanie uważam za bezrozumne barbarzyństwo.

— Być może — zgodził się — jednak instynkt łowcy jest cząstką nas. Elementem składowym pradawnych atawizmów, przed którymi trudno uciec. I nie trzeba. Oczywiście, taki pogląd jest dziś odosobniony i wysoce niepoprawny — dodał z uśmiechem.

— Popierasz takie barbarzyństwo jak łowiectwo?! — zawołałam.

— Tak. I powiem ci więcej, obawiam się, że tłumienie takich pierwotnych instynktów nie przyniesie ludzkości niczego dobrego. Można zakazać corridy, walk kogutów, gonitwy za lisem, tresury zwierząt w cyrku — prawdopodobnie też da się zamienić mięso na syntetyki, a rozmnażanie się tradycyjnymi metodami w heteroseksualnej rodzinie na zapłodnienia in vitro singli. Być może to się wszystko uda. Tylko czy ludzie pozostaną wtedy jeszcze ludźmi?

— Świetnie dogadałbyś się z Adamem — rzuciłam. — Ja mam do takich poglądów stosunek niechętny.

— Rozumiem i nie śmiałbym cię nawracać na konserwatyzm.

— Od pewnego czasu ja już jestem konserwatystką, tyle że nie dotyczy to stosunku do zwierząt.

Widząc, że Joséph Conrad na dłuższy czas zamilkł, zapytałam go o tygrysy.

— Trafiają się, naturalnie częściej nad Ussuri, w górach Sichote-Alin, gdzie znajdują się ich rezerwaty.

— A tu?

— Byłaby to jedna z większych sensacji.

Zaświergoliła komórka Changa. Odebrał i zaćwierkał coś po chińsku, po czym zwrócił się do nas:

— Chyba muszę zawrócić, przyjechał jeden z moich współpracowników, który zajmie się naszym dalszym transportem. Potraficie sami znaleźć drogę?

Spojrzałam na Darlingtona. Nie wyglądał na zakłopotanego.

— W razie czego mam kompas — powiedział.

Dalej szliśmy sami, dłuższy czas milcząc. Powiem szczerze, w obecności tego przystojniaka nie czułam się zbyt pewnie, a tematy przyrodnicze mieliśmy jakby wyczerpane.

Nieoczekiwanie zapytał mnie o sprawy prywatne.

Nie mam pojęcia, dlaczego skłamałam. Opowiedziałam mu o Sebastianie, tak jakby nasz związek trwał i przeżywał swoje upojne apogeum, przerwane na krótko moją podróżą. Mówiłam tak przekonująco, że jeszcze chwila, a sama bym w to uwierzyła.

— A ty? — zapytałam. — Jesteś samotny?

— Kiedyś byłem żonaty — odparł. — Nawet całkiem niedawno.

Już chciałem zapytać, dlaczego jego związek się rozpadł, bo przecież nikt zdrów na umyśle nie rzuca takiego supermena jak on, ale mnie ubiegł:

— Alice nie żyje — powiedział spokojnie. — Dwa lata temu zginęła w Bagdadzie razem z moim synem, Nicholasem III. Przypadkowa bomba adresowana do kogoś innego...

Zamurowało mnie. Przez dłuższą chwilę nie wiedziałam, co począć. A potem obróciłam się do niego, lekko wspięłam się na palce i pocałowałam. W policzek pachnący jakimś dobrym płynem po goleniu! Pocałunek był króciutki, podobnie jak moje przytulenie.

— Dziękuję — usłyszałam. — Na szczęście nie jestem zupełnie sam.

Sięgnął do portfela i wyciągnął zdjęcie młodej, najwyżej

18-letniej dziewczyny, emanującej radością życia, zdecydowanym charakterem i nadzwyczajną urodą, jaka trafiała się w Rosji wśród przedrewolucyjnej arystokracji.

— To Sophia, moja córka. Studiuje prawo na uniwersytecie w Georgetown. Jest nie tylko piękna, ale również mądra i samodzielna. Czasami wydaje mi się, że jest aniołem — rozgadał się całkowicie, ignorując moją naburmuszoną minę.

Byłam niepocieszona! Swoją paplaniną o Sebastianie straciłam największą szansę mego życia. Inna sprawa, czy ktoś przypominający amerykańskiego orła mógłby zainteresować się taką kurą domową jak ja.

— Może już wrócimy — zaproponowałam, marząc, żeby ta głupia sytuacja skończyła się jak najprędzej.

— Jak sobie życzysz.

Jeden błąd pociąga następne. Po powrocie do chałupy na złość sobie zaczęłam adorować Chińczyka. Normalnie nie narzucam się mężczyznom. Tym razem jednak postanowiłam wymierzyć sobie karę i przespać się z tym dziecięciem Wschodu, aby ostatecznie pogrążyć się w oczach Darlingtona. Nie było w tym krzty logiki, ale jak mawia Lucy: „Uczyń kobietę w stu procentach logiczną, a zaczną jej rosnąć włosy między piersiami na brzuchu i dalej, aż do członka".

Oczywiście, nie mogłam zrobić tego wprost i w obecności czterech mężczyzn powiedzieć do Changa: „Mam na ciebie ochotę" albo „Zerżnij mnie, kochanie".

Wybrałam za to zestaw najbardziej wyświechtanych metod, całe popołudnie wypytywałam go o różne sprawy dotyczące kultury Dalekiego Wschodu, podczas obiadu, na który z rąbanki przywiezionej przez Mykołę przygotowałam sporo mięsa w sosie, obdzielałam go najlepszymi kąskami. Na koniec, gdy doszło do repety, wylałam całą łyżkę sosu na koszulę Chińczyka. I natychmiast zaproponowałam, że mu ją wypiorę. Przystał na to dość niechętnie, po zdjęciu poplamionej koszuli zobaczyłam, że zbudowany jest nad wyraz harmonijnie i że kara, którą zamierzam sobie wymierzyć, nie będzie aż taka nieprzyjemna. Szybko jednak nałożył na gołe ciało jakiś sweter.

Po przepierce, widząc, że Sanchez wyciąga karty, a Tim przynosi z bimbrowni Mykoły kolejną butelkę samogonu, zapytałam Josépha Conrada, czy mógłby zacząć uczyć mnie chińskiego i prawie siłą zaciągnęłam go do mojego pokoju. Reszta mężczyzn zasiadła do kart, tyle że zamiast pokera, koncentrując się na kierkach.

Rwałam chłopaka dość brutalnie. Bezczelnie zaglądałam w jego ciemne ślepia (po matce Chince), zmusiłam, aby ucząc mnie pierwszych trzech liter, ujął moją dłoń w swoją, pokazując, jak powadzić pędzelek po papierze. W tym czasie muskałam go włosami i biustem. I kiedy byłam pewna, że odniesie to skutek, Chang zapytał:

— Dlaczego robisz to wszystko?

— Niby co? — udałam głupią.

— Dlaczego, będąc zafascynowana Nickiem, robisz wszystko, aby pogrążyć się w jego oczach, używając do tego celu właśnie mnie?

— Podobasz mi się — powiedziałam, niezbyt szczerze.

— Nie kłam, Barbaro. Bo nie jestem idiotą. Owszem, zrobiłem na tobie pewne wrażenie w Hongkongu. Była nawet taka chwila, moment, kiedy coś mogło się nam przydarzyć, ale to przeszło, minęło i więcej się nie powtórzy. Wybacz, jeśli cię zawiodłem.

Wyszedł, a ja rzuciłam się na łóżko, by płakać w poduszkę, nie przejmując się pluskwami czy innym robactwem. Zresztą przy tak obfitym zapasie moich łez można było mieć pewność, że się potopi.

A potem ktoś wszedł do pokoju i usiadł na mym łóżku. Poczułam, jak jego ręka gładzi moje włosy, dotyka karku. Nie protestowałam, kiedy ręka stała się jeszcze śmielsza. Właściwie powinnam się obrócić. Ale nie chciałam pokazywać swej zapuchniętej od łez twarzy. Inna sprawa, nie mógł tego zauważyć, zrobiło się już przecież ciemno, a ja nie zapaliłam naftówki.

Tymczasem ręka głaszcząca moje plecy zsunęła się niżej ku pośladkom. Przez chwilę bawiła się ich krągłością, potem zjechała jeszcze dalej. Instynktownie rozszerzyłam uda i pozwoliłam, aby palce wsunęły się pod gumkę i podążyły ku zakątkom wilgotnym jak rozlewiska Amuru. Zastanawiało mnie jedno. Palce Nicholasa wydawały mi się zawsze dłuższe i delikatniejsze...

— Raul, jest do ciebie sprawa! — skrzypnęły drzwi i w smudze światła pojawiła się korpulentna figurka sobowtóra Danny'ego DeVito. Murzyn odskoczył, właściwie zeskoczył ze mnie i wybiegł z pokoju.

Potrzeba było dłuższej chwili, abym z krainy kosmatych miraży wróciła do rzeczywistości. Czyżby dziadek zatrudnił Sharffera w roli mego anioła stróża? A może pękaty gnom sam żywił wobec mnie jakieś niezdrowe zamiary.

Oczywiście, byłam mu wdzięczna. Chyba jednak żałowałabym seksu z Sanchezem.

Przemknęłam do łazienki. Umyłam twarz z zaschniętych łez, ochłodziłam rumieńce, które z twarzy zdążyły rozprzestrzenić się aż na dekolt. Potem wróciłam do jadalni. Mężczyźni porozchodzili się już po swych pokojach. Przy stole siedział sam Darlington i wykładał karty pomiędzy dwoma naftówkami. Znałam ten pasjans — nosił nazwę „grób Napoleona" — i jak mawiała Grażyna, w zasadzie nigdy nie wychodził.

— Wykładasz go w intencji powodzenia naszej wyprawy? — zapytałam, siadając obok niego.

— Nie.

— A w jakiej?

— Chcę otrzymać odpowiedź, czy mam jakieś szanse u pewnej fascynującej dziewczyny.

— Znam ją? — nie wiem dlaczego, pomyślałam o Dorocie.

— Zapewne nie do końca. A na pewno jej nie doceniasz. Jest ładna, wrażliwa, inteligentna...

— I pewnie bez wad?

— Nikt nie jest doskonały. Dlatego nawet i ona ma wady.

— Jakie? — w myśli dośpiewałam sobie: „ma męża".

Dwoma ruchami zakończył pasjans, a potem spojrzał mi prosto w oczy.

— Za mało wierzy w siebie. Potrafi być niekonsekwentna, ulegać zmiennym nastrojom i podejmować niekiedy niezbyt mądre decyzje.

Jestem dość wygadana, ale w tym momencie zabrakło mi słów, poczułam dziwną suchość w ustach i musiałam szybko ukryć ręce pod blatem stołu, aby nie zauważył, że drżą. Przecież nie mogłam mu zadać pytania w rodzaju „Czy pomimo tej niskiej samooceny i innych jeszcze gorszych wad gotowy byłbyś zainteresować się taką nieszczęśnicą, spędzić z nią noc, może dwie...?".

Tymczasem mimo że pytanie takie nie zostało zadane, Darlington udzielił na nie odpowiedzi. Patrząc mi głęboko w oczy, powiedział łagodnie.

— Nie, Betty!

— Słucham.

— Jeśli liczysz na jakąś niezobowiązującą, niemoralną propozycję z mojej strony, muszę cię rozczarować. W moim wieku takie decyzje podejmuje się na całe życie. Zwłaszcza, kiedy spotyka się tak niezwykłą kobietę jak ty.

Znowu płakałam. Tym razem ze szczęścia. I okropnie zdziwiłam się, gdy Nicholas Darlington II pocałował takie rozmazane monstrum.

Nie poszliśmy tej nocy do łóżka. Ani następnej. Celebrowaliśmy nasze uczucie, poznawaliśmy się bez zbytniego pośpiechu. Mieliśmy czas, poza tym cały świat dookoła nas jakby przestał istnieć, a my, jak dwójka dzieciaków, chodziliśmy po lesie, trzymając się za ręce, całowaliśmy na słonecznych polanach i uciekaliśmy przed deszczem, szczęśliwi, szczęśliwi, po trzykroć szczęśliwi. Koledzy oczywiście zauważyli, co się z nami stało, ale zachowywali się taktownie, nie próbując przeszkadzać.

Nasza miłość przypominała nieco rozpalanie ogniska za pomocą jednej zapałki. Baliśmy się, by gwałtowny podmuch nie zgasił tego, co się rodzi. Aby szczęście, które przychodzi za prędko, nie umknęło również w podskokach.

Mieliśmy swoje doświadczenia („mężczyzna po przejściach, kobieta z przeszłością") i strasznie zależało nam, aby tym razem nie popełnić pomyłki. Nick wyznał, że zrobiłam na nim wrażenie już podczas pierwszego spotkania na Boracay, w barze „U Jonasza". A pożądanie? Nie zależało nam, aby skonsumować nasz związek na łapu-capu. Fizyczne szczegóły erotycznej gimnastyki nie były dla nas tajemnicą. Choć zawsze można spotkać jakieś niespodzianki („Na przykład majtki pod poduszką" — jak mawia Lucy — albo trzecią pierś). Bardziej cieszyło nas odkrywanie własnych dusz.

Odgadywaliśmy nasze myśli i gesty w pół słowa. Bawiliśmy się własnymi podobieństwami, jeśli idzie o upodobania, a nawet tam, gdzie się różniliśmy, nasza odmienność stawała się powodem żartu, nie sporu.

Czasami myślę, że musiałam do tego dojrzeć. Sądzę, że również Nick stał się tym, kim był, dopiero po tragedii, która go spotkała w Bagdadzie. Zapewne moment, w którym dopasowują się dwie połówki jabłka, musi być nieprzypadkowy. Ale nie chcę na ten temat teoretyzować. Zdarzyła się nam miłość, o jakiej każdy marzy, ale niewielu się przytrafia.

Dopełnienie nastąpiło trzeciej nocy. Niewykluczone, że odwleklibyśmy jeszcze ten moment. A może poczekalibyśmy nawet na jakiś słoneczny dzień, ślub w podwarszawskim kościółku ukrytym pośród choinek, na biały welon, jedwabną pościel...

Gdybyśmy tylko mieli pewność, że to będzie możliwe. Niestety. Następnego dnia czekała nas ryzykowna akcja. Według danych satelitarnych statek wiozący Adama zbliżał się do Władywostoku. Tutejsi współpracownicy Changa mieli przygotować transport i bezpiecznie doprowadzić nas w rejon helikopterowego lądowiska. Mieliśmy wprawdzie zrobić tylko trochę zdjęć. Ale jeśli coś poszłoby nie tak...? Z Rosjanami nie ma żartów...

Dlatego zdecydowaliśmy się zmienić kolejność. Kościółek, welon i wykwintna pościel musiały poczekać na lepsze czasy. To stało się na zarwanym, skrzypiącym łożu, służącym paru pokoleniom sybiraków. Śmierdziała nafta ze zgaszonej lampy i trutka na pluskwy. Za oknem szumiał las i pogwizdywał wiatr w szczelinach na strychu. A mimo to odbyliśmy nasz lot ku szczęściu, wchodząc na wyżyny, których istnienie jedynie mogłam wcześniej podejrzewać. Być może całe moje życie, wszystkie upadki i rozczarowania były przygotowaniem do tej jednej chwili. Oddałam mu się tak, jakbym robiła to po raz pierwszy, a wianek zgubiony głupio w ogólniaku był aż do tej nocy nadal własnością naiwnej, trzydziestoparoletniej dziewicy.

Nazwisko Darlington też nie było sloganem reklamowym. Inna sprawa, jak się kogoś kocha, akceptuje się wszystko. Ciała pasują do siebie jak dwa elementy puzzli, emocje podążają za sobą, przeplatając się w euforycznym crescendo.

Na moment cały świat jest w nas, a my jesteśmy w sobie. „Trwaj, chwilo, jesteś piękna!".

A kiedy było po wszystkim, syberyjski księżyc jak bezwstydny podglądacz zajrzał do naszej izdebki, ogromny i tłusty, oświetlając posłanie i nas, ciągle splecionych w uścisku.

— Boże, jaka ty jesteś piękna, Basiu — powiedział Nick. Jeśli kłamał, chciałam, aby kłamał tak zawsze.

XII

OŚRODEK NR 1347

To nie był sen prenumeratorki harlequina! Kiedy ocknęłam się, mój mężczyzna leżał obok mnie tak realny, jak brudnawy pled i zakopcona lampa naftowa, tyle że nieporównywalnie bliższy i droższy. Niestety, nie było czasu, abym mogła zachwycać się tym odkryciem. Wokół domu mimo wczesnej pory — nie minęła jeszcze szósta — trwał ruch. Ktoś przyjechał na motorze, a zaraz potem nadjechała wysłużona ciężarówka.

Według planu Changa motor miał podążać przodem, aby w porę ostrzegać, na wypadek gdyby czekały nas jakieś nieprzyjemne niespodzianki. Tyle że był to jedynie pomysł na pierwszą część drogi. Bliżej tajnego ośrodka nawet zmotoryzowany zwiadowca by nie wystarczył i Chińczyk miał inny pomysł na pokonanie ewentualnych czujek, szlabanów bądź patroli.

Szybko zasiedliśmy do śniadania. Skupione twarze mężczyzn przy stole wskazywały, że nie mają ochoty na żarty. Zastanawiałam się, czy wiedzą o naszej nocy przedślubnej? Jeśli tak, żaden z dżentelmenów nie dał tego po sobie poznać, choć musieliby być ślepcami, aby nie widzieć promieniującego od nas szczęścia. Z drugiej strony, poważniejsze sprawy mieli na głowie.

— Pomódlmy się — powiedział naraz Nick i wszyscy pogrążyli się w cichej modlitwie.

Niebo było pogodne. I zapowiadał się upalny dzień. Jechaliśmy wąską drogą pomiędzy młodniakami, odrastającymi po rabunkowych wyrębach lat 90. Nikt nas nie zatrzymywał, toteż posuwaliśmy się w miarę szybko i zaczęłam się nawet martwić, że coś za dobrze nam idzie. Tymczasem jakieś piętnaście kilometrów przed Birobidżanem nasz wehikuł nieoczekiwanie skręcił z drogi w leśną przesiekę.

— Wysiadamy — rzucił Chang, wyskakując pierwszy i wyciągając do mnie rękę.

Wygramoliłam się posłusznie, za mną Tim, Sanchez, na końcu Nick.

— I co teraz?

— Przesiadka!

Rozejrzałam się dookoła. Jedyne, co zobaczyłam, to stary, zdezelowany wóz asenizacyjny. Ruszyłam w stronę szoferki, w której dostrzegłam kudłatą głowę jakiegoś miejscowego Wańki, ale Chińczyk zatrzymał mnie i pokazał otwartą klapkę w dachu.

— Do beczki? Mamy jechać szambiarką?

Pokiwał głową.

— Ale tam będzie potwornie śmierdziało!

— Chłopaki obiecali, że beczkowóz będzie umyty. Zresztą mamy do przejechania wszystkiego kilkanaście kilometrów. Miniemy stolicę i rejon zabudowany i zaraz za Birą wysiadamy... *Ladies first!*

Ale czy najlepsze nawet szorowanie może zabić lata skumulowanego odoru? Z chusteczką umoczoną w perfumach przy nosie wlazłam do środka. Nie pomogło, fetor był tak porażający, że upadłam na coś w rodzaju materaca wyściełającego dno. Tymczasem zamknięto klapkę i ogarnął nas absolutny mrok i fetor. Czuło się pełen bukiet smrodów ze wszystkich epok Związku Sowieckiego: krwawych fekaliów

Stalina, kukurydzianego łajna Chruszczowa, Breżniewowskiego rozkładu i metalicznej woni czarnobylskiej pieriestrojki.

— Czasem trzeba trochę pocierpieć dla dobra sprawy — nawijał Joséph Conrad. — Nie uwierzycie, ale smród w beczce po mleku bywa jeszcze większy.

— Najważniejsze, że operacja rozwija się doskonale — dodał Tim — mieliśmy sygnał, że MS „Jekaterynburg" zawinął już do Władywostoku.

Wymacałam moją komórkę, a potem poszukałam ręki Nicka. Ale natrafiłam jedynie na kolano Sancheza, więc bałam się poszukiwać dalej. Może zresztą zasnął, bo zupełnie się nie odzywał.

Czas dłużył się. Szambiarka podskakiwała na wybojach, raz zatrzymał ją chyba jakiś patrol. Czujność służb była uzasadniona. Jeśli Rosjanie domyślali się naszej operacji, to wiedzieli z pewnością, że nie odebraliśmy wiz w Harbinie ani nie wykupiliśmy zarezerwowanych biletów na kolej transsyberyjską, a o brak czujności trudno byłoby ich podejrzewać.

Kwadrans później znów nas zatrzymano. Ale na krótko, odbyła się błyskawiczna wymian zdań, kierowca musiał rzucić jakimś fekalnym dowcipem, bo ktoś zaśmiał się i walnął kułakiem w beczkę. Droga, która była coraz bardziej wyboista, bo co rusz obijaliśmy się o siebie lub upadaliśmy na oślizgłe ściany cysterny, zdawała się nie kończyć. Dziurawy asfalt zastąpiła, sądząc po drobnych kamyczkach uderzających w pojazd, żwirówka. Jeszcze później załomotały pod nami bale jakiegoś mostu i usłyszałem gniewne syknięcie Tima.

— Dokąd oni nas wiozą? Czy ten szambonurek z szoferki to pewny człowiek?

— Z jego bratem robiłem niezłe interesy — odpowiedział Chang. — Nigdy mnie nie zawiódł.

I znowu postój. Teraz do naszych uszu dotarł zgrzyt, jakby ktoś ciągnął po ziemi stare żelastwo. Do składnicy złomu nas przywieźli? Sanchez wyciągnął komórkę i podświetlił ekran — dochodziła jedenasta.

— Wysiadamy? — ożywiłam się. Miałam stanowczo dość duchoty ciemności i klaustrofobicznego wnętrza.

— Spokojnie! Czekamy na sygnał z zewnątrz.

Cysterna znowu ruszyła, kolebiąc się na wertepach, ale zaraz wjechała na równiejszą drogę, ani chybi beton, by po kilkudziesięciu metrach definitywnie stanąć. Otworzył się właz.

— Panie mają pierwszeństwo — powiedział Chang.

— No to podsadźcie mnie.

W pierwszej chwili oślepiło mnie słońce, które ponad koronami drzew oświetlało dokładnie nasz aromatyczny wehikuł. Następnie czyjeś silne ręce porwały mnie ze schodków, podały drugim, równie silnym, niczym lalkę i ustawiły na ziemi.

Zamrugałam powiekami. Niemożliwe! To musiał być sen. Stałam na niewielkim placyku pomiędzy jakimiś pomalowanymi w maskownicze kolory barakami. Dalej ciągnął się już tylko las i skaliste ściany parowu. Znacznie bliżej co najmniej pięciu umundurowanych w panterki Rosjan mierzyło do nas z karabinów maszynowych.

— O żesz kurwa! — usłyszałam, jak po polsku zaklął Sanchez. — Mają nas!

Zrobiło mi się słabo. Ale nie upadłam. Zastanawiałem się, jak ten okrzyk podziała na Sharffera, Changa i Darlingtona, czy przypadkiem nie zechcą zabarykadować się wewnątrz szambiarki lub podjąć próby rozpaczliwej obrony?

Jednak do żadnego oporu nie doszło. Tim wprawdzie na moment zaklinował się w wąskim otworze, ale wyciągnięto go jak korek z butelki.

Kałmuk, szerszy niż wyższy, najwidoczniej dowodzący tym komitetem powitalnym, wspiął się na beczkę, zajrzał do środka, potem wydobył latarkę i zajrzał raz jeszcze.

— Mówiłeś, czterech mężczyzn? — zwrócił się do kudłatego kierowcy.

— No bo było czterech i ta baba — odpowiadał przestraszony chłopina. — Nie mam pojęcia, co się stało...

Cios w zęby przerwał potok jego słów. W spojrzeniu Sharffera zobaczyłam błysk triumfu. Jakimś cudem Darlingtonowi udało się uciec. Albo, co bardziej możliwe, przezornie w ogóle nie wsiadł do szambiarki? Dobre i to...

Rozejrzałam się dokoła. Gdzie byliśmy? Droga, którą, sądząc po ustawieniu cysterny, przybyliśmy, prowadziła od żelaznej, zamykanej właśnie bramy. Obok stała buda wartowników. Moja dezorientacja trwała tylko moment i zanim Kałmuk pchnął mnie w kierunku rozsuwających się stalowych drzwi w przyrośniętym do skalnej ściany baraku — pojęłam, gdzie jestem. Zupełnie nieoczekiwanie znaleźliśmy się u celu podróży, w tajnym ośrodku numer 1347. Czy i nas czekała tutaj „czarna śmierć"?

Szłam półprzytomna, kiedy z tyłu usłyszałam mocny okrzyk Sancheza.

— Nigdzie nie pójdę, parszywe dranie! Jestem wolnym obywatelem amerykańskim...

Cios w zęby przerwał tę wypowiedź. Kałmuk poprawił pałą, która nie wiadomo skąd pojawiła się w jego rękach. Równocześnie lufy automatów zbliżyły się do piersi Tima i Changa. Dwóch żołnierzy rzuciło się, by wziąć Kubańczyka pod pachy, dowódca jednak powstrzymał ich słowami: „Na wszystko przyjdzie czas".

Zaraz za pancernymi drzwiami, co najmniej półmetrowej grubości, rozpoczynał się korytarz wiodący w głąb góry. Na rozwidleniu chodników skierowano nas schodkami prowadzącymi w dół. Sancheza, dwóch funkcjonariuszy pociągnęło w górę. Czy tam znajdowały się gabinety tortur?

— Trzymaj się, Raul! — zawołałam.

— Milczeć — huknął Kałmuk.

Zamilkłam więc. Na schodach usłyszałam wprost do ucha szept Tima.

„To zdrajca".

W pierwszej chwili nie zrozumiałam. Zerknęłam na Sharfera. Po murzyńsku wywinął wargi, upodabniając się do czarnoskórego Kubańczyka.

„Skąd wiesz?" — zapytałam bezgłośnie.

Pokazał na głowę. A potem zakolebał się.

Najwyraźniej w cysternie Raul na moment utracił kontrolę nad swymi myślami, a Tim je przejrzał. Było jednak za późno, by zrobić cokolwiek.

Informacja, że najwierniejszy człowiek dziadka, traktowany przez nas jak przyjaciel, okazał się konfidentem wroga, był ciosem równie bolesnym, jak nasze uwięzienie. Naraz wszystko stało się jasne — śmierć poprzedniego wywiadowcy, porwanie Adama na Boracay, dziecinna łatwość, z jaką wpadliśmy w pułapkę. Wróg od początku poinformowany był o wszystkim.

To Sanchez musiał wtedy nocą wymknąć się z chaty Mykoły, by przekazać, gdzie jesteśmy (ze zrozumiałych powodów wolał nie korzystać z satelitarnego telefonu). „Mogłaś ostrzec kolegów, a nie zrobiłaś tego, kretynko!".

Tymczasem stanęliśmy przed szeregiem uchylonych drzwi.

— Rozbierać się — warknął Kałmuk. Wepchnęli mnie do jakieś kanciapy, mężczyzn do drugiej. Drżącymi rękami ściągałam ubranie, czując się jak więźniarka na progu komory gazowej.

— Wszystko! — warknął.

Zdjęłam majtki i stanik, zastanawiając się, co zrobię, jeśli spróbuje mnie zgwałcić. Widocznie jednak nie było takiego rozkazu, świntuch ograniczył się wyłącznie do pogmerania paluchem w mej kobiecej świątynce. Czego tam szukał? Bursztynowej komnaty? Następnie zawołał innego funkcjonariusza, ten przynajmniej nosił plastikowe rękawiczki, który zrobił to samo z drugiej strony.

„Aha, jedynie rewizja" — ucieszyłam się.

Zakończywszy tę upokarzającą procedurę, rzucili mi jakiś drelich, na szczęście czysty, i kazali się ubierać. Potem dołączyłam do obu panów. Nasza cela miała około dziesięciu metrów kwadratowych i była dosyć wysoka. Na podłodze rzucono materace, w kącie za niewielkim załomem, mającym zapewne zapewniać odrobinę intymności, bielał sedes. W pomieszczeniu nie było okna, tylko kratka nawiewu powietrza. Żadnego stołu, krzeseł, jedynie ciekawskie oczka dwóch kamer zainstalowanych wysoko poza zasięgiem rąk.

— Czego od nas chcecie? — zapytał Chińczyk Kałmuka.

— Macie czekać — padła odpowiedź i drzwi bez klamki zatrzasnęły się.

Wyglądało, że mamy poczekać, aż dowiozą tu Adama. Co jednak zamierzali zrobić z nami dalej? Oddzielić tych obdarzonych paranormalnymi zdolnościami? Tutaj, obok mego brata mógł załapać się Sharffer. Ale co z resztą? Nie wydawało mi się prawdopodobne, żeby ktokolwiek, kto odwiedził tajny ośrodek, mógł być ot, tak sobie zwolniony.

Zauważyłam, że moi koledzy nie mają ochoty na rozmowę. Oczywiście. Skoro w celi zainstalowano kamery, musiał istnieć również podsłuch. Sharffer, podgwizdując, w końcu nie pierwszy raz przebywał w areszcie, zasiadł na kiblu, w ogóle nie krępując się moją osobą, natomiast Chang rozciągnął się na materacu i natychmiast zasnął.

A ja z czułością i nadzieją zaczęłam się zastanawiać, co robi mój ukochany Darlington?

⁓

Znacznie później udało mi się dowiedzieć, co przydarzyło się Sanchezowi, potem, kiedy już odegrał komedię na nasz użytek. Ciągnięty schodami, broczył krwią z rozbitego nosa, i wyglądało, że wszystko, co najgorsze ma jeszcze przed sobą. Jednak już za pierwszym zakrętem schodów Rosjanie puścili go, a kiedy Raul wszedł do mieszczącej się na niższym poziomie toalety, jeden z siepaczy uprzejmie podał mu ręcznik, a drugi wyciągnął z szafki świeżą koszulę.

Kubańczyk obmył twarz i poprawił włosy. Potem zaprowadzono go prosto do wyłożonego dębową boazerią gabinetu profesora Dawidowa.

Iwan Mojsiejewicz, od którejkolwiek strony by go oglądać, nie przypominał demona. Pękaty, o dobrodusznej twarzy, którą odziedziczył po słowiańskich przodkach matki, kojarzył się raczej z dobrotliwym księżulem, co to i wypije, i rozgrzeszy zakamieniałego grzesznika. Teraz jeszcze dodatkowo promieniał radością, jaką może gwarantować czyste sumienie albo wyjątkowo perfidna niegodziwość. Trudno byłoby powiedzieć to o mężczyźnie, który mu towarzyszył. Stosunkowo młody, miał zaciętą, chmurną twarz jakby wyciosaną z jednego kawałka zimnego bazaltu.

— Nareszcie spotykamy się osobiście — powiedział profesor, ściskając dłoń Kubańczyka. — Pewnie nie znasz Sierioży, to pułkownik Siergiej Jaszyn. A to nasz Raul... chciałem rzec, kapitan Ilicz Valdez, nasz człowiek w Miami.

— Rozumiem, że na powitanie napijemy się *Cuba Libre*? — Zamiast bawić się w ściskanie rąk, Sierioża nalał rumu, dosypał lodu z automatu, uzupełnił pepsi-colą, na wierzch wrzucił plasterek cytryny.

— Za nasz sukces! — powiedział.

Znów muszę się odwołać do otrzymanych znacznie później informacji:

Ilicz Valdez, rocznik 1968, był jednym z najbardziej udanych „janczarów" kubańskiego reżimu. Sierota, wychowany na fanatycznego komunistę, służył krótko w wojskach powietrzno-desantowych, otarł się o Etiopię, której reżim Castro udzielał „bezinteresownej internacjonalistycznej pomocy", a w roku 1993 wszedł w skład operacji „Koń trojański". Kuba, pozbawiona wsparcia przez Związek Radziecki, gorączkowo szukała sposobu uchronienia się przed zarazą kontrrewolucji oraz, gdyby przypadkiem do niej doszło, utrzymaniem gniewu ludu pod kontrolą właściwych ludzi. Jednym ze sposobów miało być nasycenie środowisk emigracyjnych funkcjonariuszami Fidela. Dołączyli oni do starszych zakonspirowanych agentów, mających na celu zająć prominentne stanowiska wśród przywódców emigracji.

Normalnie werbunku dokonuje się wśród słabszych psychicznie członków rodzin zdecydowanych na emigrację. Valdez nie miał rodziny. Miał jednak sobowtóra — Raula. Raula Sancheza. Kiedy w centrali dowiedziano się o planach ucieczki rodziny Sancheza, ktoś z kierownictwa doszedł do wniosku, że nie należy jej udaremniać, bo oto nadarza się wyjątkowa okazja podrzucenia kukułczego jaja. Warunek był jeden — nikt z rodziny nie mógł tej wyprawy przeżyć. Wśród emigracji w Miami nie było bliższych znajomych Sancheza, a daleka rodzina ostatni raz widziała go, gdy był dzieckiem.

Okoliczności sprzyjały przedsięwzięciu, sklecona domowym sposobem tratwa wpadła w dryf, zamiast ku wybrzeżom USA Golfstrom pociągnął ją na północ. Zaraz namierzyły ją kubańskie służby powietrzne i ruszyły w pościg ścigacze.

Jednak rozkaz, który nadszedł z Hawany, brzmiał: „Nie zawracać tratwy, nie przechwytywać, czekać, towarzysze!".

Czekano więc, dzień, drugi, trzeci... Uchodźcy, w sumie 16 osób, nawet nie zorientowali się, że od pewnego czasu towarzyszy im mała łódź podwodna. Kiedy wycieńczenie uciekinierów stało się krańcowe, bo upał, głód i pragnienie zrobiły swoje, Ilicz z ekipą wszedł na pokład, wyrzucił pasażerów, niektórych zdradzających niewielkie oznaki życia, do morza, a sam podryfował dalej. Miał szczęście. Nazajutrz rozpadającą się tratewkę zauważyła jednostka straży przybrzeżnej wysp Bahama. Trafił do szpitala, gdzie zaraz zainteresował się nim Komitet Pomocy Uciekinierom z Miami. Nikt nie mógł go zdemaskować, jeszcze w łodzi podwodnej, w ciągu trzydniowego intensywnego szkolenia, dowiedział się najważniejszych danych o pociotkach Sancheza. Wkrótce dostał azyl na Florydzie i zaczął szukać pracy. Znajoma jego ciotki, seniora Juanita, opowiedziała mu o profesorze Kamienieckim, który kupił właśnie dom na Key West i pilnie szukał ochroniarzo--ogrodnika. W pierwszej chwili Valdez chciał odmówić, jednak kiedy przez telefon zameldował swemu łącznikowi o tej propozycji, ów najpierw kazał mu poczekać, a potem polecił przyjąć ofertę. Po miesiącu skontaktował się z nim pewien Kanadyjczyk. Miał zostać jego nowym łącznikiem — po dłuższym czasie Valdez zorientował się, że Kubańska Służba Bezpieczeństwa sprzedała go Rosjanom, których z jakiegoś powodu niesłychanie interesował ten polski profesor, jego kontakty, naukowe badania, rodzina... Valdezowi nie robiło różnicy, dla kogo pracuje — wróg pozostawał ten sam — imperializm amerykański. Zanim dotarł na Key West, zaliczył tygodniowe przeszkolenia na tak dziwne tematy, jak fenomeny neurologiczne, pamięć genetyczna, telepatia.

Raz w miesiącu przedstawiał szczegółowy raport. W zamian dowiadywał się o przyroście salda na swoim koncie na Kajmanach. W sumie przez kilkanaście lat miał miłą, spokojną pracę, nikogo nie musiał zabijać, a efekty? Pozornie niewielkie, ale Centrala wiedziała lepiej, dlaczego mu płaci.

Mężczyźni odstawili stakany.

— A co będzie z... nimi? — Raul skierował wzrok w stronę cel uwięzionych.

Dawidow spojrzał na Sieriożę. Ten nigdy nie miał trudności z odpowiedziami na najtrudniejsze nawet pytania. Po prostu je ignorował.

— Oddałeś nam wielkie usługi, *amigo* — rzekł, poklepując Kubańczyka. — I chcemy, żebyś nadal z nami pracował. Długo i owocnie.

Sanchez zrozumiał, postanawiając na przyszłość nie zadawać więcej pytań.

— Teraz pokażę ci twoją kwaterę, stołówkę, klub — powiedział Sierioża. — Jak będziesz chciał zaczerpnąć świeżego powietrza, ktoś cię zaprowadzi na dwór.

Wstali. Profesor rzucił okiem na zegarek.

— Wróć potem do mnie, Sierioża. Za godzinę, będziemy mieli gościa.

Każdy ma prawo napisać w życiu jedną książkę. Korzystam z tego przywileju, aby odchodząc od tradycyjnej formuły wspomnień i opisywania tego, co widziałam na własne oczy, przedzierzgnąć się w narratora, może niezupełnie wszechwiedzącego, ale z pewnością lepiej poinformowanego niż zamknięta w podziemnym bunkrze i w dodatku bardzo przestraszona kobieta. Mogłabym naturalnie napisać, że sceny, przy których nie byłam, przyśniły mi się albo mój brat przekazał mi je za pomocą telepatii. Ale napisałam wcześniej, że żadnych zdolności paranormalnych nie mam, a w dodatku zobowiązałam się pisać prawdę, samą prawdę i tylko prawdę. No chyba że się akurat nie da.

Adam ciężko znosił podróż frachtowcem. W jego celi, tak bowiem wypadało nazywać pomieszczenie, w którym go trzymano, było duszno, ciemnawo. Przez pierwsze dwa dni, niezależnie czy stał, siedział, czy leżał, co rusz dopadały go ataki torsji. Wkrótce stał się tak słaby, że nie mógł sam jeść, toteż pilnujący go faceci zaczęli go karmić, a także wyprowadzać na pokład. Szczęściem trzeciego dnia morze trochę się uspokoiło. Ale niewiele zmieniło to jego samopoczucie, odezwała się w nim wściekłość — przeklinał głupotę własną i dziadka, który mimo swej wyjątkowej przenikliwości nie domyślił się, w jaką grę gra ta gnida Sanchez. To, że porwanie było robotą Sancheza, nie ulegało dla niego wątpliwości. Wielokrotnie powracał myślami do tego, co zdarzyło się przy wraku „Króla Alfonsa".

Nurkowanie szło zrazu bardzo dobrze, ale potem, kiedy znaleźli się prawie na dnie, Raul przepłynął tuż koło niego, potrącając go i chwilę później Adam zdał sobie sprawę, że nie może zaczerpnąć tchu. Rzucił okiem na wskaźnik. Strzałka manometru przed minutą wychylona optymistycznie poza liczbę 3000, teraz wskazywała 0! Skąd mógł podejrzewać, że Kubańczyk zakręcił butlę?

Nie spanikował. Odwrócił się do Sancheza i wykonał gest *give mi your air*, wskazując na gardło. Dwie sekundy potem Raul wepchnął mu do ust końcówkę zapasowego regulatora. Adam zaciągnął się głęboko. Powietrze wydało mu się lekkie i cierpkie. Pociągnął jeszcze raz. Natychmiast zaczęło kręcić mu się w głowie. Co się dzieje? Zraz obok niego pojawiły się dwa cienie w płetwach, ujęły go pod ramiona i na wpół bezwładnego poczęły ciągnąć ku powierzchni. Zdołał się jeszcze zorientować, że kabel z powietrzem nie prowadzi do 20-kilogramowej butli, pozostającej wciąż na plecach Sancheza, lecz do małej buteleczki, którą miał przy pasie. Usiłował wypluć ustnik. Jednak wcześniej stracił przytomność. Kiedy ją odzyskał, był już w tej kabinie i rzygał. Według zegarka, tego wielkodusznie mu nie odebrali, mimo że ktoś musiał ściągnąć z niego piankę i przebrać w sportowy dres, od chwili porwania upłynęło 10 godzin. Albo 22... Wibracje i charakter przechyłów wskazywały, że znajduje się na jakiejś większej jednostce. Po wyprowadzeniu na pokład zorientował się, że jest to spory frachtowiec. Jego opiekunowie mówili po rosyjsku. Dobrze, że przynajmniej wiedział, w czyich rękach się znajduje.

Był przekonany, że jest szprycowany jakimś środkami, bowiem w trakcie rejsu praktycznie nie miał snów ani wizji. A jeśli miał, to nie mógł skontaktować się w nich z ojcem. Nawet gdy już cokolwiek śnił, to w jego fantasmagoriach natrętnie pojawiała się smukła dziewczyna o zniewalających rysach bizantyjskiej Madonny. Widywał ją wcześniej, ale nigdy nie powtarzało się to tak regularnie.

Kim była? Zjawą z przeszłości czy przyszłości? Z pewnością ani jego babką, ani prababką. Więc może mieli spotkać się w przyszłości, w rozmazanym tle rozpoznawał zarysy współczesnych budynków, samochodów. Cóż to mogło być? Parking przed nowoczesnym supermarketem?... Odnosił wrażenie, że dziewczyna pragnie mu coś powiedzieć, ale głosu nie słyszał, a po ruchu warg też nie mógł się zorientować. Może nie mówiła po polsku...?

Pilnujący go Rosjanie nie należeli do rozmownych. Nawet karmiąc go lub wyprowadzając na pokład, ograniczali się do wydawania krótkich poleceń. Postępowali z Adamem stanowczo, choć nie brutalnie. Jego pytania zazwyczaj ignorowali. Nie chcieli powiedzieć mu, ani dokąd płyną, ani w jakim celu go porwali (to ostatnie zresztą mógł sam sobie dośpiewać). Na podstawie pozycji słońca mógł się domyśleć, że kierują się na północ. Raz, kiedy w polu widzenia pojawił się skrawek lądu, starszy z cerberów powiedział, informując: „Kitaj". Dwa dni później, kiedy dostrzegli dla odmiany ziemię z prawej, a Adam zapytał: „Czy to Japonia?", potwierdzili. Zaraz jednak sprowadzili go pod pokład, gdyż w zasięgu wzroku pojawił się jakiś statek. Nie ulegało wątpliwości — wieźli go do Rosji. Mimo żałosnego stanu odczuwał dreszczyk emocji — a więc zobaczy tajemniczy ośrodek.

Tylko co potem? Mógł jedynie mieć nadzieję, że dzięki przenikliwości Tima jego ekipa domyśliła się zdrady Sancheza. A jeśli nie? Co postanowiono po jego porwaniu? Czy dalej, zgodnie z pierwotnym planem, mieli próbować udokumentować jego porwanie do ośrodka? Tylko co z tego mogło wyniknąć?

Ósmego dnia swojej niewoli zmiana pracy silników, potem zanik kołysania, wreszcie zatrzymanie się jednostki upewniły Adama, że przybyli do portu.

Opiekunowie przynieśli mu ubranie. Całkiem niezły jasny garnitur, koszulę w prążki, a nawet krawat. W dodatku wszystko dopasowane na jego rozmiar.

„Czyżby zdjęli ze mnie miarę, kiedy spałem?".

Potem wyprowadzono go na pokład.

Podmuch powietrza, przy jednoczesnym braku kołysania, podziałał ożywczo na jego samopoczucie. Od razu zorientował się, że statek przycumował do mola przy jakiejś odległej części nadbrzeża. Daleko, na północy widział panoramę rozległego miasta na wzgórzach, portowe kramy, parę wysokościowców i mnóstwo bloków charakterystycznych dla osiedli wznoszonych we wszystkich krajach realnego socjalizmu. Tuż obok „Jekaterynburga" stało kilka jednostek, ale teren wokół nie przypominał eleganckiego portu. Na brzegu widać było zaniedbane zabudowania fabryczne, może wojskowe. Później zorientował się, że są we Władywostoku, nie wpłynęli jednak do portu, nazywanego jak w Stambule Złotym Rogiem, a zatrzymali się przy najdalej na południe wysuniętej części miasta, zwanej dystryktem Frunzego. Stojące obok jednostki na oko przypominały statki przeznaczone na złom, czego nie można było powiedzieć o cumujących kilkaset metrów dalej dwóch statkach wojennych.

Po trapie zeszli na brzeg. Dla postronnego obserwatora, gdyby jakimś cudem taki się pojawił, mogło to wyglądać, że wysiada pasażer w towarzystwie kilku marynarzy. Adam postanowił nie stawiać oporu. Co ciekawe, nikt go nie zatrzymywał, nikt nie żądał żadnych dokumentów. Wartownicy na nadbrzeżu ostentacyjnie odwrócili się do nich tyłem. Nie był to jednak koniec podróży. Przeszli przez baraczek o niejasnym przeznaczeniu. Na jego zapleczu, pośrodku niewielkiego placyku, oczekiwał na nich mały śmigłowiec, z pozoru przypominający taksówkę powietrzną dla biznesmenów.

— *Prigłaszajem was, gaspadin Podlaskij* — powiedział oczekujący wewnątrz cywil.

„No i proszę, mam status VIP-a — pomyślał Adam — ciekawe, co będzie dalej". Maszyna wystartowała błyskawicznie. Przecięła cypel, przeleciała nad starą częścią miasta, carską twierdzą, promenadą i parkiem nadmorskim. W dole zalśniła wschodnia część Zatoki Piotra Wielkiego. To stąd wypłynęła w 1904 carska flota, aby ponieść druzgocącą klęskę pod Cuszimą.

Znów znaleźli się nad lądem. Śmigłowiec leciał na północ ponad górami Przewalskiego (nazwanymi tak na cześć rzekomego ojca Stalina, badacza Azji i odkrywcy dzikiego konia noszącego jego imię), potem w dole zalśniła srebrzysta wstęga rzeki. Musiała to być Ussuri. Helikopter trzymał się precyzyjnie jej prawego brzegu, najwyraźniej nie zamierzając naruszyć chińskiej przestrzeni powietrznej. Wyraźnie widać było magistralę transsyberyjską, linię kolejową, a nawet przez czas jakiś widzieli posuwający się po niej skład pociągu. Śmigłowiec był jednak szybszy. Po ponad dwóch godzinach lotu minęli jakieś duże miasto, ani chybi Chabarowsk, i ostro skręcili na zachód. Adama, niepomnego twardego postanowienia, że będzie śledzić drogę, znużyła jednostajna zieleń i przysnął. Obudził się dopiero, gdy maszyna dość energicznie usiadła na wylanym asfaltem lądowisku w tajdze. Przekazano go w ręce grupki facetów w panterkach, uzbrojonych w krótkie automaty, którymi dowodził kurdupel o fizjonomii jakby wyjętej ze złego snu. Mongoidalne rysy pogłębiły zapewne lata alkoholowego treningu. Kałmuk nie bawił się w uprzejmości, pchnął mego brata do samochodu i natychmiast drogą, ukrytą pod koronami drzew i siatką maskowniczą, skierowali się w głąb doliny. Po przejechaniu żelaznej bramy znaleźli się na placyku, gdzie oczekiwał już wsparty na lasce profesor Dawidow w towarzystwie młodego umundurowanego mężczyzny z gatunku pozbawionych skrupułów brutali. Optycznie biorąc, mógłby być młodszym bratem osławionego kapitana Piotrowskiego, mordercy księdza Popiełuszki. Może zresztą nawet był.

— Witam pana, panie Podlaski — powiedział Iwan Mojsiejewicz.

— Rozumiem, że gdyby porwał pan jeszcze mojego dziadka, byłby pan w pełni usatysfakcjonowany — odpowiedział po rosyjsku więzień, ignorując wyciągniętą rękę.

— Profesor Kamieniecki byłby dla mnie najwspanialszym gościem. Nigdy nie zapomnę mu, że w Amazonii uratował mi życie. Nigdy też nie ukrywałem, że wiele z moich osiągnięć naukowych zawdzięczam jego twórczej inspiracji. Gdyby tylko zechciał ze mną współpracować, co kiedyś mu proponowałem, nasze badania otworzyłyby przed ludzkością niewyobrażalne perspektywy. Ale proszę dalej. Jak przebiegł lot...?

— Chciałbym zobaczyć mojego ojca! — uciął te uprzejmości Adam.

Zauważył, że przez twarz oficera przebiegł grymas, ale Dawidow wyraźnie był przygotowany na to pytanie.

— Na wszystko będzie czas, pod warunkiem że wykaże pan odrobinę chęci do współpracy. Na razie proponowałbym wziąć kąpiel i coś zjeść... Może również wypić.

Rozglądając się dookoła, Adam pomyślał o nas, rozważając, czy gdzieś z lornetką i teleobiektywem nie kryjemy się w krzakach, oczekując nadciągnięcia odsieczy, najchętniej w postaci kawalerii (powietrznej) Stanów Zjednoczonych.

— Jeśli myśli pan o siostrze i towarzyszących jej mężczyznach, nie musi się pan tak rozglądać, od paru godzin są naszymi gośćmi — powiedział, nie kryjąc zjadliwej satysfakcji, Sierioża Jaszyn.

— Zapewne grywasz w szachy, Adamie? — powiedział profesor Dawidow, kiedy w jego gabinecie znalazł się mój brat, przebrany i ogolony (ogolił go na wszelki wypadek Kałmuk, regulamin zabraniał dawania więźniowi do ręki niebezpiecznych przedmiotów). — Od lat prowadziliśmy taką rozgrywkę z twoim dziadkiem, ze zmiennym, nie taję, szczęściem, ale teraz... — Tu podszedł do szachownicy i jednym ruchem obalił figurkę z kości słoniowej, przedstawiającą białego króla — ...szach i mat! Być może to zwycięstwo ułatwiła nam jego choroba... Zaręczam ci, że w jego udarze nie było naszego udziału. Gdybym tylko chciał zrobić mu krzywdę, przyszłoby mi to z dziecinną łatwością wiele razy. Ale przecież nigdy nie o to chodziło. Oprócz realizacji celu liczy się zawsze ta odrobina przyjemności, jaką dawała nam rywalizacja.

— O jakim celu pan mówi? — zapytał Adam. — O zwycięstwie komunizmu na całym świecie?

— Z latami cel się modyfikował — Iwan Mojsiejewicz pogładził się po brodzie. — Powiem otwarcie, w odróżnieniu od mego drogiego ojca nigdy nie miałem przesadnego nabożeństwa do Leninowskiej utopii i jej upadek przyjąłem z prawdziwą ulgą. Zawsze służyłem Rosji.

— Pan, przedstawiciel narodu wybranego?

— Pragnę ci przypomnieć, że ty, po swojej babce Róży, też do niego należysz, chłopcze! Poza tym naród wybrany był zawsze zbyt mały, aby przeprowadzić swe zamierzenia sam. Imperium rzymskie, kalifat arabski to były organizmy, które, gdyby dały się prowadzić przez właściwe elity, trwałyby wiecznie. Niestety, jednych zniszczyła chrześcijańska schizma, a drugich dogmatyczna muzułmańska ortodoksja. Obecnie, od pewnego czasu, losy świata zależą od dwóch białych mocarstw — Rosji i USA.

— Świat dwubiegunowy? — przerwał mu Adam. — Nie sądzi pan, że umiłowana Rosja, dzięki Stalinowi i siedemdziesięcioletniej zabawie w komunizm, swe imperialne szanse, delikatnie mówiąc, przesrała? Owszem, ma rakiety zdolne zniszczyć Ziemię, a być może cały Układ Słoneczny. Tylko co z tego? Ekonomicznie jest surowcowym krajem Trzeciego Świata, rządzonym przez garstkę oligarchów. W dodatku krajem, który się wyludnia...

— „Zwycięstwo liczby nie chce, męstwa potrzebuje" — to chyba napisał jeden z waszych poetów. Milionowe armie i megatony liczyły się w społeczeństwie industrialnym, dziś liczy się informacja. Kto ma nad nią kontrolę, rządzi światem.

— Rozumiem. Dlatego rządy, grupy wpływów i etniczne lobby tak dążą do panowania nad mediami?

— Ale to nie wszystko. Media zawsze można przekupić albo wyłączyć. Aby skutecznie władać ludźmi, należy oddziaływać na nich bardziej bezpośrednio. Zachowywać pełną kontrolę nad przepływem informacji, a najlepiej znać myśli, nim jeszcze obleką się w słowa i czyny.

— I pan to potrafi?

— Jestem bliski. Gdyby udało się kontrolować ludzkie sny, przewidywać zamiary i zachowania, wynikające z doświadczeń przekazanych w genach, polityka społeczna byłaby dziecinnie prosta.

— Na szczęście to się nie możne udać!

— To się już udało! — Dawidow zatarł ręce. — Dzięki mnie! Dotąd wszystkie osiągnięcia cybernetyki zatrzymywały się w jednym punkcie. Maszyna była ograniczona samym faktem, że jest maszyną. Nie posiadała emocji, obce jej były refleksje. Nie miała samowiedzy ani poczucia własnego istnienia. Marzenia o maszynach, którym będzie można dać dusze i obdarzyć wolną wolą, pozostają tematem dla fantastyki. W dodatku my, uczeni, pełni zahamowań, ograniczani przez rozmaite kulturowe tabu, baliśmy się dokonać aktu zespolenia.

— Nie rozumiem. Może pan mówić jaśniej?

— Połączenia świata ożywionego z cyfrowym. Tymczasem było to na wyciągnięcie ręki. Już kilkanaście lat temu podłączyłem do komputera część żyjącego psiego mózgu odpowiedzialnego za węch, łącznie z receptorami — efekt tego połączenia mogę ci zaprezentować. Psi nos rozpoznaje zapachy z milion razy większą dokładnością niż człowiek. W praktyce policjant zaopatrzony w odpowiedni czujnik, trafiając na miejsce zbrodni, będzie połączony z generalną bazą danych i błyskawicznie zidentyfikuje przestępcę... A wzrok sokoła?! Nie masz pojęcia, jak niesłychanie pomaga poprawić precyzję zdjęć satelitarnych, jeśli włączyć go do systemu sztucznych satelitów, a echosonda nietoperza... — profesor zapalał się coraz bardziej. — A przecież można iść dalej w takich krzyżówkach biocybernetycznych. Koty podobno wyczuwają duchy, prowadzimy na ten temat badania... A jakie możliwości dają ludzie o uzdolnieniach paranormalnych!

— Chciałby pan zrobić ludzi częścią komputera?!

— Już to zrobiłem. Jak myślisz, w jakim celu zapraszam tu z całego świata jednostki o paranormalnych zdolnościach?

— I oni wszyscy współpracują w tym obłąkańczym programie?

— Nie wszyscy. Niektórzy, jak Maciej Podlaski, są trochę oporni. I między innymi dlatego pozwoliłem sobie tu ciebie zaprosić. Przekonaj tatę, że jego upór nie ma sensu, a ty i twoi przyjaciele będziecie wolni, zdrowi i bogaci.

— A jeśli nie będę chciał go przekonywać. Jeśli panu odmówię? Zabije nas pan?

— Ależ Adamie! — Dawidow pogroził mu palcem. — Krwiożerczość nie leży w mojej naturze. Gdybym tak nie lubił waszej rodziny, czy tyle lat zajmowałbym się twoim ojcem? Czy nie chroniłem ciebie, gdy tak beztrosko buszowałeś po Białorusi? Jeśli odmówisz, no cóż, z pewnością nie uczynię ci krzywdy, ale proces będzie dłuższy, bardziej bolesny, a wy...? Cóż, będziecie musieli obaj z ojcem tu pozostać. Na dłużej.

Adam zaczął się na serio zastanawiać, czy za pomocą któregoś z opasłych tomów, leżących na szafce obok biurka, udałoby się roztrzaskać obłąkany łeb akademika, kiedy bez pukania otworzyły się drzwi.

— Dzwoni czerwona linia! — zawołał Sierioża.

Dopiero teraz Adam zwrócił uwagę na światełko pulsujące na telefonie.

Zauważył też, że profesor Dawidow automatycznie wyprężył się jak kapral służbista na widok samej czapki kogoś wyższego stopniem.

— Zajmij się przez chwilę młodym człowiekiem — rzekł do Jaszyna — a ja odbiorę.

Trzy minuty później z gniewem popatrzył w stronę szachownicy i warknął:

— Pieprzony Kamienieckij, jakimś cudem dodzwonił się na Kreml i złożył tam swoją łajdacką propozycję!

XIII

OSTRA GRA

Tego, co zdarzyło się w ciągu następnych godzin w tajnej bazie nr 1347, nie da się zrozumieć bez kilku istotnych faktów.

Mniej więcej godzinę przed telefonem z Moskwy do Dawidowa nasz dziadek zadzwonił pod jeden z tych numerów, których posiadanie jest przywilejem nielicznych. Profesor Kamieniecki poznał swego rozmówcę dawno temu, kiedy nic jeszcze nie wskazywało, jaką rolę będzie odgrywać w przyszłości, później spotkali się parokrotnie z okazji oficjalnych wizyt. A tajny numer telefonu? Życie nauczyło mego dziadka, aby na wszelki wypadek mieć bezpośrednie telefony do możnych tego świata.

Mimo późnej pory, w Moskwie minęła już północ, sekretarka odebrała bezzwłocznie, chociaż słysząc nieznajomy głos, podejrzewała pomyłkę. O tej linii wiedziało naprawdę niewielu i telefon z Florydy nie należał do tych, którzy mieli prawo ją znać. Sekretarka próbowała więc tłumaczyć natrętowi, że jest to mieszkanie prywatne. Profesor nie dał się zbić z pantałyku, tylko poprosił o rozmowę z jej szefem.

— Proszę podać moje nazwisko: Kamieniecki. I wymienić jeszcze jedno — Matt Roberts.

Chwilę później zabrzmiał głos, przed którym drżało całkiem sporo ważnych i nieważnych ludzi na tym świecie, a szczególnie w Rosji.

Profesor zachowywał się uprzejmie. Bardzo uprzejmie. Przedstawił się i wspomniał, że przypadkowo dowiedział się o tym, co przed laty przydarzyło się Mattowi Robertsowi i jaką rolę odegrał w tym zmarły w WTC Phil Abbot, kryptonim „Barrakuda". Co więcej, że zna receptę, której odkrywcą był wspomniany Roberts. Receptę na bardzo wiele problemów świata, która w dodatku mogłaby w diametralny sposób zmienić sytuację ludzkości ze szczególnymi implikacjami dla państwa jego rozmówcy.

— Rozumiem, że chce nam pan sprzedać tę wiedzę? — powiedział mężczyzna z Kremla, patrząc przez okno na światła Moskwy, upodabniające ją zwodniczo do innych wielkich stolic wolnego świata. — Pytanie, za jaką cenę?

— Nie jestem kupcem — odparł Kamieniecki. — Proponowałbym raczej umowę barterową. Ja postaram się, aby o pomyśle Matta Robertsa zapomniano znów na parę lat, a pan nakaże uwolnić moją rodzinę i przyjaciół.

— Nie bardzo rozumiem, o czym mówicie?

— Aktualnie są pensjonariuszami tajnego ośrodka numer 1347.

Na moment w słuchawce zapadła cisza.

— Nie znam sprawy ani nie słyszałem o takim ośrodku. Ale jeśli pan uważa, że pańscy bliscy mogą tam przebywać, spróbuję się dowiedzieć. O jakie osoby chodzi konkretnie?

— O Barbarę, Macieja i Adama Podlaskich, Raula Sancheza, Timothy Sharffera i Josépha Conrada Changa.

— Rozumiem, zanotowałem. Oczywiście, niczego obiecać nie mogę... Czy mógłbym prosić o telefon jutro, może o trochę wcześniejszej porze niż dziś, powiedzmy przed północą? — w przywykłym do wydawania rozkazów głosie pojawił się ton koncyliacyjny.

— Jutro przed północą. Zadzwonię — potwierdził profesor. — Muszę jednak powiedzieć, że jeśli komukolwiek z moich bliskich stanie się coś złego, nic nie powstrzyma mnie przed pełnym upublicznieniem wynalazku Matta Robertsa.

— Rozumiem. *Charaszo.*

— W takim razie życzę ekscelencji miłego dnia... Chciałem powiedzieć — sprostował swą pomyłkę — spokojnej nocy.

Kamieniecki odłożył słuchawkę i potoczył triumfalnym okiem po pokoju. Był spokojny, ale podniecony, na policzki wystąpiły mu rumieńce.

Leśniewscy przysłuchujący się rozmowie, idącej przez głośnik i naturalnie nagrywanej na magnetofon, trwali w osłupieniu na podobieństwo żony Lota czy raczej statuy Mosfilmu.

— Pan naprawdę z nim rozmawiał? — wykrztusiła Dorota.

— Przecież sami słyszeliście.

— I sądzi pan, że ulegnie pana...

— Szantażowi? Nie sądzę, myślę, że spróbuje najpierw sprawdzić prawdziwość mego blefu, a potem wyda rozkaz zlikwidowania mnie i zablokowania informacji.

— Ale co to za informacja?

— To dłuższa historia. — Profesor gestem wskazał, by usiedli. — W roku 2001 pewien inżynier z Baltimore, Matt Roberts, dokonał wynalazku o niebywale dalekosiężnych konsekwencjach. Nie był zapewne pierwszym ani ostatnim, którzy się na to porwali. Ale podzielił los innych. Wyspecjalizowana komórka, na której czele w owym czasie stał niejaki Phil Abbot, otrzymała polecenie „wyczyszczenia", mówiąc brutalnie, zabicia wszystkich, którzy mogli ujawnić to odkrycie.

— Ten Abbot pracował dla Rosjan?

— Konsorcjum zainteresowanych zdławieniem niebezpieczeństwa w zarodku było szersze. Znacznie szersze. W tej kwestii z Abbotem współpracowali ludzie, których trudno nazwać przyjaciółmi czy nawet wspólnikami. Trzeba przyznać, w swych poczynaniach byli bardzo skuteczni. Najemny zabójca, niejaki Marcello Umberti, załatwił wskazane „obiekty". Sam też pewnie by zginął, gdyby nie przypadek. W gabinet Abbota, położony w północnej wieży WTC, walnął jeden z porwanych 11 września boeingów 337, grzebiąc skutecznie szefa operacji i jego tajemnice. Po latach Tim podsłuchał myśli umierającego Umbertiego, pojął wagę jego odkrycia i zwrócił się z tym do mnie. Ot, i wszystko.

— Ale co to za wynalazek? — dopytywała się Dorota.

Profesor odpowiedział. Potem przedstawił możliwe implikacje. Na moment w pokoju zrobił się cicho.

— Nie rozumiem jednak, dlaczego nie zrobił pan użytku z tej wiedzy wcześniej — powiedział Wiktor Leśniewski. — Publikując to, co pan wie, nie trzeba byłoby narażać na ryzyko Adama i pozostałych...

— Z prostego powodu, nie mogłem tego uczynić. Moja wiedza jest więcej niż ułomna i z trzeciej ręki. Wszyscy, którzy wiedzieli cokolwiek konkretnego na temat wynalazku, nie żyją. Dokumentacja, która znalazła się w posiadaniu Abbota, nie istnieje. Nie ma recepty, schematu, sposobu działania...

— A zatem pan blefuje, licząc, że oni w to uwierzą.

— To nie do końca blef. Próbuję zyskać na czasie, a zarazem doprowadzić do pewnego małego eksperymentu. Między innymi dlatego sprowadziłem was tutaj.

— Nas? — Leśniewski nie krył zdumienia.

— Tak. Mądrych, a zarazem sympatycznych ludzi, już na pierwszy rzut oka wzbudzających zaufanie. Chciałbym, żebyście jeszcze dziś udali się do Baltimore. Mieszka tam z niespełna dziesięcioletnim synem niejaka Claudia Bonitez. Miała okazję stać się ostatnią, dość przypadkową kochanką Matta Robertsa.

— I myśli pan, że coś jej wyznał?

— Ależ nie! Kobiecina nie ma pojęcia, czym zajmował się Roberts. Zresztą nie sądzę, żeby potrafiła odróżnić ciężką wodę od wody ognistej. Mam na myśli jej syna.

— Tego dzieciaka?

— Tak, Anthony urodził się wprawdzie po śmierci swego biologicznego ojca, ale testy DNA potwierdziły, że jest on naturalnym synem Robertsa. Dziedziczy jego geny. A w genach pamięć.

— Jezus, Maria! — zawołała Dorota. — I pan chce to z niego wydobyć?

— Oczywiście, przy waszej pomocy i przy zachowaniu ogromnej ostrożności. Parę lat temu pewien korespondent bostońskiego „Globe" wpadł na trop informacji o możliwości istnienia takiego wynalazku. I zginął wkrótce po publikacji artykułu. A przecież w zasadzie niczego nie wiedział...

— Dobrze, pojedziemy do Baltimore, odnajdziemy tego chłopaka, ale jak, nie posiadając zdolności medialnych, mielibyśmy wydobyć z niego tę wiedzę...

— Nie będą konieczne, powiem wam, jak spróbujemy to załatwić. Nawiasem mówiąc, mój telefon do Moskwy, którego byliście świadkami, podyktowany był jedynie chęcią zyskania na czasie. Do zrealizowania mojego planu potrzebujemy doby.

— Jakiego planu?! Nie rozumiem pańskiego optymizmu — zawołała Dorota. — Adam jest w niewoli razem z praktycznie całą ekipą. Mamy przeciw sobie połączone siły supermocarstwa i jeszcze tajemniczego konsorcjum, a pan jest taki spokojny?

Profesor uśmiechnął się szeroko. Fałszywa opuchlizna już ustąpiła z twarzy, a jego kondycja, mimo kilkunastu dni spędzonych na łóżku w roli symulanta, wydawała się doskonała.

— Nie przyszło wam do głowy, że wszystko może rozgrywać się według mojego scenariusza? — zapytał.

Kałmuk Artiom zabrał Adama do stołówki, a Sierioża pośpieszył zameldować się u profesora. O czym rozmawiali? Można się jedynie domyślać, że był to dość nerwowy dialog. Jaszyn dawno nie widział swego szefa równie zdenerwowanego. Nie znaczy, że pozbawionego pomysłów. Mózg Dawidowa pracował na pełnych obrotach i kiedy po kwadransie Artiom przyprowadził Adama z powrotem do pokoju profesora, Sierioży już tam nie było. Ile sił w nogach pędził do helikoptera, który bezzwłocznie miał zawieźć go do Władywostoku, skąd prywatny samolot pewnego japońskiego biznesmena, od lat współpracującego z KGB, był gotów zabrać go do Sapporo na Hokkaido. Jeśli wszystko dobrze pójdzie, w ciągu nocy dotrze do kanadyjskiego Vancouver, tam zmieni swoją tożsamość i przedostanie się do Stanów. Miał na to pewien sposób, omijający kłopotliwe badania siatkówki, a tym bardziej odcisków palców w portach lotniczych. Samolot z Seattle do Miami był już załatwiony. Na Florydzie wystarczy odwiedzić dom profesora Kamienieckiego (jego inwigilację zlecono natychmiast po telefonie Jaszyna), a potem... Potem będzie już wyłącznie czekać na rozkazy.

Adam zauważył, że profesor Dawidow jest zdenerwowany. Wypił kolejnego drinka, jakby ignorując przybycie więźnia. Dopiero ponownie sięgając po flaszkę, dostrzegł jego odbicie w lustrze barku.

— Napijesz się?

— Dziękuję, nie.

— Nie bądź hardy jak twój ojciec — powiedział, udzielając mimowolnie bezcennej informacji na temat morale Podlaskiego seniora. — Musisz zdawać sobie sprawę, że teraz twoją jedyną szansą jest współpraca.

— A jeśli nie będę chętny?

— Na twoim miejscu nie zadawałbym nawet takich pytań. Jesteś młody, zdolny. Masz życie przed sobą. A my w każdej sytuacji musimy wygrać. Mówiłem ci już o biokomputerze. — Tu podszedł do biurka i nacisnął parę klawiszy. Wielobarwna mapa świata zajmująca większą część ściany vis-à-vis zmieniła się w ogromny ekran, a po kolejnym kliknięciu rozpadła na kilkadziesiąt małych ekranów. — Chwilowo system działa w obwodzie zamkniętym, wiesz jednak, co stanie się, kiedy za pośrednictwem sieci będę docierał do wybranych ludzi, przeglądał ich pamięć genetyczną, a także poznawał współczesne zamiary.

— Widziałem film *Raport mniejszości*.

— A ja czytałem Philippa Dicka w oryginale. Autorzy science fiction mają niekiedy dobre pomysły, które po rozpracowaniu przez naukowców mogą przemieniać się w całkiem dobre programy. Możesz uważać mnie za idealistę, ale naprawdę wierzę w świat bez zbrodni i wojen.

— Pod dyskretną kontrolą Kremla?

— Pod nadzorem porządku i rozsądku.

Adam podszedł do ekranu, wyświetlały się na nim obrazy z różnych zakątków ośrodka, jak widać perfekcyjnie naszpikowanego kamerami. Sunął wzrokiem po rozmaitych pomieszczeniach, aż dostrzegł mnie, śpiącą na materacu, i Sancheza, popijającego z Kałmukiem Artiomem. Powinna zdziwić go taka fraternizacja, ale miał myśli zaprzątnięte czym innym:

— Mogę zobaczyć mego ojca? — zapytał.

— Możesz z nim porozmawiać. I to zaraz.

Cały ekran wypełniła idealna czerń i rozległ się głos, który przepełnił Adama drżeniem. Nie był to bowiem głos człowieka, tylko komputera.

— A więc jesteś tu, synu. Czuliśmy, że przybywasz.

— Jesteśmy, tato. Uwolnimy cię.

— Nas nie można uwolnić. Można nas jedynie zniszczyć i musisz...

Dawidow stuknął w jakiś klawisz i ekran znów ożył setką obrazów. Adam był tak zaskoczony, że dopiero później zaczął zastanawiać się, dlaczego jego ojciec mówił o sobie w liczbie mnogiej.

— Jak widzisz, ciągle jest trochę zbuntowany — powiedział profesor.

— Jak na blisko 30 lat więzienia i permanentnego prania mózgu macie dosyć marne wyniki.

— Rzeczywiście, mogłyby być lepsze. Ale widzisz, staramy się postępować bardzo delikatnie, nie chcemy użyć wobec niego stymulacji narkotykowej, bo ta w wypadku jego szczególnych uzdolnień mogłaby je tylko stępić. Ale jeśli się nie dogadamy, zastosujemy prostsze metody.

— Jakie?

— Odwołamy się do jego uczuć rodzinnych. Mamy tu ciebie, twoją siostrę... Brak współpracy oznaczać będzie poważne nieprzyjemności. Tyle że ja naprawdę mam miękkie serce i za wszelką cenę chciałbym tego uniknąć. — Popatrzył na zegarek i wstał z fotela. — Na dziś wystarczy. Jutro zajmiemy się wszystkim. Mam nadzieję, że do tego czasu przemyślisz swoją sytuację.

Dostał celę podobną do naszej. Nie zabrano mu jednak ani krawata, ani sznurowadeł. Zapewne uznano, że nie targnie się na swoje życie. Na materacu znalazł złożoną w kostkę pidżamę. Przebrał się w nią. Nie bardzo chciało mu się spać, ale wiedział, że musi. Tylko we śnie, owej tajemniczej krainie, do której tak bardzo chciał wedrzeć się Dawidow, mógł znaleźć schronienie. I spotkać tam ojca.

Oczekiwania go nie zawiodły, niedługo głos Macieja Podlaskiego powrócił. I nie miał komputerowego brzmienia.

„A więc dziadek cię tu przysłał. Znalazł sposób".

„Porwano nas".

„Nic nie dzieje się przypadkowo".

„I sądzisz, tato, że nasze porwanie było częścią planu dziadka? Nie chce mi się wierzyć!...".

„Musieliście tu się zjawić w określonym składzie i określonym czasie. Zemsta jest rozkoszą bogów".

„Nie rozumiem, o czym tata mówi, jaka zemsta? Jesteśmy więźniami, obserwują nas kamery, strażnicy, nie możemy nic zrobić".

„Mury i kajdany to za mało. Jak widzisz, porozumiewamy się w myśli. Jeszcze zwyciężymy".

„Sama myśl to trochę za mało".

„Wiem, potrzebne są jeszcze uczucia. Kocham cię, Adamie. To fantastyczne mieć syna, stanowiącego nie tylko przedłużenie genetycznego trwania, lecz szansę na kontynuację mojej walki. Szkoda tylko, że cię nie zobaczę".

„Chwileczkę, czegoś tu nie rozumiem. Mówisz o zemście, o zwycięstwie, a zaraz potem, że się nie zobaczymy!?...".

„Jedno nie wyklucza drugiego. Świat składa się z wielu paradoksów, jak ten, że rozmawiamy ze sobą, mimo że nie żyję!".

„Co tata mówi?".

„Rozmawiasz z moją jaźnią, z sztucznie utrzymywaną przy życiu częścią mego umysłu. Ciała już nie ma. Zresztą, jeśli chcesz, możesz to zobaczyć".

„Jak?"

„Po prostu wstań i wyjdź!".

„Przecież śpię...".

„Mówię ci, zrób to!".

Mój brat przysięga, że to zrobił. Jak w historiach o indiańskich szamanach opisywanych przez dziadka, jak w opowieściach ludzi, którzy przeżyli własną śmierć kliniczną. Jego dusza, jaźń, czy jak kto woli *software*, opuściła śpiące ciało, chwilę przyglądała mu się z uwagą, oczekując na jakąś nadzwyczajną reakcję. Nic takiego nie nastąpiło. Cielesna powłoka Adama Podlaskiego spała, oddychając równo, a nawet pochrapując. Dusza (gdyby mogła wzruszyłaby ramionami, tym łatwiej że z duszą na ramieniu) przeniknęła stalowe drzwi i znalazła się na korytarzu.

„Jak to możliwe, tato, przecież nie jestem pod wpływem narkotyków ani chyba nie umieram?".

„Narkotyki przy eksterioryzacji odgrywają jedynie pomocniczą rolę, synu. Czasem wystarczy dobry przewodnik i silna wola. Masz jedno i drugie. Naprzód".

Jeszcze chwilę dusza krążyła niezdecydowana w miejscu, potem jednak nabrała tempa, przecięła gabinet, w którym Dawidow, jak na naukowca przystało, studiował jakieś neurologiczne czasopisma. Czy w momencie przelotu Iwan Mojsiejewicz poczuł coś niepokojącego? Być może. Nagle twarz mu się zmieniła, jego starcze oblicze przypominało przez chwilę nasłuchującego wilka. Zaraz jednak wrócił do przerwanej lektury. Adam dość bezradnie unosił się ponad barkiem...

„Co mam zrobić?" — pytał.

„Kieruj się intuicją" — poradził Maciej Podlaski. „Po prostu znajdź mnie".

Wszystkie kable i przewody, a także końcówki anten satelitarnych i linii wysokiego napięcia zbiegały się w pomieszczeniach usytuowanych pod gabinetem, trzeba było tylko przeniknąć jeszcze jedną ścianę.

„Tylko się nie przestrasz" — ostrzegł go ojciec.

Niewielkie pomieszczenie, do którego trafił, przypominało pracownię chemiczną. Wrażenie takie pogłębiał ogromny zestaw naczyń przypominających galwaniczne wanienki, nakrytych szklanymi płytami. W każdej z nich, w płynie o stałej temperaturze, spoczywały obłe przedmioty przypominające największe jądra orzechów włoskich. Do każdego podłączono dziesiątki zaizolowanych przewodów.

Na wanienkach widniały napisy: „Car — wilk syberyjski", „Egz 34 — rezus", dalej było jeszcze ciekawiej, ponieważ napisy przypominały wizytówki „Marina da Silva", „Krzysztof Budzisz", „Astrid...

„Ja jestem ostatni z lewej" — powiedział Maciej Podlaski.

Adam krzyknął i się obudził.

Zlany zimnym potem leżał, dygocąc na materacu i wyobrażał sobie, że wkrótce i jego mózg dołączy do kompletu.

Zawsze mam kłopot ze zrozumieniem zmiany czasu. Podróżując samolotem, przeważnie przesuwam wskazówki zegarze nie w tę stronę, w którą trzeba, i nigdy nie wiem, kiedy tracę, a kiedy zyskuję dzień. Lecąc ze wschodu na zachód czy z zachodu na wschód. Adam twierdzi, że tylko dlatego, że nie przeczytałam *W 80 dni dookoła świata* Verne'a. Widziałam film, wystarczy! Niestety, aby wyobrazić sobie to, co się wydarzyło nam oraz reszcie świata, i móc w miarę logicznie to opisać, niezbędne jest popatrzenie na mapę stref czasowych. Kiedy w ośrodku numer 1347 było słoneczne południe, w Moskwie zegary wskazywały drugą w nocy, w Warszawie dopiero biła północ, a w Baltimore biła szósta po południu. Jednak, aby przejść do sedna mej historii, muszę pominąć 14 godzin, w trakcie których nie zmienił się ani nasz statut więźniów, ani nie zdarzyło się nic, co mogłoby w istotny sposób zmienić losy świata.

Większość tego czasu przespałam, później snułam się apatycznie po celi. Moi współtowarzysze niedoli postępowali identycznie.

Pogrążona w nieświadomości drzemałam, nie zdając sobie sprawy, że w Moskwie urzędy centralne kończą swe owocne urzędowanie, a na przedmieściu Baltimore Claudia Bonitez właśnie wybiera się z synem do szkoły, wychodząc z domu, a ściślej mówiąc, ze zdezelowanej przyczepy campingowej, mocno wrośniętej w zielsko.

Dwójka sympatycznych ludzi; on, z elegancko przystrzyżoną bródką, o wyglądzie pracownika naukowego, i jego młoda asystentka obserwowali ją z samochodu.

Na miejsce przybyli wcześniej, ale czekali, aż się lokatorzy przyczepy obudzą. Kiedy zadzwonili wieczorem do Claudii (nie chwaląc się, że dzwonią z Florydy), potraktowała ich z rezerwą. Kiedy jednak wspomnieli o pieniądzach, które są gotowi zapłacić za krótką rozmowę z Anthonym, zaczęła słuchać uważniej.

— Realizujemy program rządowy — mówił mężczyzna o silnym cudzoziemskim akcencie. — Badamy rozwój osobowości dzieci wychowujących się bez ojców...

— A kogo to jeszcze obchodzi? Ile trzeba się nachodzić, naużerać, żeby uzyskać jakiekolwiek wsparcie z pomocy społecznej! — westchnęła pani Bonitez.

— Nasze badanie nie będzie uciążliwe, poza tym uzyska pani jednorazową zapomogę. Pięć tysięcy! W wypadku gdyby okazało się, że chłopiec wykazuje ponadprzeciętne uzdolnienia, mogłoby wchodzić w grę stałe stypendium Fundacji „Hector" na jego edukację.

— Anthony jest wybitnie uzdolniony — stwierdziła z dumą jego matka.

— Tym przyjemniej będzie przeprowadzić badania.

— To będą testy?

— Tak, testy połączone z badaniem za pomocą encefalografu.

Claudia nie miała pojęcia, co to jest encefalograf, ale bała się przyznać do swej ignorancji.

— No to przyjedźcie, państwo, o czwartej po południu, wtedy przywożę syna ze szkoły.

Nie mogli czekać aż tak długo. Dlatego pojawili się pół

dnia wcześniej i podeszli do matki z synem, gdy ci ledwie opuścili swoją przyczepę. Gdyby nie wyglądali tak sympatycznie i nie zaczęli od odliczenia pliku banknotów, Claudia nabrałaby jakichś podejrzeń, a tak...

— Musimy zrobić badania do południa — powiedziała dziewczyna. — Później lecimy do Nowego Jorku.

— Ale szkoła...

— Tak zdolne dziecko błyskawicznie nadrobi jeden dzień — rzekł mężczyzna i wspomniał o dodatkowej gratyfikacji, co do reszty udobruchało panią Bonitez.

— Naprawdę nie będę musiał iść do szkoły? — ucieszył się Anthony. — Ale fajnie!

W tym samym czasie Siergiej Jaszyn dopiero znajdował się na pokładzie odrzutowego gulfstreama. Wynajął go bez większych trudności, posługując się dokumentami niejakiego Aloisa Grubbera, przedstawiciela renomowanej południowoafrykańskiej firmy farmaceutycznej. Kosztowało sporo, ale nie bawił się w oszczędności. Instynktownie czuł, że i tak może przybyć za późno. Jeszcze ze Seattle zadzwonił do swego człowieka na Florydzie. Zapytał o wyniki inwigilacji Macieja Kamienieckiego.

Obserwator stwierdził, że profesor najprawdopodobniej przebywa w swoim domu sam i śpi. Przez parę dni mieszkała u niego parka stosunkowo młodych ludzi, zapewne Polaków, ale wieczorem odjechała taksówką.

— Dokąd?

— Mamy zapisany numer taksówki, więc nasz człowiek w policji może się łatwo dowiedzieć...

— Niech to zrobi!

Piętnaście minut później Sierioża wiedział już, że para Polaków została odwieziona na lotnisko w Miami. Po następnym kwadransie dostał informację, że państwo Lesnievsky wykupili lot do Baltimore.

— Leśniewscy? — to nazwisko znał z raportów Sancheza. Przyjaciele z Polski wtajemniczeni w sprawki profesora. Z Wiktorem Leśniewskim miał zadawnione porachunki jeszcze z czasów rozgrywki z Barskim. Przez młodego historyka posypała się misterna operacja. Nie było poleceń, żeby wymierzyć mu karę, ale jeśli teraz sam pchał się w jego ręce... W dodatku z posiadanych informacji wynikało, że wraz z żoną przebywali na Boracay, w czasie gdy uprowadzono Podlaskiego, ale w odróżnieniu od reszty ekipy wrócili do Stanów. Dlaczego? Mieli tam do odegrania jakąś rolę? Nikt o tym nic nie wiedział. Bardzo nie lubił podobnych sytuacji. Jeszcze raz, z pokładu odrzutowca, zadzwonił do Obserwatora z Miami.

— Wiadomo coś o gosposi Kamienieckiego? Nocuje w domu?

— Juanita dostała wolny dzień i pojechała do rodziny.

Jeszcze jedna ważna, sprzyjająca okoliczność. Sierioża czuł, że nie ma na co dłużej czekać. W Miami, oprócz Obserwatora, dysponował jeszcze dwoma zaufanymi ludźmi, na co dzień spokojnymi, nierzucającymi się w oczy Amerykanami. Połączył się z nimi.

— Bierzcie dziada — wydał polecenie i podał współrzędne celu. — Potem czekajcie na mnie!

— Zlikwidować?

— Nie! Izolować i zabezpieczyć. Ale ostrożnie. Staruch może kojfnąć, a chwilowo będzie potrzebny żywy.

Znajdował się nad Appalachami, kiedy otrzymał komunikat od swoich ludzi:

„Dom jest pusty. Ani śladu starego pierdziela. Może wywieźli go w bagażniku, wieczorem robili krótki kurs jego samochodem do supermarketu...".

„Nie znaleźliście żadnych śladów?".

„Żadnych poza jednym. Na biurku leżała kartka z napisem.

„Z jakim napisem?".

„A kuku!".

Tego się Jaszyn nie spodziewał. Zaklął krótko, wstał i przeszedł do kabiny pilotów.

— Zmieniamy kierunek lotu! — zadysponował. — Musimy skierować się prosto na lotnisko pod Baltimore.

Około drugiej w nocy Iwan Mojsiejewicz Dawidow postanowił wreszcie pójść spać. Wszystko, co było do zrobienia, zrobił. Rano, w zależności od tego, co osiągnie w USA Jaszyn, miał zamiar zabrać się ostro za Adama Podlaskiego. Miał nadzieję że Sierioża szybko upora się z chorym Kamienieckim. Cóż za rozczarowanie, niby przyjazna dusza z tego profesora, a posunął się do nikczemnego szantażu. Naraził na szwank jego pozycję w kierownictwie! A ten młody Podlaski? Nadrabia miną, ale w gruncie rzeczy jest przerażony... Cóż, jeśli nie wskóra z nim nic po dobroci, jeszcze jeden mózg o paranormalnych uzdolnieniach będzie mógł wspomóc system — zachichotał, ale zaraz umilkł. Czy to aby dobry pomysł? Jeśli młodziak odziedziczył wszystkie cechy ojca „buntowszczika", jeszcze może pokomplikować sprawę. Starego łamał od lat i chyba osiągnął efekt odwrotny od zamierzonego. Dawidow nie miał dowodów, ale czuł, że w zespolonym systemie biocybernetycznym Maciej Podlaski zdobył spory mir u pozostałych „podzespołów". Dotąd mózgi wmontowane w system cechowało znaczne posłuszeństwo, ale ostatnio, być może za sprawą Polaka, jakby zhardziały. Czasami nawet zastanawiał się, czy nie powinien odłączyć go od reszty. Wolał nie myśleć, czym mógłby się skończyć bunt żywej części komputera podłączonego do sieci. Zastanawiał się też nad celowością zastosowania bodźców elektrycznych lub stymulacji toksycznej. To wymuszało posłuszeństwo, ale jakim kosztem? Jeśli system miał działać wydajnie, nie mógł na trwałe pozbawić żadnego z tych mózgów ani minimum wolnej woli, ani choćby szczątkowej samowiedzy. Gdy tego elementu brakowało, żywe elementy z niewiadomego powodu przestawały funkcjonować. Umierały. Jak ci obiecujący bliźniacy z Australii. Tyle zachodu, by ich pozyskać, i wszystko na nic. Ileż by dał za choćby jeden mózg prawdziwego komunisty lub, czemu nie, wielkoruskiego nacjonala, obdarzonego choć w części paranormalnymi zdolnościami. Ale tacy nie rodzili się widać na kamieniu, a jedyny słuszny element, jaki znał — zawartość czaszki Włodzimierza Lenina, przechowywana w Moskiewskim Muzeum Mózgu, znajdowała się obecnie w stanie, w którym nie nadawała się nawet na karmę dla laboratoryjnych szczurów.

„Może jeszcze kropelkę?" — rzucił tęsknym okiem na swój barek, ale czuł w żołądku wzmagającą się zgagę. „Wystarczy na dziś!". Łyknął kilka pastylek, wstał i ziewnął.

W tym momencie zadzwonił Kałmuk Artiom.

— Kubańczyk ma do was jakąś ważną sprawę — zameldował.

— Jeszcze jedna ważna sprawa! — westchnął akademik. Jednak długie życie w Związku Radzieckim nauczyło go, że żadnych sygnałów od współpracowników nie należy lekceważyć. — Niech przyjdzie!

Sanchez pojawił się wyraźnie wyspany, ale nieco spięty.

— O co chodzi? — rzucił akademik.

— O tego amerykańskiego kurdupla Tima Sharffera, towarzyszu profesorze — rzekł. Od Artioma wiedział, że chociaż czasy się zmieniły, szef lubi starą, jeszcze sowiecką tytulaturę. — Nie zdradzał się z tym dotąd, wręcz przeciwnie, bardzo starannie to ukrywał, ale wiem, że dysponuje niezwykłymi zdolnościami.

— Skąd wiesz?

— Kiedy przebywaliśmy w leśnym domu, w rezerwacie, pochwalił się częścią swych umiejętności.

— Na przykład jakimi? — resztki senności pierzchły i Dawidow poczuł się nagle, jakby dopiero wstał z łóżka.

Sanchez, najprecyzyjniej jak umiał, opowiedział o trikach karcianych i możliwościach czytania w cudzych myślach.

— Cały czas w jego obecności musiałem się kontrolować, żeby mnie nie zdemaskował.

— Dopiero teraz mi o tym mówisz!? — w głosie akademika zabrzmiało zdenerwowanie. Naraz przyszło mu do głowy, że Sharffer mógł nawiązać mentalny kontakt z jego biocybrem. Przeszedł go dreszcz. — Co, twoim zdaniem, powinniśmy z tym zrobić? — zapytał.

— Chyba należy izolować Sharffera od pozostałych. A na miejscu pana profesora zorientowałbym się osobiście w jego możliwościach.

„Też chyba czytasz w moich myślach" — przemknęło Dawidowowi. Nacisnął interkom do Artioma.

— Przyprowadźcie mi tego Tima Sharffera, natychmiast! Czekaj! Dla pewności nałóżcie mu kajdanki.

— Rozkaz!

Sanchez rozejrzał się po pokoju.

— Czy mam zostać? — zapytał.

— Naturalnie, przydasz się. W końcu zdążyłeś nieźle go poznać.

— To może lepiej, żebym miał jakąś broń, kto wie, co potrafi taki charakternik? — powiedział Kubańczyk.

Profesor bez słowa otworzył szufladę w biurku i rzucił mu dwunastostrzałowego makarowa, niezawodnego następcę dawnej tetetki. Sanchez, jak dobrze przeszkolony agent, sprawdził broń, zabezpieczenie, potem przeładował...

— Nawet wyspać się człowiekowi nie dacie — gderał Tim, wyraźnie wyrwany ze snu. Wyglądał pociesznie, co rusz przydeptując sobie zbyt długie nogawki drelichu, w który go ubrali. Zrobiło się jeszcze śmieszniej, kiedy Artiom posłał go kopniakiem na dywan wprost pod nogi profesora.

— Zamknij drzwi i zostań — powiedział do Kałmuka Dawidow. — A ty wstań! — rzucił do niezdarnie gramolącego się Tima. — Ciekawych rzeczy dowiadujemy się o panu, panie Sharffer. — Przez moment przypatrywał się uważniej Amerykaninowi. — Zaraz, czy to nie pan był jedynym, który przeżył ten sławny, choć nieudany eksperyment z odblokowaniem pamięci genetycznej, przeprowadzony przez mojego znakomitego kolegę Kamienieckiego?

— Miałem tę przyjemność.

— I podobno od tego czasu czytasz w ludzkich myślach?

— Czasem mi się nie udaje.

— Możesz zatem powiedzieć, o czym ja myślę?

— O tym za chwilę. Na razie mogę powiedzieć, o czym myśli kapitan Artiom Mulin.

— Mianowicie?

— Że skoro nie ma Boga, skąd bierze się kara na złoczyńców?

Na twarzy Kałmuka pojawiło się bezbrzeżne zdumienie. W tym samym momencie z lufy makarowa trysnął płomień, a plamka eksplodująca na czole Mulina nie była jedynie śladem farby...

— Co ty wyprawiasz, Valdez?! — wrzasnął Iwan Mojsiejewicz, rzucając się w stronę biurka, ale podcięty przez Tima, upadł na dywan.

— Nie jestem Valdez, jestem Sanchez — powiedział Kubańczyk. — I nie gram w pańskiej drużynie.

***

Przez ponad 15 lat swej służby u Kamienieckiego Raul Sanchez zastanawiał się, czy tamtego straszliwego wieczoru, znajdując się na tratwie wśród swoich najbliższych — chorych i wyczerpanych z głodu i pragnienia — mógł postąpić inaczej? Czy wówczas, kiedy bardziej wyczuł, niż ujrzał w smudze księżycowego światła wyłaniający się peryskop, a później spod wody wystrzelił ponton, na który wsiadła trójka płetwonurków, nie powinien cicho zsunąć się do wody, tylko obudzić pozostałych na wpół żywych uciekinierów, by wspólnie, gołymi rękami stawić opór wrogom. Czy to, że większości pozwolił umrzeć we śnie, było aktem miłosierdzia czy tchórzostwa? Chyba jednym i drugim.

Zresztą zadziałał wtedy dość mechanicznie, ześlizgnął się do wody i ukrył się pod tratwą. Było to o tyle łatwe, że nie zbudowano jej z bali, ale z dość przypadkowych elementów, beczek po oleju, kilku par drzwi, paru starych odwróconych dnem do góry kajaków. Schronił się pod jednym z nich. Jeszcze nie wiedział, że przybysze są mordercami. Chociaż mógł podejrzewać. Nie zapalili świateł, podpływali prawie bezszelestnie... Potem równie cicho mordowali swych rodaków. Mimo ciemności szło im dość łatwo — widząc wszystko doskonale w noktowizyjnych goglach, łamali karki swych ofiar, tak aby po ewentualnym wyłowieniu zwłok przyczyna śmierci wyglądała na naturalną. Działali perfekcyjnie. W ciągu całej akcji obudził się tylko jeden z braci Sancheza — szesnastoletni Juan. Jego zduszony krzyk pamiętać będzie nawet w dniu Sądu Ostatecznego. Potem mordercy odpłynęli, zostawiając jednego ze swego grona na pustym pokładzie. Raul zastanawiał się, co powinien uczynić? Spróbować zabić wyszkolonego zabójcę, teraz, kiedy był tak słaby i wycieńczony...? A może przynajmniej samemu przetrwać?

Życie uratowała mu jego starsza siostra Luiza, której martwe ciało kołysało się obok łodzi. Wyrzucono ją za burtę, zapominając ściągnąć z niej kamizelkę ratunkową. W kamizelce znajdował się żelazny zapas czekolady i pół buteleczki słodkiej wody. Założył tę kamizelkę na siebie, a potem, modląc się, pozwolił zwłokom opaść w głębinę. Potem wcisnął się pod kajak. Kiedy zaczęło trochę się rozwidniać, wyjrzał ostrożnie spod tratwy i ujrzał na horyzoncie białą linię. Tak wyglądały fale łamiące się na płyciźnie. Słyszał pochrapywanie mordercy, ale nie próbował wejść do niego na pokład. Nie czekając na wschód słońca, pozwolił się znieść prądowi w stronę przybrzeżnych raf. Wkrótce ujrzał poza nimi zieleń zarośli mangrowych. Potem chyba zasnął i obudził się wśród fal targających nim jak wyrzuconą ze statku beczką po piaszczystym dnie.

Dojście na brzeg zajęło mu ponad godzinę, odnalezienie jakiegoś zamieszkałego domostwa następne trzy. Okazało się, że trafił na Andros, największą z wysp archipelagu Bahama. Na użytek ludzi, którzy mu pomogli, wymyślił historyjkę o tym, jak wypadł z katamaranu i całą dobę spędził w morzu.

Życie na Kubie nauczyło go ostrożności, powściągnął ochotę natychmiastowego pójścia na policję — ludzie Fidela i tutaj mogli mieć swoje wtyczki. Swoje kroki skierował wprost do amerykańskiego przedstawicielstwa. Dwa dni potem Kubańczyk znalazł się w Miami. W tym czasie fałszywy Sanchez przebywał nadal na obserwacji w szpitalu w Nassau i opowiadał przesłuchującym go funkcjonariuszom lokalnej policji o tym, jak zginęła jego rodzina. Wedle jego wersji tratwa przełamała się na potężniejszej fali i rozpadła na morzu. Wszyscy pasażerowie utonęli, jedynie on dopłynął do brzegu, trzymając się pustej beczki jak koła ratunkowego. Pojawienie się drugiego Sancheza, na szczęście zanim jeszcze ten pierwszy skontaktował się z rodziną, tylko na moment wprawiło służby w konsternację.

Agenci amerykańscy bez trudu ustalili, który z dwóch uciekinierów jest prawdziwy. Czy dlatego, że Raul okazał się bardziej przekonujący? Raczej przesądziło porównanie kodu DNA między nim a cioteczną siostrą mieszkającą w Palm Beach. Wystarczyło to za najlepszą identyfikację (nawiasem mówiąc, później porównano te dane z jednym z wyłowionych topielców i też się zgadzało). W efekcie po Valdeza przybyli do Nassau agenci CIA, przerywając dość brutalnie proces jego rehabilitacji, a Raul, jako cudownie ocalony, znalazł się na łonie rodziny.

Fałszywy Sanchez pękł trzeciego dnia przesłuchania. Nie wytrzymał konfrontacji z prawdziwym, który patrząc mu w oczy, opisywał jego kolejne morderstwa. Zagrożony karą śmierci, zgodził się współpracować i trzeba przyznać, że nie zawiódł pokładanych w nim oczekiwań. Przekazał kontakty, szyfry, w wypadku kłopotów służył radą, na co dzień przebywając w pewnym dobrze strzeżonym ośrodku pod Tampą.

Przez ponad piętnaście lat Sanchez w sposób perfekcyjny grał rolę agenta Valdeza udającego Sancheza. Mocodawcy otrzymywali mnóstwo informacji o profesorze Kamienieckim, jego kontaktach, badaniach. Przeważnie były to informacje bezwartościowe lub mocno spóźnione, ale FSB ani przez moment nie nabrało podejrzeń co do lojalności swego agenta. W czasie ostatniej operacji Dawidow wynosił pod niebiosa jego zasługi, w końcu to dzięki niemu dopadli Adama Podlaskiego i schwytali praktycznie całą grupę nieudaczników amatorów od Kamienieckiego. Oczywiście nie mieli pojęcia, że są przedmiotem misternej gry „Polaczka", a informacje, które otrzymują, zostały spreparowane. Sanchez był dobry w swej roli, od lat przekazywał mnóstwo danych, jednak Rosjanie dość długo nie wiedzieli nic ani o Timie Sharfferze, ani o bliskich związkach łączących profesora z Nicholasem Darlingtonem z NSA. Prawdziwa okazała się za to jedna złota myśl Dawidowa wygłoszona do Adama — o ostatecznym sukcesie rozgrywki zdecydować miało panowanie nad informacją.

XIV

OGNIWO „HEKTORA"

Akademik Dawidow leżał na dywanie, łapiąc powietrze jak wielka, wyciągnięta na pokład ryba. Sanchez, nie spuszczając go z oka, wyjął z kieszeni martwego Kałmuka kluczyk i otworzył kajdanki Tima.

— Czego chcecie? — wycharczał profesor. — Przecież i tak nie macie szans się stąd wydostać.

— Rzecz dyskusyjna — odparł Sanchez, a zwracając się do Sharffera, zapytał: — Nie wiesz przypadkiem, co on kombinuje?

— Jak niepostrzeżenie dorwać się do przycisku alarmowego pod biurkiem! — odparł „podsłuchiwacz myśli".

— Pozbawmy go zatem złudzeń!

Tim z wprawą, o jaką trudno byłoby posądzić byłego więźnia, zatrzasnął Iwanowi Mojsiejewiczowi kajdanki, a potem pchnął go na kanapę.

— Tak będzie wam wygodniej — stwierdził. — Teraz, jeśli łaska, ściągnijcie nam tu Adama.

Profesor tylko zacisnął wąskie wargi.

— Chyba nie będzie współpracował po dobroci — domyślił się Tim.

— Artiom — Sanchez wskazał trupa — chwalił mi się, że profesor z gabinetu może zdalnie kierować całym obiektem.

W takim razie chyba i nam powinno udać się oswobodzić naszych przyjaciół.

Podszedł do wyłączonej klawiatury leżącej na biurku, znał na szczęście cyrylicę, i próbował ją włączyć.

Natychmiast na monitorze pojawiło się żądanie: „Wprowadź kod dzienny".

— Będzie pan uprzejmy podać nam ten kod, profesorze? — zapytał Kubańczyk, śledząc kątem oka ogromne skupienie malujące się na obliczu Sharffera.

Akademik milczał. Na jego twarzy widać było koncentrację człowieka próbującego ustawić blokadę mentalną. Prawie mu się udało. Jednak Sanchez zbliżył się i znienacka uderzył go w splot słoneczny. Puściło.

— „Stalingrad" — wyrzucił z siebie skoncentrowany Tim.

— Można powiedzieć, że profesor bazuje na ciekawych resentymentach.

Kubańczyk wprowadził podane hasło. Olbrzymi ekran znów rozpalił się 64 polami. W całym obiekcie panował spokój. Poza wartownią wewnętrzną i zewnętrzną wszyscy spali. Ze mną włącznie. Tylko Adam, chociaż również pogrążony we śnie, rzucał się nerwowo, tak jakby bombardowały go setki informacji.

— Rozmawia z ojcem — poinformował nas Sharffer — to bardzo pożyteczna rozmowa.

— Skąd wiesz? — w Dawidowie górę wzięła zawodowa ciekawość.

— Słyszę, że znowu się porozumiewają — odparł detektyw i zwrócił się do Sancheza:

— Możesz otworzyć drzwi do cel C-11 i D-4?

— Spróbuję.

Miałam czujny sen. Szczęk otwieranych zamków nie był głośny, ale charakterystyczny. Zerwałam się na równe nogi.

Przed półgodziną zabrano z celi Sharffera. Widocznie teraz przyszła kolej na kogoś z pozostałej dwójki. Co to mogło oznaczać w środku nocy? Egzekucję? Czekałam, czując, jak serce omal rozsadza mi klatkę. Nikt jednak nie wchodził. Trąciłam w ramię Changa. Zerwał się, jakby ukąsiła go żmija. Przytknęłam palec do ust, po czym wskazałam na drzwi i odsunięte zasuwy. Zrozumiał. Gestami zaproponował mi, żebym się ubrała. Sam musiał jedynie założyć buty, przezornie spał w ubraniu. Podszedł do drzwi. Silnie pociągnięte stanęły otworem.

Oczekiwałam bojaźliwie, że na korytarzu czekać będzie pluton egzekucyjny. Wiało pustką!

Coraz bardziej zdziwieni maszerowaliśmy ku schodom, kiedy w kolejnych otwartych drzwiach stanął na wpół rozbudzony Adam.

— Zaczęło się — powiedział półgłosem.

Pięć minut potem wszyscy znaleźliśmy się w gabinecie Dawidowa. Sam gospodarz siedział na kanapie z dość żałosną miną i z rękami skutymi na plecach. Obecność Sancheza z pistoletem w ręku zjeżyła mnie niczym królika na widok węża, ale Tim jednym słowem rozwiał moje obawy — „To przyjaciel!". Z wolna zaczęło do mnie docierać, że od początku uczestniczyłam w wielkiej mistyfikacji, ale dzięki temu, że w nic mnie nie wtajemniczono, perfekcyjnie odegrałam swoją rolę.

Tylko czy w ogóle ktokolwiek z nas wiedział, na czym polega misterna gra? Podejrzewam, że każdy z kolegów znał jedynie ułamek prawdy. Niewątpliwie dziadek chciał, abyśmy dzięki naszej nieświadomości byli maksymalnie przekonujący. I to akurat mu się udało.

Chang nie wiedział wiele więcej ode mnie. Miał konkretne zadania i zamierzał je zrealizować. Sanchez znał zapewne całość planu, czy jednak wiedział, czemu ma to wszystko służyć? Wątpię. Adam odwrotnie. Znał cel przedsięwzięcia, ale absolutnie nie spodziewał się swego porwania. Mógł jedynie ufać w jakąś skuteczną pomoc dziadka. Co wiedział Tim Sharffer, pozostawało jego słodką tajemnicą.

— Mamy 2.22. Osiem minut do rozpoczęcia naszej operacji — powiedział Adam. Podniósł jeden z naszych skonfiskowanych przez Kałmuka telefonów satelitarnych i puścił umówiony sygnał.

— Co wy chcecie zrobić? — pytał coraz bardziej zdenerwowany Dawidow. — Nie igrajcie z ogniem!

Tim wskazał Changowi jeden z paneli podłogowych, ten uniósł go i naszym oczom ukazała się gmatwanina kabli.

— Nie ważcie się tego ruszać — wołał profesor. — Nie wiecie, na jakie ryzyko się narażacie, aktywując biocybra.

— Rozmawiałem z tatą — odparł Adam. — On gotowy jest je podjąć.

Przesadą byłoby twierdzenie, że siatka agentów Sierioży Jaszyna w Stanach Zjednoczonych szła w tysiące. Z tego, co udało się później ustalić, ograniczała się do kilkunastu doborowych pracowników, wydzielonych z dawnych struktur sowieckiego wywiadu, resztę zabezpieczała trudno policzalna rzesza tajnych współpracowników, za pieniądze dostarczających potrzebnych wiadomości, bez pytania komu i po co. Ustalenie, dokąd udali się Leśniewscy po wylądowaniu w Baltimore, zabrało ludziom Jaszyna znacznie mniej czasu niż kołowanie gulfstreama na pasach baltimorskiego lotniska. Wynajęty wóz już czekał. Sierioża siadł za kierownicą i kiedy mężczyzna, który podstawił corvettę, odszedł bez oglądania się za siebie, zajrzał do schowka. Owinięta w gałgan beretta czekała na chwilę, w której będzie mogła się przydać. Obok wymacał odpowiedni tłumik. „Doskonale!". Ruszył szybko, ale bez przesady, nie chcąc bez sensu nadziać się na jakiś patrol policji.

Z Miami nie przyszły dobre wiadomości. Dom Macieja Kamienieckiego jakby czekał na rewizję. Komputery były wyczyszczone, a sejf, którego rozprucie zajęło wezwanym patałachom dwie godziny, zastali idealnie pusty. Na dodatek ekipę buszującą po pokojach zaskoczyła policja. Tylko Obserwatorowi udało się uciec. Dwaj agenci i kasiarz trafili do aresztu. Czy mogli sypnąć? Jaszyn był spokojny. Według instrukcji mieli udawać zwyczajnych włamywaczy. Jak dobrze pójdzie, jutro, najdalej pojutrze, wyjdą za wysoką kaucją. A potem szukaj wiatru w polu.

Mimo wszystko fakt, że profesor, wedle opinii Sancheza i Obserwatora, ledwie żywy po niedawno przebytym udarze zdołał wystrychnąć ich na dudka, budził szczerą wściekłość Sierioży. Stanowczo w jego rozgrywce z rodziną Kamienieckich za dużo zdarzyło się porażek!

Osiedle przyczep mieściło się niedaleko rozjazdu autostrad. Było tu brudno i dość głośno. Zaraz za płotem ciągnęło się cmentarzysko samochodów, na którym pracował dźwig przerzucający złom. To jeszcze potęgowało panujący hałas. Brzydki uśmiech zaigrał na wargach zabójcy — bardzo dobrze, nie trzeba będzie nawet nakręcać tłumika.

Claudię Bonitez przestraszył trochę sprzęt, który Leśniewski zaczął wyciągać z torby.

— To może boleć? — zapytała niespokojna.

— Ani trochę — powiedziała Dorota. — Robiono pani kiedykolwiek elektrokardiogram? To będzie coś podobnego.

Anthony posłusznie wypił słodki płyn o smaku ananasowym, mający, jak wyjaśniał Wiktor, rozjaśnić umysł. A później przyjął zastrzyk.

— Słyszała pani zapewne o metodzie uczenia się przez sen — tłumaczyła Leśniewska — w ciągu godziny można nauczyć się więcej niż w szkole przez miesiąc.

— Podobno — Claudia z niepokojem patrzyła na syna, który, ziewając ułożył się na łóżeczku. — A długo to potrwa?

— Postaramy się, żeby jak najkrócej.

W tym samym czasie Wiktor otworzył laptopa, podłączył go do telefonu satelitarnego, a następnie ustawił małą kamerkę, tak że łóżko z chłopcem i oni sami znaleźli się w jej polu widzenia. Popatrzył na zegarek. Do planowanego połączenia pozostały trzy minuty.

— Na rany Chrystusa — wołał Dawidow — nie wiecie nawet, co chcecie zrobić! Jeśli włączycie biocybra do systemu, ta inteligentna bestia przejmie władzę nad tym ośrodkiem. I naprawdę nie wiadomo, co zrobi. Może na przykład wyłączyć klimatyzację i nas wszystkich udusić.

— Nie sądzę, żeby to zrobiła — powiedział Adam. — Mój ojciec gwarantuje jej poczytalność.

— Zresztą — Chang przystąpił do łączenia jakichś kabli — cała jej energia pójdzie na zewnątrz. Światłowodami, kablami, liniami wysokiego napięcia, Internetem, falami radiowymi...

— Na zewnątrz?! Chcecie połączyć biocybra z Siecią?!!! — Dawidowa zatkało. — To już czyste, nieobliczalne szaleństwo. Do tej pory nikt nie próbował zrobić czegoś takiego. Ostrzegam, doprowadzicie do niekontrolowanego końca świata!

— Czyż nie zamierzaliście zrobić tego sami?

— Ale dopiero za parę lat, kiedy wszystko będzie sprawdzone, a biocyber posłuszny.

— Czasem warto zaryzykować — Chińczyk starał się zachowywać swobodnie, jednak w jego głosie wyczuwałam wielkie napięcie.

— Jesteś gotów, tato? — zapytał mój brat.

Przez ekran przeleciały nerwowe impulsy, tak jakby doszło do zakłócenia nadajników, ale nie usłyszeliśmy żadnego metalicznego głosu, o którym wcześniej wspominał Adam. Zrozumiałe. Nie aktywowaliśmy przecież jeszcze biocybernetycznego systemu. I co więcej, bez współpracy Dawidowa nie było możliwości go uruchomić. Czyli dupa blada!

— Ja go słyszę — powiedział naraz Tim — i natychmiast zaczął mówić wolno, jakby udawał komputer ze starych powieści SF. — „Wszyscy jesteśmy gotowi, przyjaciele. Długo czekaliśmy na ten moment — połączcie się z nami. Spełnimy to, czego chcecie".

— Niee — ryknął Iwan Mojsiejewicz niczym ranny mamut lub rozwścieczony dinozaur, usiłując zerwać się na równe nogi. Sanchez przewrócił go z powrotem na kanapę.

— Zaknebluj go, Raul! — powiedział Tim. — Trochę nam teraz przeszkadza.

— Może wystarczy, że wybiję mu zęby?

— Powiedziałem, zaknebluj — Sanchez, najwyraźniej od chwili przybycia do ośrodka nie tracił czasu i gromadził wszystko, co może być potrzebne w akcji, miał bowiem przy sobie taśmę klejącą.

Krzyk Dawidowa przeszedł w bełkot.

— A jak będzie potrzebna jakaś informacja — zapytałam, podchodząc do monitora — jakiś login albo *password*? Jak wam go przekaże?

— Tim dowie się tego mentalnie — powiedział Sanchez. — Raz już mu się to udało.

Zaczęła docierać do mnie przezorność mego dziadka, nie tylko zadbał o to, jak doprowadzić swoich ludzi do serca wroga, ale skonstruował ekipę na zasadzie uzupełniających się zdolności. Normalnych i paranormalnych. Tylko po co byłam do tego ja? Dla towarzystwa?

Do połączenia się z Leśniewskimi użyto jakiejś udoskonalonej wersji skype'a.

Widok Doroty, Wiktora, Latynoski i śpiącego dziecka

w ciasnym wnętrzu przyczepy kempingowej dowodził, że wszystko idzie świetnie. W tym czasie Adam opowiedział, na czym ma polegać zabieg na drugiej półkuli.

— Chcemy wykorzystać biocybra, aby dotrzeć do właściwego punktu w pamięci genetycznej Anthony'ego Boniteza. Otworzyć ją na parę sekund. Dziadek jest pewien, że formuła, schemat wynalazku i potrzebne komponenty zaprzątały umysł jego ojca Matta Robertsa dzień i noc w stopniu ekstremalnym, tak więc chłopiec, nie wiedząc o tym, musi pamiętać wszystko.

— Ale czy dzieciak jest w stanie pojąć skomplikowane wzory i schematy?

— Nie musi, wystarczy, jeśli my pojmiemy.

Chang odnalazł wreszcie właściwe przewody i połączył je ze sobą. Na komputerze pojawiło się kolejne żądanie wpisania hasła.

— Masz je? — Adam popatrzył na Tima, który kucnął przy kanapie i kiwał się przy Dawidowie niczym rozmodlony rabin.

— Zablokował się skurczybyk — stęknął po chwili.

— Może ja pomogę — do profesora zbliżył się z zaciśniętymi pięściami Sanchez. Sharffer powstrzymał go.

— Jest w stanie takiej desperacji, że choćbyś pokrajał go na kawałki, nie puści pary. Niestety, na dłuższe przekonywanie nie mamy czasu.

Popatrzyłam na Dawidowa, był czerwony, jakby miał za chwilę dostać apopleksji. Tim odwrotnie, mimo oliwkowej karnacji z wysiłku zrobił się pergaminowo blady.

— Słuchajcie, a może sami odgadniemy to hasło? — zaproponowałam z głupia frant. — Ile ma być liter?

— Sześć — odparł Chińczyk. — Stalin pasowałby. Niestety, oprócz liter w haśle mogą być cyfry...

— Nie — odezwał się Tim. — Nie ma cyfr. I nie jest to żaden z bohaterów rewolucji. Tyle wiem.

— W takim razie — zastanawiałam się głośno — może na hasło wybrał imię jakiejś bliskiej osoby. Ojca, matki, żony, dzieci.

— Z tego, co wiemy, Dawidow nigdy się nie ożenił. To samotnik, pracoholik. Nie posiadamy żadnej wiedzy na temat jego bliskich — mruczał Adam.

— Więc jeśli nie przyjaciel — kontynuowałam swe spekulacje — może szukanym hasłem jest imię wroga. — Gwałtowny ruch grdyki Iwana Mojsiejewicza przekonał mnie, że jestem na dobrej drodze. — Mam! Wpisuj „Maciej".

Adam posłuchał mnie, ale z komputera doszedł jedynie dźwięk, który w cyberjęzyku mógł znaczyć *„job waszu mać"*.

— Zostały jeszcze dwie próby. Potem system zablokuje się na amen — ostrzegał Sanchez. — Poza tym po rosyjsku należałoby wpisać Матвей... Cyrylicą to też sześć liter. Mam ryzykować?

— Zostaw Матвей, to może być Hektor! — zawołałam — konspiracyjny pseudonim dziadka.

— Tak, to Hektor! — powiedział nagle Tim.

— Zdradził się?

— Nie, twój ojciec to potwierdza.

Ale dźwięk będący odpowiedzią na wpisanie Hektora okazał się równie nieprzyjemny, jak poprzednio. Zrobiło się głupio i co gorsza, groźnie.

— Ale jesteśmy wszyscy durnie! — zawołał Chang — przecież po rosyjsku zamiast twardego „h" pisze się „g".

Odsunął Adama oraz Sancheza i sam wpisał: Гэктор.

„Witam w systemie!" — powiedział słodki głosik jakiejś cyberwróżki, który zaraz został zastąpiony zmultiplikowanym brzękiem wielu głosów: „Jesteśmy gotowi!".

Dawidow rzucał się na kanapie jak wyciągnięty na łódź szczupak.

— Macie kontakt z chłopcem? — zapytał mój brat.

— Mamy.

— To zaczynajcie.

— Pojawiła się komplikacja... Niebezpieczeństwo.

Drzwi przyczepy szarpnięte gwałtownie otworzyły się i na progu stanął Sierioża Jaszyn.

— Powiecie, co się tu, kurwa, dzieje, zanim was załatwię? — huknął.

Leśniewskich zamurowało, ale Claudia, która pracując w nocnym w barze, dawała sobie radę z niejednym zakapiorem, nie straciła rezonu:

— Czego chcesz od mego syna, dupku?! — wrzasnęła.

Strzał przez kieszeń rzucił ją na ziemię jak marionetkę, której ucięto nitki.

— Chyba grzecznie zadałem pytanie? — Jaszyn wymierzył pistolet w Wiktora.

Nie mogąc nic zrobić, patrzyliśmy jak skamieniali na rozgrywający się dramat. Leśniewski nie posiadał żadnej broni, a nawet jeśli by ją miał, nie potrafiłby jej sensownie użyć, mając przed sobą zawodowego zabójcę. Rzecz jasna, nie miał pojęcia, iż jest to człowiek, który przed paru laty wydał wyrok na jego ukochaną Magdalenę i wykończył niedoszłego noblistę Barskiego...

— Co chce pan wiedzieć? — zaczął cichym głosem tresera, który ma do czynienia z rozjuszonym lwem i nade wszystko pragnie zyskać na czasie.

Siergiej jednak sam skapował, co jest grane, na drzwiach było wypisane nazwisko martwej kobiety, reszty domyślił się, widząc głowę Anthony'ego oblepioną czujnikami.

— A więc o to wam chodziło? O wykorzystanie pamięci genetycznej syna Matta Robertsa?! Nieźle pomyślane. Ale się nie udało!

Nieśpiesznie wycelował broń w stronę śpiącego.

I w tym momencie zupełnie niespodziewanie eksplodowała umieszczona pod sufitem świetlówka, zasypując twarz zabójcy odłamkami szkła. Zaskoczony, na wpół oślepiony

Siergiej dał krok do tyłu, ale jeszcze zdołał celnie wystrzelić. Pocisk ugodził Wiktora Leśniewskiego, który własnym ciałem zasłonił chłopca. Jednak następna kula poszła już w sufit. Cofający się Jaszyn stracił równowagę, spadł ze schodków, nie wypuszczając broni z rąk.

Dorota rzuciła się i zatrzasnęła drzwi.

Ale czy słabe drzwi z tworzywa mogły powstrzymać Sieriożę? Nie miał pojęcia, że włączyły się siły, których istnienia nawet nie podejrzewał. Podniósł się i patrząc na przyczepę, rozważał możliwości — poszatkować ją kulami czy ponownie wejść do środka. Wyobrażał sobie panikę tej ślicznej dziewczyny z Polski i poczuł erekcję. Zawsze ją odczuwał, kiedy zabijał atrakcyjne kobiety...

To, co stało się w następnych sekundach, znamy jedynie z relacji operatora dźwigu z sąsiedniego złomowiska.

Ben Watson nie słyszał strzałów i nie miał najmniejszego pojęcia o dramacie rozgrywającym się na dole, wykonywał swoją robotę, aż do momentu, kiedy nagle stracił kontrolę nad swoją maszyną. Przestały reagować przyciski i cała elektronika. Kran sam odwrócił się z zamachem, a pusty chwilowo hak na łańcuchu z impetem zatoczył łuk w powietrzu, precyzyjnie trafiając w mężczyznę, który z pistoletem stał przed drzwiami przyczepy kempingowej. Nadział go jak robaka. Uniósł do góry, po czym znieruchomiał w tej pozycji. Siergiej Jaszyn umierał wystarczająco długo, aby przypomnieć sobie wszystkie popełnione zbrodnie i zdać sobie sprawę, co czeka go w piekle. Ben Watson z wrażenia popuścił w spodnie, czym później nie chwalił się, akceptując wersję prasy, jakoby osobiście udaremnił szpiegowi morderstwo.

Widzieliśmy tę egzekucję z kamery radaru na autostradzie, która nieoczekiwanie obróciła się o 90 stopni, a po obejrzeniu i przekazaniu nam obrazu ze śmierci Rosjanina wróciła do zwykłych zadań.

Potem ekran zgasł, a kiedy zapłonął na nowo, zobaczyliśmy obraz ze snu. Transmisję z tego, co rozgrywało się w głowie dzieciaka znajdującego sie na drugim kontynencie. Wirujące i pulsujące punkty układające kolorowe plamy w obrazy. Anthony Bonitez nieświadomy zagrożenia ani rozgrywającego się wokół dramatu śnił swój piękny sen. Był w nim jego ojciec, mężczyzna, którego nigdy nie poznał. Na oko przeciętny Amerykanin, o przedwcześnie posiwiałych włosach i niedogolonej twarzy z kanciastym podbródkiem. Przebywał w swej pracowni, pochylony nad kartką papieru, wśród retort, odczynników, modeli.

Anthony jego oczami oglądał te wzory, rysunki i przekazywał je nam. Nie pojmował ich sensu, wiedział jednak, że są bardzo ważne. I niebezpieczne.

W trzy minuty mieliśmy wszystko. Wszystko, co potrzeba. Dane zostały skopiowane, zapamiętane. Dzięki łączności satelitarnej poznał je również nasz dziadek, w swojej kryjówce zorganizowanej dla niego przez FBI pod Miami. A także profesor Dawidow. Przynajmniej do pewnego momentu. Obserwując, co się dzieje, przestaliśmy na niego uważać. Dobrze wszystko wyliczył, skubaniec! Zebrał wszystkie siły, stoczył się z leżanki i walnął głową w przycisk alarmowy.

Widocznie nad tym elementem systemu nie miał kontroli biocybr. Zawyło w całym obiekcie... Na równe nogi poderwali się strażnicy i wartownicy. Niedobrze.

— Zrobione, synu — rozległ się spokojny głos naszego ojca — pozwól teraz, że zanim odejdę, zrobię coś pożytecznego.

— Nie odchodź, tato — zawołałam razem z Adamem.

— Musimy odejść — zabrzmiał chór głosów.

A potem nastąpiło prawdziwe pandemonium. W całym ośrodku 1347 elektronika wydała ludziom wojnę. Bez naszego najmniejszego udziału. Zatrzasnęły się na głucho drzwi sypialni personelu.

Przewodami klimatyzacyjnymi do specjalnie wybranych

miejsc popłynął gaz usypiający. Ożyła elektronika w ciężarówce zaopatrzenia, która, mimo braku kierowcy, staranowała budkę strażniczą, raniąc wartowników i rozbijając szlaban. W pokoju dyżurujących strażników eksplodowały wszystkie monitory, a poranieni dyżurni nie mogli opanować pożaru. A potem w obiekcie zgasło światło.

Był to jednak drobiazg w porównaniu z tym, co stało się w Rosji. Jak świat światem, nie zdarzyła się jeszcze taka awaria energetyczna. W mroku pogrążyły się miasta Syberii, zamarła cała europejska część mocarstwa, z okręgiem kaliningradzkim włącznie. Po prostu przestał płynąć prąd. Stanęły wszystkie elektrownie i rurociągi. Przestały działać telefony, radio i telewizja, oślepły co do jednego satelity szpiegowskie, a żadna z międzykontynentalnych rakiet nie była w stanie drgnąć w swoim silosie. Łodzie podwodne utraciły kontakt z centralą, a centrala, mimo że po pewnym czasie włączono zasilanie awaryjne, nie była w stanie pojąć, co właściwie się tego dnia wydarzyło.

W każdym razie gdyby ktokolwiek dysponował grupą uzbrojonych desperados, mógłby zająć w tych dniach całe oślepłe i sparaliżowane imperium. Tylko że nie o to przecież chodziło. Zresztą kataklizm energetyczny nie ominął Czeczeni, choć zatrzymał się na granicy Gruzji i Azerbejdżanu. Zdaniem fachowców awaria musiała być dziełem jakiegoś superinteligentnego wirusa, który poradził sobie ze wszystkimi zabezpieczeniami. Ci, którzy domyślali się prawdy, woleli nie wychylać się z tą wiedzą. Zresztą najgorsze miało dopiero nastąpić.

I nie chodziło o to, że usuwanie awarii zajęło tygodnie, a likwidacja jej skutków całe lata.

Kiedy w trybie awaryjnym zbierał się w Moskwie bezradny komitet kryzysowy, jego szef zachowywał się co najmniej szokująco. Wedle najbliższych doradców żądał i błagał, żeby natychmiast skontaktować się z niejakim profesorem Kamienieckim w Stanach.

— Ale jak mamy się skontaktować? — pytał szef FSB.

— Choćby za pomocą wyciągniętych z lamusa krótkofalówek. Damy mu wszystko, czego zażąda — wołał rozpaczliwie. — Kupimy od niego wynalazek Matta Robertsa, nawet gdybyśmy musieli oddać Polsce w barterze Lwów i Wilno.

— Przecież nie należą do nas — zauważył któryś z przytomnych doradców.

— No to Królewiec! I gwarancje tanich dostaw ropy i gazu przez 50 lat.

Polecenie zostało wykonane, choć w otoczeniu zapanowało przekonanie, że szef zwariował.

„Za późno" — brzmiała odpowiedź, która nadeszła ze Stanów od Kamienieckiego. „Postanowiłem udostępnić wynalazek Matta Roberstsa za darmo".

„Za darmo?" — cedził zbielałymi ustami Najważniejszy z Ludzi, a wkrótce za nim powtarzali to szejkowie arabscy, potentaci z kartelu OPEC, multimilionerzy z koncernów paliwowych. „Świat się kończy".

I rzeczywiście. Ich świat właśnie się kończył. To, co (Bóg, szatan, a może jedynie kaprys historii) dało im potęgę, rozsypywało się właśnie niczym piasek pustyni. Skazywało na normalny los narodów, które pracą i inteligencją, a nie darem niebios muszą wypracowywać swoją przyszłość.

Opracowana przez Matta Robertsa biochemiczna substancja, której wytwarzanie nie wymagało wielkich kosztów, mogła być zastosowana w silnikach samochodowych jako katalizator. Powodowała, że wtryskiwana do silnika woda gwałtownie zmieniała swój stan z płynnego w gazowy. Trudno o pomysł, który mógł bardziej zmienić świat. Schematy, modele i formuły tego ekologicznego wynalazku pojawiły się równocześnie w Googlach, American Online i w tysiącach różnych miejsc Internetu. Nie do skontrolowania i nie do powstrzymania. Zwłaszcza że ten, który mógł to powstrzymać, był ślepy i głuchy...

Biorąc pod uwagę ogrom krzywd, zemsta Macieja Podlaskiego i grupy jego partnerów zamienionych w biologiczne podzespoły superkomputera była skromna. Zresztą nie odwet był ich zamiarem. Przede wszystkim chcieli odejść jak ludzie, a nie trwać jako białkowe elementy molocha, mogącego władać światem. Zresztą gigaawaria również ich dosięgła, pożar w dyżurce przerzucił się na siłownię i dyspozytornię. Systemy gaśnicze sami wyłączyli. Przepaliły się kable, przestało działać zasilanie awaryjne. Zgasły kontrolki świadczące o ich funkcjach. Obniżyła się temperatura płynu fizjologicznego. Być może w ostatniej chwili, nim wszystko spowiła czerń, ujrzeli, bo chyba byli do tego zdolni, twarz Boga i postacie aniołów, którzy zeszli do nich, aby zabrać ich z haniebnych wanienek i unieść tam, gdzie całe zło tego świata nie miało dostępu.

Dzięki Bogu, Sanchez pamiętał o uprzednim przygotowaniu latarek. Bez nich w życiu nie wydostalibyśmy się z podziemnego labiryntu. Na szczęście nikt nas nie ścigał, z dyżurek słychać było jęki poparzonych, a z pokojów personelu dochodziło jedynie chrapanie uśpionych. Co do profesora Dawidowa, uruchomienie alarmu było ostatnią rzeczą, jakiej w swym życiu dokonał. Jego serce nie wytrzymało gigantycznego szoku. Aorta eksplodowała. Daremnie Sanchez i Chang próbowali go reanimować. Umarł dokładnie w chwili, kiedy szlag trafił dzieło jego życia.

Na placyku między barakami nie było nikogo, kto mógłby nas powstrzymać.

W szopie za wartownią znaleźliśmy kilka sprawnych motorów. Przez rozbitą bramę wydostaliśmy się na starą drogę. Zarośniętą, zamaskowaną od góry, ale przejezdną. To nią przyjechaliśmy przecież zeszłego ranka. Przejechaliśmy przez zaimprowizowany most z bali, zbudowany nad potokiem najwyraźniej specjalnie dla nas. Ciągle nikt nas nie ścigał. Na niebie nie pojawiły się samoloty ani śmigłowce. Znaczy pojawił się jeden. Tyle że przyjazny. Tak przynajmniej wynikało z komunikatu w naszych telefonach. Wylądował na drodze przed nami. Otworzyły się drzwiczki. Natychmiast poznałam drugiego pilota. Smukłego mężczyznę, który sprowadził pomoc.

— Witaj, Basiu.

— Witaj, Nick.

— Ładujcie się do środka!

Błyskawicznie oderwaliśmy się od ziemi. Pod nami nadal głębokie ciemności pokrywały wschodnią Syberię, nigdzie nie paliła się ani jedna żarówka. Jednak noc miała się ku końcowi, gdzieś po godzinie lotu pojawiły się pierwsze zapowiedzi brzasku. Wtulona w Nicka nie mogłam spać. Nie do końca docierało do mnie wszystko, co się wydarzyło. Ze wszystkich pozarosyjskich rozgłośni lał się potok słów, które poliglota Chang tłumaczył nam na bieżąco, a Adam interpretował.

Nie chciało się wierzyć, ale nie sposób było nie wierzyć. Dokonaliśmy cudu. W kilka osób zmieniliśmy losy planety. Tyle że chyba gdzieś musiało być to wcześniej zapisane — ktoś na górze zdecydował, że dokonają tego wspólnie: Chińczyk, Murzyn, amerykański Włocho-Niemiec, Polacy, niby ze szlachty, ale jak to u nas bywa, z domieszką krwi żydowskiej, góralka spod Limanowej, wnuk rosyjskiego arystokraty, latynoskie dziecko...

Przeżyliśmy. Nie wszyscy. Odszedł Maciej Podlaski i jego przyjaciele. Kto jeszcze?

Patrząc na śpiącego obok Adama, domyślałam się jego snu. Śniła mu się biedna, osierocona Dorota, pogrążona w żałobie po szlachetnym Wiktorze, jak babcia Apolonia po stracie Krzyckiego. Na szczęście na placu boju pozostał on, tkliwy, szarmancki, opiekuńczy, zabiegający miesiącami, aby zasłużyć na jej miłość.

Tylko, cóż za paradoks, we śnie, który śnił mój kochany brat, podobnie jak w jego wcześniejszych wersjach, za każdym razem, kiedy zbliżał się do Doroty idącej przez parking obok supermarketu, kiedy ta odwracała się, okazywało się, że to nie jest ona. Tylko czarnowłosa nieznajoma dziewczyna o twarzy bizantyjskiej Madonny.

A my lecieliśmy między niebem a ziemią w stronę wschodzącego słońca.

KONIEC POCZĄTKU

Do Miami przybyliśmy dopiero po tygodniu. Chaos panujący w świecie, szaleństwo giełd i bankructwa wielu koncernów na dłuższy czas sparaliżowały podniebne szlaki. Cztery dni przymusowego pobytu w Japonii i dwa na Hawajach spożytkowaliśmy na wypoczynek. Biorąc pod uwagę skalę zapaści, liczba katastrof na świecie i strat w ludziach była nadspodziewanie niewielka. Z wyjątkiem Rosji, wszystko dość szybko wracało do normy. Wskaźniki ekonomiczne zaczynały piąć się do góry. Tym łatwiej, że dwa mocarstwa — Chiny i USA — na wynalazku Robertsa mogły tylko skorzystać. A trzecie, dźwigające się dopiero (przy świeczkach i naftówkach), na dłuższy czas wypadło z gry. W Moskwie wybuchły zamieszki i dotychczasowy rząd podał się do dymisji. A był to dopiero początek Trzeciej Smuty.

Spotkaliśmy się wszyscy na parkingu przy supermarkecie, obok lotniska w Miami. Dziadek czekał tam na nas z Dorotą. Leśniewska, ku radosnemu zaskoczeniu, nie była jednak w żałobie. Wiktor okazał się twardszy, niż myśleliśmy, a kula Sierioży jakimś szczególnym trafem ominęła serce. Pięć dni młody profesor historii stał na wąskiej kładeczce przy brzegu Styksu, aby w końcu cofnąć się na stronę żywych.

Adam nie potrafił ukryć rozczarowania. Dla niego był to koniec wszelkich nadziei. Nadrabiał miną, gratulował

Dorocie, prosił o pozdrowienie Wiktora, ale serce miał rozkrwawione jak przejechany jeż. Zauważyłam, że został nieco w tyle za naszą grupą. Zawróciłam, chcąc go pocieszyć — w końcu mnie się udało — a on... Czułam się głupio, jeszcze podczas lotu ogłosiliśmy z Nicholasem nasze zaręczyny. Mieliśmy się pobrać we wrześniu w pewnym małym podwarszawskim kościółku...

Zbliżyłam się do Adama, aby natchnąć go nadzieją, kiedy nagle coś się w moim bracie zmieniło. Uniósł głowę i popatrzył w alejkę między samochodami. Śnił na jawie. Nieznajoma nachodziła od strony słońca. Miała olśniewająco smukłą figurę, ciemne włosy, a kiedy zbliżyła się na wyciągnięcie ręki, zobaczyłam łagodną buzię przypominającą twarze niektórych bizantyjskich ikon. Gdzie ja już ją widziałam?...

Mój brat stał jak wryty, kompletnie porażony zbliżającym się zjawiskiem. Zapewne tak się zdarza, kiedy postacie przez nas wymyślone nagle ożywają.

Pierwszy zareagował Nick, który zawrócił zaraz za mną. Minął nas i podszedł do dziewczyny. Ucałował ją.

— Świetnie, że jesteś — rzekł. Po czym odwrócił się do nas. — Nie było dotąd okazji, żeby dokonać prezentacji. To moja córka — Sophie. Nie uwierzycie, ale kiedy porównuję ją ze starymi fotografiami, to widzę dokładną replikę siostry mojego dziadka Olega — Zoi. Narzeczonej Jana Kamienieckiego — dorzucił, jakbyśmy tego wszyscy nie wiedzieli. — A to, kochanie, są Basia i Adam... a ci dalej, Tim, Joséph Conrad, Raul i profesor Kamieniecki...

— Adam, specjalista od proroczych snów? — zapytała Zofia, głos miała świeży, trochę niedzisiejszy, jak z przedwojennego filmu, ale piękny. Podała mu rękę.

— Bardzo mi miło — usłyszałam lekko ochrypły głos najmłodszego przedstawiciela naszego rodu.

Poczułam jakąś dziwną wibrację i na moment wydało mi się, pewnie wskutek nadmiaru południowego słońca, że dostrzegam świetliste aury, które unoszą się ponad głowami Adama i Zosi, zbliżają się do siebie, dotykają, smakują, tak jakby zastanawiały się, co z tym począć dalej.

Mocno zacisnęłam powieki!

— Nie, nie, nie. Niech się dzieje, co chce! Ale ja już o tym pisać nie będę.

Przecież nie będę się chwalić, że mam wielkie szanse zostać teściową własnego brata.

Wawer, maj 2008

TABLICA GENEALOGICZNA
DOBROLUBOWYCH I KAMIENIECKICH

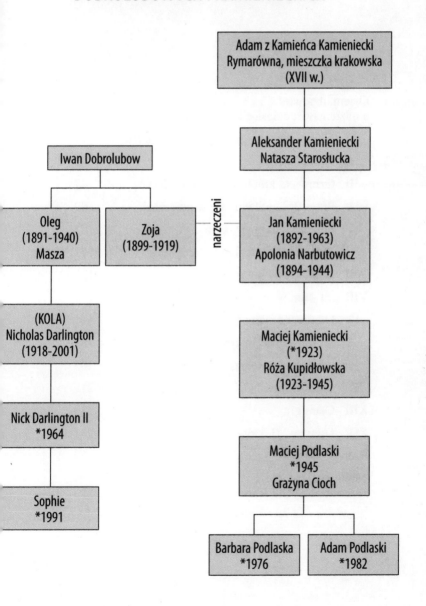

SPIS TREŚCI